JILLIAN MICHAELS

IDEALNA SYLWETKA

MÓJ TAJNY PRZEPIS NA PROSTĄ, SZYBKĄ I TRWAŁĄ UTRATĘ WAGI

Przekład
Natalia Pola Ciołkiewicz

Laurum

Tytuł oryginału:
SLIM FOR LIFE
My Insider Secrets to Simple, Fast, and Lasting Weight Loss

Przekład: Natalia Pola Ciołkiewicz
Redakcja: Anna Żółcińska
Projekt okładki: studio KARANDASZ
Skład: Shift-Enter

Warszawa 2014

MT Biznes sp. z o.o.
ul. Oksywska 32, 01-694 Warszawa
tel./faks (22) 632 64 20
www.mtbiznes.pl
e-mail: sekretariat@mtbiznes.pl

ISBN 978-83-7746-684-1

Nie przepadam za ckliwymi dedykacjami. Nie napisałam tej książki dla swoich rodziców, dzieci czy „kochającego partnera". Ta książka jest po prostu ode mnie dla Ciebie. To mój sposób na to, by spotkać się i porozmawiać o twoim zdrowiu, atrakcyjności i szczęściu. Książkę tę dedykuję wszystkim seksownym ciałom, które czekają na swoją wielką przemianę. Dedykuję ją Tobie. Bądź niesamowity. Czerp z życia pełnymi garściami. Sięgaj wysoko i nigdy się nie poddawaj. Czasem możesz trochę odpuścić, ale nigdy nie dawaj za wygraną.

SPIS TREŚCI

Podziękowania 11
Wstęp 13
Instrukcja obsługi 17

Rozdział 1. ODŻYWIANIE 21

Zrozumieć dietę 22
Dobre kalorie 22
Jedz z głową 30
Maksymalizuj składniki odżywcze 42
Zarządzaj swoimi posiłkami 46
O napojach od podstaw 51

Rozdział 2. RUCH 59

Złamać szyfr ćwiczeń 59
Podstawa 59
Powiększ swoje mięśnie 75
Więcej cardio 86
Wykorzystaj przestrzeń na zewnątrz 88

Rozdział 3. W DOMU 91

Zakupy spożywcze 91
Szczupłe zakupy 92
Odchudzające jedzenie 94
Nie daj się zwieść sprzedawcom 100
Etykiety spożywcze – szybki poradnik 100

Gotuj 106
   Gotuj szczupło 106
   Gromadź odpowiedzialnie 112

Spalaj 115
   Łamacze kalorii 115

Czyste produkty 120
   Ekologiczny dom 120
   Naturalne piękno 121

Leki szkodzące twojej sylwetce 123

Rozdział 4. DO DZIEŁA 129

Czas zabawy 129
   Świętowanie odchudzania się 130

Przetrwać w restauracji 133
   Szczupłe zamawianie w restauracji 133

W pracy 140
   Jedzenie w pracy 140
   Ćwiczenia, które możesz wykonywać w pracy 144

Sekrety podróżowania 147
   Jedzenie w drodze 147
   Fitness w biegu 149

Rozdział 5. BĄDŹ ZMOTYWOWANY 155

Motywuj, inspiruj, zachęcaj 156
   Zmiana nastawienia 156
   Budowanie wsparcia 164
   Jedz zdrowo i wpadnij w rytm 171

Rozdział 6. OMIJAJ PRZESZKODY 181

Radzenie sobie z głodem 182

Pokonać łaknienie 192
Unikanie obżarstwa 192

Radzenie sobie ze stresem 197
Wyluzuj 198

„Tego nie uwzględnia mój budżet" 207
Oszczędnie z jedzeniem 208
Oszczędzaj na sporcie 213

Organizowanie treningów z dziećmi 214
Razem 214
Osobno 216

Tik-tak: pokonywanie ograniczeń czasowych 217
Spalanie w biegu 217
Zdrowe jedzenie w biegu 218

Odmowa dostępu? 218
Fitness 219
Jedzenie 220

Faza zwątpienia 220
Dostosuj postęp 221

Rozdział 7. PRZYSPIESZ SWOJE ODCHUDZANIE 227

Bądź szczupły 228
Największe sekrety odchudzania 228
Wskazówki dotyczące jedzenia i ćwiczeń, które naprawdę
pomagają 233

Sztuczki w odchudzaniu 246
Znajdź swoją drogę do odchudzania 246

Zasady ubierania się 255

Ubieraj się odpowiednio do swojej sylwetki 259

Rozdział 8. WIELKIE ODLICZANIE 261

Całkowita punktacja 262

Wybrane wskazówki 264

Twoje wyniki końcowe 265

Co oznacza twój wynik 266

Nie zapomnij żadnej wskazówki 270

Trzymaj się szczupło 271

PODZIĘKOWANIA

Specjalne podziękowania dla mojej wspaniałej grupy twardzieli z Empowered Media: Raya, Julie, Danny'ego, Autumn, Brittany i Eryki, którzy pracują niestrudzenie, by uczynić ten świat lepszym. Dziękuję mojemu współpracownikowi Giancarlo Chersichowi: jesteś wspaniałym przyjacielem i zaufanym towarzyszem broni.

Dziękuję mojej niezwykle cierpliwej i wytrwałej redaktorce, Heather Jackson, za jej pasję, profesjonalizm i nieocenioną pomoc w prostym i skutecznym osiąganiu założonych celów.

Dziękuję zespołowi Crown Publishing and the Archetype and Harmony Books, który zawsze mnie wspierał, mojej współautorce i doradcy, Lindzie Shelton, mojemu nieustraszonemu adwokatowi Davidowi Markmanowi, moim współpracownikom z Everyday Health, którzy pracują przy stronie jillianmichaels.com.

Dziękuję oczywiście również mojej wspaniałej rodzinie: Heidi, Lu i Phoenixowi za ich miłość i wsparcie. Jesteście w moim sercu na zawsze.

WSTĘP

Muszę przyznać, że nie spodziewałam się, że jeszcze kiedykolwiek napiszę książkę o odchudzaniu. Byłam przekonana, że wyczerpałam już ten temat – że o odżywianiu, dietach, ćwiczeniach, odchudzaniu i utrzymaniu właściwej wagi napisałam już wszystko, co było do powiedzenia. Później zdałam sobie jednak sprawę, że zarówno ja, jak i inni „dietowi guru" pisaliśmy za dużo, przesadnie całą sprawę komplikując, dezorientując i stresując czytelników.

Jedni eksperci radzą, by pilnować liczby spożywanych porcji jedzenia, inni stawiają na regularność posiłków, jeszcze inni każą liczyć kalorie. Wszystkie te metody sprowadzają się do tego samego, ale podane na trzy różne sposoby sprawiają, że zaczynamy się zastanawiać, którą z nich wybrać i która przyniesie najlepsze efekty. Można od tego zwariować. Często też zdarza się, że zostajemy zarzuceni nadmiarem informacji o biochemii, kinezjologii czy inną naukową paplaniną. Czujemy się przytłoczeni i nadal nie wiemy, na co się zdecydować.

Najgorsi ze wszystkich są jednak ci, którzy by zyskać szybko na popularności, dają nam złote rady z rodzaju „zbyt piękne, by mogło być prawdziwe". Usłyszymy od nich, że „żeby schudnąć, wcale nie musimy zwracać uwagi na kalorie" albo że „żeby spalić nagromadzony tłuszcz, nie musimy wykonywać żadnych ćwiczeń – wystarczy, że usiądziemy spokojnie, weźmiemy głęboki wdech, a nagromadzone kilogramy same się ulotnią".

Podsumowując: zrozumiałam, że jeśli podam informację w sposób prosty i bardziej przystępny, łatwiej będzie czytelnikowi ominąć wszystkie nieistotne szczegóły, zastosować się do mojej rady i osiągnąć oczekiwane efekty.

A zatem: oto *Idealna sylwetka* – prosta droga do celu.

Masz przed sobą zbiór prostych metod i pomysłów na to, jak wytrwać przy swojej diecie, regularnych ćwiczeniach i swoim stylu życia.

Jeśli się do nich zastosujesz, bez problemu zrzucisz dowolną ilość nagromadzonych kilogramów i nie będziesz musiał się obawiać, że znów przybierzesz na wadze.

Moje porady są proste, efektywne, tanie i łatwe do zastosowania. Życie jest wystarczająco trudne bez strachu przed ćwiczeniami i bez nieustannego katowania się dietą. Z *Idealną sylwetką* nie musi już takie być.

Obalę mity o odchudzaniu się i położę kres niebezpiecznej modzie na diety niszczące twój metabolizm i stawiające cię wiecznie na przegranej pozycji. Dokładnie tak – koniec ze wszystkimi tymi bzdurami, którymi cię do tej pory karmiono i które łykałeś bez zastanowienia. Dieta lemoniadowa, dieta beztłuszczowa, ograniczanie węglowodanów... nigdy więcej! Nie czas na tanie sztuczki. Zamiast tego mam dla ciebie setki sprawdzonych prostych i łatwych do zastosowania metod, które gwarantują ci efekty – prawdziwą odmianę twojego ciała.

Moja ostatnia obietnica przed startem: trwałość efektów. Wszystko, co wiem o dietach i zrzucaniu zbędnych kilogramów, skondensowałam w tej książce. Tu znajdziesz wszystko i tylko to, czego potrzebujesz.

W tej książce najlepsze jest to, że wcale nie musisz ściśle trzymać się wszystkich opisanych przeze mnie instrukcji. Możesz wybrać to, co sprawdza się w twoim przypadku najlepiej, co możesz bez problemu zastosować i co da ci znakomite rezultaty.

Książkę podzieliłam na osiem rozdziałów, tak by zająć się z osobna każdą sferą twojego życia, w której możesz napotkać jakieś trudności czy co do której możesz mieć wątpliwości. Jedzenie, ruch, życie w biegu, domowa codzienność – o czym tylko pomyślisz, na pewno o tym napisałam! Cokolwiek robisz i gdziekolwiek jesteś, o nic nie musisz się martwić – mamy to opracowane. W każdej możliwej sytuacji jestem z tobą i mam dla ciebie właściwą dietę, ćwiczenia i życiowe porady, które pozwolą ci dotrzeć na szczyt.

Zajęłam się też wszystkimi możliwymi wymówkami i próbami autosabotażu, począwszy od braku wsparcia i niskiej samooceny, na problemach ze znalezieniem czasu, dostępem do siłowni czy ograniczeniami finansowymi skończywszy. Teraz, jeśli którakolwiek z tych przeszkód pojawi się na twojej drodze, będziesz znał już całe mnóstwo sposobów na to, jak je obejść.

Nie chodzi jednak tylko o unikanie wymówek. Pomogę ci zoptymalizować twoją zdolność do spalania tłuszczu, udoskonalić twoją sylwetkę, pokażę, jak właściwie używać suplementów diety, jak komponować posiłki, kiedy je jeść, jak wykorzystać zmienność temperatury ciała, jak nie ulegać pokusom, a nawet jak sprytnie dobrać ubrania, by podkreślić swoją sylwetkę.

Teraz, kiedy wiesz już, czego się spodziewać, weźmy się do roboty i zmieńmy raz na zawsze twoje ciało, twoje zdrowie i twoje życie!

INSTRUKCJA OBSŁUGI

Jak zaraz się przekonasz, znajdziesz w tej książce bardzo dużo istotnych informacji. Ale bez obaw – nie poczujesz się nimi przytłoczony. Przygotowałam dla ciebie prostą instrukcję obsługi, która pomoże ci spersonalizować plan działania tak, by osiągnąć jak najlepsze rezultaty i cieszyć się pięknym ciałem, o którym zawsze marzyłeś, bez obawy, że możesz znów przybrać na wadze.

Jak już mówiłam, nie musisz korzystać ze wszystkich porad zawartych w tej książce, nie musisz też przestrzegać ich zawsze. Niektóre z nich są bardzo istotne, inne nie aż tak. To właśnie od ilości i wartości rad, które wybierzesz i postanowisz zastosować, będą zależeć twoje wyniki i to, jak szybko je osiągniesz.

Jaki jest ten magiczny przepis? Które wskazówki są ważniejsze i jaki procent z nich musisz zastosować, żeby raz na zawsze udoskonalić swoje ciało i życie? Odpowiedź jest prosta: te, które jesteś w stanie stosować regularnie. Skonstruowałam też rodzaj skali skuteczności; pokazuje ona, które z opisanych metod dadzą ci najlepsze efekty. Ocena podana jest w skali od 1 do 3, gdzie 3 to wskazówki najskuteczniejsze, 2 – ważne i przydatne, ale nie najważniejsze, a 1 to porady dodatkowe, które ułatwią ci drogę do zdrowego i szczupłego życia. Wszystkie jednak prowadzą do jednego – twojej idealnej sylwetki. Dlatego jeśli jakaś z rad przypadnie ci do gustu bardziej niż inna – zastosuj ją. O to właśnie chodzi w tej książce, by dostosować plan działania do ciebie i wybrać to, co możesz łatwo wprowadzić w życie.

Na końcu każdego rozdziału znajdziesz listę, na której możesz odznaczyć pomysły, które uważasz za wykonalne, takie, które mógłbyś regularnie stosować w swoim życiu. W ostatnim, ósmym rozdziale, który jest też rodzajem podsumowania, oszacujemy twój całkowity wynik na podstawie poszczególnych rozdziałów i powiemy sobie, co dokładnie oznacza on pod względem efektów, które możesz osiągnąć. Kiedy zbierzemy razem wszystkie wybrane przez ciebie pomysły, przedstawię ci wskazówki odpowiednie dla kategorii, do której się zaliczasz. Jeśli będzie taka potrzeba, podrasujemy trochę twoją listę (ilościowo oraz jakościowo), żeby mieć pewność, że osiągniesz zamierzone efekty.

Wybierz wskazówki, które najbardziej ci odpowiadają, korzystając przy tym z wiedzy o tym, które z nich są najbardziej podstawowe i skuteczne. To wystarczy, by dobrać, dostosować, zoptymalizować i wprowadzić w życie spersonalizowany plan działania, który pozwoli ci osiągnąć upragnione trwałe wyniki.

Pamiętaj, że istnieją uniwersalne prawa dotyczące ludzkiego organizmu, które stosują się do nas wszystkich (mam tu na myśli biochemiczne kwestie związane z odżywianiem się i fitnessem). W *Idealnej sylwetce* znajdziesz wiele zaleceń, które na jednych zadziałają silniej, na innych słabiej. Jest to zależne od indywidualnych uwarunkowań.

Oto co powinieneś zrobić: czytając kolejne rozdziały, zwróć uwagę na ocenę każdej podanej wskazówki. Pamiętaj, że porady opisane cyfrą 3 są najważniejsze. Postaraj się zrobić wszystko co w twojej mocy, by je zastosować, i odhacz je na liście na końcu rozdziału. Jeśli chodzi o pomysły opisane cyframi 1 lub 2, zastanów się, czy byłbyś w stanie pogodzić je ze swoim aktualnym stylem życia. Czy wydają się wykonalne? Oczywiście jeśli tak, to zastosuj je i odznacz na liście na końcu rozdziału. Jeśli trafisz na wskazówki, które nie przypadną ci specjalnie do gustu, zachęcałabym, żebyś mimo wszystko spróbował je wykonać. Chociaż kilka w tygodniu. Sprawdź, jak działają. Czy były trudne do wprowadzenia w życie. Czy dały jakieś efekty. Tylko w ten sposób możesz ocenić, które sposoby są dla ciebie właściwe, a które nie. Robisz to dla SIEBIE, by łatwo i skutecznie zmienić swoje nawyki na lepsze.

Na razie odłóż na bok wszystkie te wskazówki, które wywołują u ciebie reakcję „o, na pewno nie – w życiu!". Jeśli czujesz do nich aż taką awersję, wydają ci się niewykonalne czy wręcz idiotyczne, bardzo możliwe, że nie będziesz w ogóle musiał ich stosować, bez względu na to, jak efektywne mogłyby się okazać. Możliwe, że wybierzesz wystarczająco dużo właściwych wskazówek i wtedy te, których nie będziesz w stanie zastosować, nie będą wcale tak istotne. Gdy dojdziemy do rozdziału 8 i stwierdzisz, że wyniki, jakie możesz osiągnąć, są niewystarczające, będziesz musiał wrócić do odrzuconych porad i przyjrzeć się im przychylniejszym okiem. Ale na razie o tym nie myśl. Zajmiemy się tym, gdy dojdziemy do podliczania twoich wyników.

Ostatnia uwaga: znajdziesz w tej książce pewne porady, za których zastosowanie nie doliczymy ci punktów. Mam na myśli między innymi wskazówki dotyczące tego, jak oszczędzać na zdrowym jedzeniu czy na ćwiczeniach albo jak dobrać ubrania, by wyglądać szczupło. Wszystkie te informacje są bardzo cenne, ale nie mają bezpośredniego wpływu na twoją utratę wagi. Zachęcam cię jednak do tego, byś je stosował, ponieważ ułatwią ci drogę do idealnej sylwetki i poprawią jakość twojego życia. Warto myśleć o swojej szczupłej sylwetce i drodze do niej jako o pewnej całości.

Znajdziesz tu również garść informacji, które nie są żadnym wielkim odkryciem i na pewno słyszałeś je wcześniej. Zastanawiałam się, czy podawać je w tej książce, bo przeważnie staram się przekazywać jedynie najaktualniejsze i najbardziej przełomowe rozwiązania, ale doszłam do wniosku, że bez tych podstaw się nie obejdzie. Po pierwsze zakładam, że nie każdy czytelnik posiada taką samą wiedzę na temat odchudzania. Możliwe, że ktoś nigdy nie interesował się tym tematem lub nie próbował schudnąć i nie chciałam pozbawiać takich osób listy elementarnych zasad. Po drugie, pomyślałam, że jeśli nie znajdziesz w mojej książce informacji o podstawach, uznasz, że nie są one istotne – a są. Ucząc cię zupełnie nowej sztuki wyszczuplania swojej sylwetki, chciałabym jednocześnie wzbogacić twoją wiedzę na temat bardziej znanych metod, tłumacząc ci, jak są one istotne oraz w jaki sposób je stosować i osiągnąć jak najlepsze wyniki.

No to do dzieła!

ROZDZIAŁ 1

ODŻYWIANIE

Ten rozdział ma na celu przygotowanie gruntu pod stabilność twojej wagi i osiągnięcie nad nią pełnej kontroli. Zauważysz na pewno, że tej kwestii oraz informacjom związanym z ćwiczeniami poświęcam w tej książce najwięcej czasu. Nie bez przyczyny. Te dwa tematy są niczym kamienie milowe na drodze do skutecznej utraty wagi. Moim zadaniem jest nauczenie cię, jak doskonalić się w tej sferze oraz jak w łatwy sposób wprowadzać moje wskazówki w życie, tak by osiągnąć jak najlepsze wyniki.

Nigdy nie lubiłam słowa „łatwy", bo głęboko wierzę w to, że nic, co wartościowe w życiu, nie przychodzi nam łatwo. Tym razem jednak postawiłam sobie za cel sprawić, by twoja droga do zdrowego odżywiania była jak najprostsza. Innymi słowy, na pewno będzie czekało cię kilka wyrzeczeń, ale postaram się, by ten proces nie wymagał od ciebie przesadnego wysiłku i był możliwie bezbolesny.

Skuteczność tej książki polega na wprowadzaniu do twojego codziennego życia potwierdzonych naukowo metod na proste i trwałe zmniejszenie wagi. Staram się przedstawić je tutaj w postaci prostych wskazówek, rad, małych „sekretów" i podpowiedzi, byś mógł chudnąć bez konieczności zagłębiania się w tajniki biochemii, bezustannego liczenia kalorii czy spędzania niezliczonych godzin w siłowni. Nie chcę cię zanudzić ani umęczyć. Podpowiadam, jak zmienić pewne przyzwyczajenia, tak by spalić jak najwięcej kalorii w jak najprostszy sposób.

ZROZUMIEĆ DIETĘ

Dobre kalorie

[3 punkty] ••• Żyj na minusie

To pojęcie może się źle kojarzyć, kiedy mówimy o naszych finansach, ale w kwestiach związanych z odchudzaniem to klucz do sukcesu. Najprościej mówiąc, musisz w ciągu dnia spalić więcej kalorii, niż przyjąłeś. Dzięki tej książce będziesz mógł to zrobić, nie tracąc czasu na ich liczenie.

Tłuszcz to nic innego jak zgromadzona energia, a kaloria to jednostka tej energii. Energia, której nie zużywasz, gromadzi się w twoim organizmie pod postacią tłuszczu. Oczywiste jest, że jedyny sposób na zgubienie zbędnych kilogramów – wbrew temu, co możesz usłyszeć od niektórych „specjalistów" w sprawach odżywiania – to jeść mniej i więcej się ruszać. Powiesz, że to nie zawsze jest takie proste, ale czy na pewno?

Do niedawna wierzono, że utratę wagi można przeliczyć na podstawie prostego równania: jeśli 1 kg to 7000 kalorii, to musimy spalić 7000 kalorii, by zgubić ten 1 kg. Według tej teorii, zakładając, że ktoś chce zrzucić 12 kilogramów, to ćwicząc regularnie i pomniejszając swoją dzienną dietę o 1000 kalorii, powinien osiągnąć swój cel w jakieś 12 tygodni (czyli chudnąć o około 1 kg tygodniowo). Jednak najnowsze badania, których wyniki opublikował w roku 2011 magazyn „Lancet", wykazały, że teoria ta jest błędna i myląca, ponieważ zarówno liczba zrzucanych kilogramów, jak i czas, w jakim możliwe jest osiągnięcie obranego celu, jest dla każdej osoby inny.

Osoby badające to zagadnienie doszły do wniosku, że w grę wchodzi jeszcze wiele innych czynników, które do tej pory nie były brane pod uwagę, takich jak wiek, wzrost, waga, płeć, procent tłuszczu w organizmie czy tempo przemiany materii. Tylko przy uwzględnieniu tych czynników możemy uzyskać wiarygodne dane na temat bilansu kalorii przyjętych i spalonych w ciągu dnia.

Badacze stworzyli również specjalne narzędzie, dzięki któremu możesz łatwo sprawdzić, jak mądrze się odchudzać, dostosowując ilość przyjmowanych kalorii do podejmowanej aktywności fizycznej. Jest ono dostępne na stronie: http://bwsimulator.niddk.nih.gov/.

Wpisujesz swoje dane oraz informację o tym, ile ćwiczeń jesteś skłonny wykonywać, a symulator oblicza, ile powinieneś jeść w ciągu dnia. To jest świetne. Musisz spróbować! Wykorzystaliśmy to narzędzie z uczestnikami 14. sezonu programu *The Biggest Loser*[1] i zdziałaliśmy cuda.

MIT: Otyłość jest uwarunkowana genetycznie.

FAKTY: Możliwe, że utrzymać właściwą wagę jest ci trudniej niż tej czy innej osobie, która je wszystko, na co ma ochotę, i nie tyje przy tym nawet o gram, ale to nie znaczy, że jesteś przez swoje geny skazany na otyłość. Nigdy nie spotkałam osoby, której nie byłabym w stanie pomóc zrzucić zbędne kilogramy. Mit ten jednak często wykorzystywany jest jako usprawiedliwienie dla porażek w odchudzaniu. Nasza genetyka jest dynamiczna, nie statyczna. Oddziałujemy na zachowanie naszych genów poprzez nasze życiowe wybory. Gwarantuję ci, że jeśli będziesz się właściwie odżywiać, więcej się ruszać i zadbasz o siebie, będziesz zdrowy i szczupły.

Jeśli wolisz, możesz obliczyć swoje dzienne spalanie kalorii w bardziej oldschoolowy sposób. Będziesz potrzebował tylko kartki, długopisu i kalkulatora. Pierwsze, co musimy obliczyć, to twoja PPM (podstawowa przemiana materii). Podstawowa przemiana materii to kalorie, które twoje ciało wykorzystuje na podtrzymywanie podstawowych

---

[1] Program typu reality show, nadawany od 2004 r. na kanale NBC. Biorą w nim udział osoby z nadwagą, których zadaniem jest pozbycie się jak największej liczby kilogramów. Zwycięzca otrzymuje nagrodę pieniężną. W programie tym Jillian Michaels występowała w charakterze trenera motywującego uczestników jednej z dwóch rywalizujących ze sobą drużyn. Na licencji *The Biggest Loser* zostały wyprodukowane programy w wielu krajach, w Polsce pod tytułem *Co masz do stracenia?* (przyp. red.).

funkcji życiowych, które trwają przez cały czas, również podczas snu i odpoczynku. Nie wliczają się tu kalorie, które spalasz podczas innych codziennych czynności. Te opisuje aktywna przemiana materii. Ale o tym za chwilę.

Formuła PPM uwzględnia takie zmienne, jak wzrost, waga, wiek i płeć, by pozwolić oszacować nakłady energii w twoim organizmie. PPM pomija jednak takie czynniki, jak beztłuszczowa masa ciała (stosunek mięśni do tłuszczu w organizmie) oraz biochemia. Zatem jeśli cierpisz na nadczynność tarczycy, zespół wielotorbielowatych jajników, insulinooporność, nadprodukcję estrogenu, nie ma szans, by zostało to uwzględnione przy obliczeniach za pomocą tej formuły. W takiej sytuacji potrzebne byłyby badania krwi i wizyta u endokrynologa. W przypadkach, gdy nie występują żadne zaburzenia hormonalne, wyniki powinny być dość precyzyjne. Ostatnia uwaga: u osób bardzo umięśnionych wyliczona ilość spalanych kalorii może być nieznacznie zaniżona, a u osób z nadmiarem tłuszczu w organizmie zawyżona.

Zastosuj poniższe równanie, by obliczyć swoje PPM:

Kobieta: PPM = 655 + (9,6 × waga w kg) + (1,8 × wzrost w cm) − (4,7 × wiek w latach)

Mężczyzna: PPM = 66 + (13,7 × waga w kg) + (5 × wzrost w cm) − (6,8 × wiek w latach)

Gdy już uporasz się z tym prostym równaniem i poznasz swoje PPM, możesz przejść do obliczenia swojej aktywnej przemiany materii (APM). W ten sposób dowiesz się, ile kalorii spalasz, nie ćwicząc. Ustalisz, ile średnio twój organizm spala podczas dnia (wyłączając ćwiczenia).

Ustal, do której grupy należysz:

1. Jeśli jesteś praktycznie przykuty do biurka i spędzasz większość dnia na siedząco, kwalifikujesz się do kategorii 1.1. Osoby, które zaliczają się do tej kategorii, to na przykład recepcjoniści, telemarketerzy i pracownicy obsługi klienta.
2. Jeśli w ciągu dnia zdarza ci się trochę ruszać, twoja kategoria to 1.2. Osoby, które zaliczają się do tej kategorii, to na przykład

gospodynie domowe, pracownicy sklepów, ogólnie wszyscy, którzy w ciągu dnia są przeważnie na nogach, ale nie przemęczają się przesadnie podczas swojej pracy (chociaż tu pewnie większość czytających to mam nie zgodzi się ze mną).

3. Jeśli jesteś ciągle na nogach i szybko się przemieszczasz, twoja kategoria to 1.3. Ja podpadam pod tę kategorię – jak zresztą większość trenerów. Zaliczymy tu również np. elektryków czy hydraulików. Wszystkich, którzy są ciągle w ruchu, pracują na wysokich obrotach, ale też nie harują jak niewolnicy.

4. Jeśli twoja praca wymaga wytężonego fizycznego wysiłku, zaliczasz się do kategorii 1.4. W tej kategorii znajdą się robotnicy budowlani, zawodowi sportowcy, każdy, kto przez cały dzień natęża swoje siły.

Kiedy ustalisz, do której kategorii się zaliczasz, pomnóż jej numer przez swoje PPM. Zatem jeśli np. twoje PPM to 1300, ja pomnożyłabym je przez 1,3, otrzymując wynik 1690. Teraz wiem już, że w dni, kiedy nie wykonuję żadnych ćwiczeń, mogłabym przyjąć około 1700 kalorii i nie przybrać na wadze. Czyli w dni, kiedy ćwiczę, mogę doliczyć to, co dodatkowo spalam, i wtedy zmieni się współczynnik mojej aktywnej przemiany materii. Powiedzmy, że dodam godzinę treningu, czyli około 500 spalonych kalorii, otrzymam więc APM na poziomie 2300.

Dzięki informacjom, które właśnie ci podałam, bez problemu wyliczysz swoje czarodziejskie numerki. Użyj podanego wcześniej w tym rozdziale linka, aby określić swoje cele (liczbę zbędnych kilogramów i czas, w jakim chcesz je zgubić). Kalkulator powie ci, ile kalorii dziennie możesz przyjmować, by to osiągnąć. Możesz też skorzystać z równania na obliczenie APM, o którym pisałam. Tak długo, jak będziesz trzymał się diety, która nie przekracza twojego APM, nie przybierzesz na wadze.

[3 punkty] ••• Zapamiętaj podstawowe zasady

Jeśli nie chcesz bawić się w żadne obliczenia, a chcesz znać najniższe dawki kalorii, jakie należy przyjmować na diecie, oto one: 1200 kalorii dla kobiety i 1600 dla mężczyzny. Nigdy nie schodź poniżej tej ilości. Każda dawka mniejsza niż ta spowoduje, że staniesz się słaby, głodny i nieszczęśliwy, a twoje ciało prawdopodobnie zacznie zjadać się samo od środka. Jeśli będziesz systematycznie stosował się do porad zawartych w tej książce, w pewnym momencie nie będziesz już w ogóle musiał liczyć kalorii, bo kierowanie się tymi wskazówkami sprawi, że nabierzesz zdrowych nawyków żywieniowych tak łatwo, że nawet tego nie zauważysz. Ważne jest jednak, byś znał podstawy, ponieważ są one fundamentem twojego nowego, szczupłego życia.

[3 punkty] ••• Wyczyść kuchenne szafki

To pierwsze, co zawsze robię, kiedy pomagam ludziom schudnąć. Przeglądam ich kuchnię, wszystkie szafki i lodówkę. Wyrzucam wszystkie tuczące świństwa. To proste – jak nie masz ich w domu, nie zjesz ich.

[3 punkty] ••• Zmniejszaj: przestaw się na „szczupłe" porcje

Zdarzyło ci się słyszeć, że mniej znaczy więcej? To powinna być podstawowa zasada, jeśli chodzi o jedzenie. To najprostszy sposób na zmniejszanie ilości spożywanych kalorii bez rezygnowania z dań, które lubisz. Niczego sobie nie odmawiasz. Jeśli jakiś produkt jest dostępny również w mniejszych porcjach, niż zazwyczaj kupujesz czy zamawiasz, przerzuć się na te mniejsze porcje. Na wypadek gdybyś nie wiedział, o czym mówię, podam kilka przykładów. Kiedy zamawiasz coś w restauracji, zawsze zapytaj o pomniejszoną porcję albo o porcję dziecięcą. Poproś o małą porcję frytek, lody zamów w wafelku dla dzieci, średnią Caffè Mocha w Starbucksie. Wybierz cheeseburgera zamiast pięciowarstwowej kanapki z dodatkowym bekonem. Łapiesz? Ta sama zasada dotyczy codziennych zakupów. Kupuj minibajgle, małe muffiny, jogurty w małych opakowaniach. Nawet wybranie mniejszego owocu przyczyni się do tego, że spożyjesz mniej cukru, a co za tym idzie, również mniej kalorii. Ta prosta taktyka wybierania małych porcji pozwala na ograniczenie przyjmowanych kalorii praktycznie bez żadnego wysiłku.

[2 punkty] •• Zapisz i podlicz

To może być uciążliwe, szczególnie jeśli stale jesteś w ruchu. Słyszysz o tym jednak ciągle, od wszystkich specjalistów od zdrowego trybu życia, nie bez powodu. Kontrolowanie tego, ile jesz, sprawia, że jesz mniej. Zmusza cię do tego, byś się na chwilę zatrzymał i zastanowił, ile tak naprawdę jesz, pomaga uświadomić sobie, że czasem się przejadasz, i pozwala podliczyć przyjęte kalorie. Jest to być może czasochłonne, ale kolejne badania dotyczące sposobów na długotrwałą utratę wagi wykazują, że codzienne prowadzenie dokładnych zapisków (bez pomijania czegokolwiek – uwzględniamy również dni, kiedy nadmiernie się objadamy) jest kluczem do utrzymania właściwej masy ciała. „American Journal of Preventive Medicine" opublikował wyniki trwających 6 miesięcy badań, w których wzięło udział 1685 osób będących na diecie. Wynika z nich, że osoby, które śledziły swoje żywienie codziennie, straciły na wadze dwa razy więcej niż osoby, które zapisywały informacje o swoich posiłkach tylko raz w tygodniu.

A teraz sekret, którego nikt ci wcześniej nie zdradził: nie będziesz musiał robić tego zawsze. Ja nie pamiętam już nawet, kiedy ostatni raz zdarzyło mi się zapisywać moje posiłki. Oczywiście jeśli chcesz to robić, nie ma problemu – możesz, ale tak naprawdę są tylko trzy sytuacje, w których jest to konieczne: 1. teraz, przez pierwsze dwa tygodnie, na początku twojej drogi do szczupłego ciała, byś mógł się zorientować, jak wygląda twoje odżywianie się; 2. gdy odchudzasz się lub chcesz utrzymać aktualną wagę, a dodajesz do swojego standardowego menu nowe danie; 3. gdy twoja waga wzrasta.

Jesteśmy więźniami naszych przyzwyczajeń. Doskonale widać to na przykładzie jedzenia. Wyobrażasz sobie, że z setek dostępnych potraw większość z nas je ciągle te same dwadzieścia? Gdy zaczniesz kontrolować swoje posiłki, nie tylko nauczysz się oceniać kaloryczność swojej diety, ale również uświadomisz sobie swoje żywieniowe przyzwyczajenia i schematy.

Tylko pomyśl. Założę się, że masz trzy czy cztery potrawy, które zwykle jesz na śniadanie, tak samo na lunch, a kolacje jadasz w trzech lub może pięciu różnych restauracjach. Ja tak robię. Podobnie ma się pewnie sprawa z zakupami. Kupujesz ciągle jeden określony rodzaj pieczywa, sera, mięsa, ten sam jogurt czy płatki. Ja dzięki temu, że tak często jem te same potrawy, wiem już, że jedno jajko to 80 kalorii, niskotłuszczowy waniliowy jogurt grecki Oikos 100, a jedna pałeczka niskotłuszczowego organicznego sera Horizon 80. Wiem też, że moje śniadanie składające się z dwóch sadzonych jajek i dwóch tostów zawiera w sumie 360 kalorii.

Nie muszę już notować, co jem. Wiem, ile kalorii przyjmuję. Już wcześniej to policzyłam.

Odnosząc się do drugiego z wymienionych przypadków: jeśli w okolicy otworzyła się nowa restauracja i do swoich zwykłych posiłków dodałeś ich makaron Florentine, nie musisz od razu zacząć zapisywać wszystkich spożywanych posiłków. To, co powinieneś zrobić, to ocenić, ile kalorii ma dana potrawa i czy dodanie jej do twojego menu znacząco wpływa na dzienną ilość przyjmowanych kalorii. Jeśli w karcie nie podano informacji o ilości kalorii, zapytaj kelnerkę o składniki i sposób przygotowania potrawy. To powinno ułatwić sprawę. Kiedy to już ustalisz, możesz przeorganizować resztę spożywanych posiłków, jeśli okaże się to konieczne, by się nie przejeść. I znów – wystarczy, że zrobisz to raz, następnym razem na pewno będziesz już pamiętać.

I ostatni przypadek. Jeśli zaczynasz przybierać na wadze, musisz wrócić do zapisywania tego, co zjadłeś. Dokładnie na trzy dni. Wiele osób przychodzi do mnie z płaczem i rwąc włosy z głowy, żali się: „Znów tyję – niedługo waga się pode mną załamie!". Jest kilka przypadków, w których możliwy jest nawrót przybierania na wadze, i w kolejnych rozdziałach powiem, jak sobie z tym radzić, ale przeważnie powodem destabilizacji naszej wagi jest to, że zaczynamy jeść za dużo lub za mało, nawet sobie tego nie uświadamiając. Dlatego warto na trzy dni wrócić do zapisywania tego, co jemy. W ten sposób szybko się zorientujemy, gdzie leży problem.

Jeśli zastanawiasz się, jak policzyć kalorie w produkcie lub posiłku, który nie jest opisany, jest na to wiele sposobów: specjalne aplikacje, podręczne książeczki czy strony internetowe, gdzie zrobisz to z łatwością. Wiem, bo sama tworzyłam takie narzędzia. Jeśli z jakichś przyczyn nie jesteś entuzjastą mojej aplikacji wspomagającej odchudzanie dostępnej na jillianmichaels.com czy mojej książeczki do liczenia kalorii (wiem, to mało prawdopodobne, ale też nie niemożliwe), jest mnóstwo innych narzędzi tego typu, dzięki którym bez problemu sobie poradzisz.

[2 punkty] •• Rozpakuj

Nigdy nie jedz niczego z wielkiej, bezdennej paczki – to prowadzi do bezmyślnego obżarstwa, w trakcie którego możesz pochłonąć nawet całą dzienną dawkę kalorii. (Zwróć uwagę na informacje o kaloriach na paczce nachosów – 200-gramowe opakowanie takich czipsów to 1039 kalorii – nawet bez doliczania kalorii w guacamole). Jeśli chcesz kontrolować swoje jedzenie, w przypadku przekąsek ROZPAKOWY-WANIE może być bardzo ważne. Przepakuj przysmaki z dużych paczek do małych; w ten sposób będziesz mógł kontrolować kalorie i jednocześnie korzystać z bardziej poręcznych opakowań. Wiele firm zaczęło sprzedawać produkowane przez siebie przekąski w małych opakowaniach, mogących pomieścić porcje o zawartości 100–150 kalorii. Można też dostać gotowe produkty zapakowane w porcjach do 100 kalorii.

[2 punkty] •• Droga małych kroczków

Konsekwentna, codzienna redukcja kalorii to świetny sposób na to, by małymi kroczkami zbliżyć się do ustalenia trwałej niskokalorycznej diety. Spróbuj np. tego: przez rok każdego dnia odpuść sobie 100 kalorii. To prostsze niż myślisz.

Ile to jest 100 kalorii?

14 czipsów ziemniaczanych lub kukurydzianych
230 g – 1 puszka napoju gazowanego
120 g białego wina
227 g piwa
1 1/2 łyżki dressingu
2 1/2 ciasteczka Oreo
3 łyżki lodów czekoladowych
30 g frytek

Ten prosty zabieg pomoże pozbyć się około 5–6 niechcianych kilogramów w ciągu roku. Całkiem nieźle, nie uważasz? Więcej tego typu porad znajdziesz w „szybkich cięciach" – wskazówkach, które rozsiałam po całej książce.

Jedz z głową

[3 punkty] ••• Wybieraj, nie wykluczaj

Nie wykluczaj z diety żadnej z większych grup produktów czy substancji odżywczych takich jak węglowodany, tłuszcze, mięso czy zboża. Za każdym razem, gdy ktoś próbuje zabłysnąć, pisząc nową książkę o diecie, zaczyna żonglować proporcjami substancji odżywczych w posiłkach albo sugeruje całkowite wykluczenie jakiegoś rodzaju produktów. Na pewno wiesz doskonale, o czym mówię, i przynajmniej raz uległeś takiej chwilowej modzie na dietę niskotłuszczową,

MIT: Diety bogate w białka/diety wykluczające węglowodany są zdrowym sposobem na odchudzanie.

FAKTY: Węglowodany są źródłem witamin i minerałów niezbędnych do prawidłowego funkcjonowania gospodarki hormonalnej organizmu, zachowania płodności, zdrowej skóry, zdrowych paznokci, włosów i sprawnego wzroku. Dzienne spożycie węglowodanów nie powinno być niższe niż 130 g, ponieważ ich niedobór może prowadzić do kwaśnicy ketonowej (ketozy), czyli zwiększonego stężenia ciał ketonowych (częściowo rozbitych tłuszczów) we krwi. Ketoza może przyczynić się do wytwarzania dużych ilości kwasu moczowego, co z kolei może skutkować nabawieniem się dny moczanowej (bolesnego obrzęku stawów). Pamiętaj – tyjesz od zbyt dużej ilości kalorii, nie zbyt dużej ilości węglowodanów.

odstawianie węglowodanów czy paleo. Sprawa wygląda tak: tłuszcze, węglowodany i białka odgrywają kluczowe role w naszej diecie i są niezbędne do prawidłowego funkcjonowania organizmu. Potrzebujemy ich – tak, tłuszczów również. Dieta beztłuszczowa może zwiększyć twoje łaknienie. Tłuszcze są ważnym elementem i powinny stanowić około 20–30% twojej dziennej diety. Możesz wybrać tłuszcze, które wspomagają twoje zdrowie i system immunologiczny. Znajdują się one m.in. w mięsie z łososia, oleju kokosowym, awokado czy orzechach.

Najistotniejsze jest to, by dostarczać organizmowi wysokiej jakości składniki odżywcze i pokarmy, które sprawią, że dłużej będziesz czuł się najedzony. Możesz np. zamienić biały ryż, który nie zawiera praktycznie żadnych substancji odżywczych, na wysokobiałkowe quinoa, wybrać zdrową oliwę z oliwek zamiast utwardzonych tłuszczów trans. Sięgnij po wołowinę z naturalnie karmionych trawą zwierząt, zamiast nafaszerowanego antybiotykami mięsa zwierząt karmionych kukurydzą. Wrócę jeszcze do tego tematu, ale musisz pamiętać, że najważniejsze to zachować w odżywianiu równowagę i zdrowy rozsądek. Nie musisz się zadręczać, bo według wymogów diety nigdy już nie będziesz mógł zjeść zwykłej kanapki. Jeśli tylko będziesz się trzymał jedzenia wartościowych produktów i dostarczał organizmowi właściwe ilości zdrowych białek, tłuszczów i węglowodanów, będziesz miał się świetnie. Oto kilka pomysłów na posiłki i przekąski:

Śniadanie
Płatki owsiane z pokruszonymi kawałkami orzechów włoskich
Omlet z pomidorem, szpinakiem i grzybami z pełnoziarnistym tostem
Niskotłuszczowy jogurt grecki z owocami

Lunch
Kukurydziane taco z grillowaną rybą i porcją brązowego ryżu
Pierś kurczaka BBQ z porcją quinoa
Burger z naturalnej wołowiny w pełnoziarnistej bułce z miksem sałat

> **Szybkie cięcie**
> Zamów samą sałatę, bez grzanek.
> **Cięcie: 120 kalorii**
> (30 g – 20 grzanek)

Przekąska
Pałeczki selera z masłem migdałowym
Hummus z pałeczkami z warzyw
Organiczne, niskotłuszczowe pałeczki serowe z plastrami jabłka

Kolacja
Fajitas z kurczakiem przygotowane na oliwie z oliwek z porcją czarnej fasolki
Kotlet schabowy z pieczoną brukselką i sałatką z buraków
Grillowany befsztyk z sałatką z pomidorów i mozzarelli

[3 punkty] ••• Nie jedz chemicznych świństw

Jak już wspomniałam przed chwilą, powinieneś starać się jeść produkty wysokiej jakości, bogate w składniki odżywcze, które właściwie odżywią twoje ciało, wzmocnią twój układ immunologiczny, spowolnią proces starzenia się i pomogą spalić zbędny tłuszcz. Zdziwisz się, ale może ci to zasmakować. Nie oczekuję jednak, że będziesz odmawiał sobie wszystkich smakołyków. Jasne, że czasem zachce ci się cukru czy (Boże broń) białej mąki. Nie chciałabym jednak, by te produkty stanowiły główną część twojej diety. Jeśli będziesz spożywać je okazjonalnie, jako dodatek do zdrowej diety i zdrowego stylu życia, nie zaszkodzą ci.

Bardzo natomiast zależy mi na tym, byś pilnował, aby nie jeść sztucznych produktów rodem z laboratorium doktora Frankensteina. Postaraj się nigdy, PRZENIGDY, nie jeść produktów z chemicznymi dodatkami. Te wszystkie świństwa, o nazwach niemożliwych do wymówienia, są dodawane do wysokoprzetworzonych produktów z różnych powodów, często czysto ekonomicznych.

Zastanawiasz się pewnie, jak to, o czym mówię, ma się do odchudzania. To proste – wiele z tych chemikaliów dodawanych do jedzenia może tuczyć. Ja nazywam takie substancje obesogenami[2]. Może nie brzmi to najlepiej, ale dla celów tej książki, gdzie najbardziej zależy nam na niedopuszczeniu do zrujnowania twojego metabolizmu, okre-

---

[2] Od angielskiego słowa *obesity* – otyłość (przyp. tłum.).

ślenie to wydaje się trafne. Twój metabolizm to w zasadzie podstawa procesów biochemicznych w twoim organizmie. To on odpowiada, między innymi, za twoją równowagę hormonalną i wagę twojego ciała. Chemiczne dodatki w pokarmach rozregulowują te procesy w twoim organizmie i zakłócają metabolizm. Można powiedzieć, że dosłownie wszczynają wojnę wewnątrz twojego organizmu, zmuszając go do produkowania i odkładania większej ilości tłuszczu oraz powodując choroby takie jak rak, choroby serca, choroby układu immunologicznego i całą masę innych dolegliwości, które dopiero zaczynamy odkrywać.

Oto moje TOP 10 produktów, których za wszelką cenę powinieneś unikać:

1. **Tłuszcze trans, czyli uwodornione tłuszcze pochodzenia roślinnego.** Tłuszcze trans są stosowane w celu wzmocnienia i przedłużenia trwałości produktów spożywczych i są jednymi z najbardziej niebezpiecznych substancji, jakie można spożyć. Często znajdują się w smażonych na głębokim tłuszczu fast foodach i innych przetworzonych produktach zawierających margarynę lub częściowo utwardzone oleje roślinne. Liczne badania pokazują, że tłuszcze te zwiększają stężenie LDL („złego") a zmniejszają poziom HDL („dobrego") cholesterolu, zwiększając równocześnie ryzyko zawału, powodując choroby serca, udar mózgu, stany zapalne, cukrzycę i inne problemy zdrowotne.
   Znajdziesz je w każdym oleju utwardzonym (utwardzonym oleju sojowym, utwardzonym oleju szafranowym itd.), w margarynie, czipsach, krakersach, pieczywie i większości fast foodów.

2. **HFCS – syrop glukozowo-fruktozowy (syrop kukurydziany o wysokiej zawartości fruktozy).** Jest to wysoko rafinowany środek słodzący, który – według wielu – stał się podstawowym źródłem kalorii w Ameryce. Znajduje się praktycznie we wszystkich przetworzonych produktach. Biorąc pod uwagę aktualne badania, można bez wątpliwości stwierdzić, że HFCS bardziej niż jakikolwiek inny składnik żywności przyczynia się do wzrostu

wagi, zwiększa poziom „złego" cholesterolu, powoduje otyłość, cukrzycę i wiele innych chorób.

Znajdziesz go w napojach, większości przetworzonych produktów, pieczywie, słodyczach, jogurtach smakowych, gotowych sosach do sałatek, warzywach w puszkach i płatkach śniadaniowych.

3. **Sztuczne substancje słodzące – sukraloza, aspartam i sacharyna.** Praktycznie każdy słodzik, który stoi na sklepowej półce w małych niebieskich, różowych czy żółtych opakowaniach, jest produktem, którego powinieneś unikać. Te związki chemiczne to neurotoksyny mogące powodować raka. Po ich spożyciu stwierdzono więcej przypadków działań niepożądanych niż w przypadku wszystkich innych produktów i dodatków do żywności razem wziętych. Badania wykazały, że zwiększają one łaknienie cukru oraz mogą spowodować, że organizm nie będzie zdolny do rozpoznawania kalorii z prawdziwych cukrów, co może prowadzić do otyłości. Dwa główne składniki aspartamu, fenyloalanina oraz kwas asparaginowy, stymulują wydzielanie insuliny, hormonu, który odpowiada za gromadzenie tłuszczu. Fenyloalanina w większych dawkach może obniżyć poziom serotoniny, która jest neuroprzekaźnikiem informującym twój organizm, że już się najadł. Niski poziom serotoniny może oznaczać większe łaknienie, a w konsekwencji prowadzić do wzrostu masy ciała.

Sztuczne substancje słodzące negatywnie wpływają również na pamięć krótkotrwałą i inteligencję. Ich spożywanie może prowadzić do wielu chorób takich jak guzy mózgu, chłoniaki, cukrzyca, stwardnienie rozsiane, choroba Parkinsona, alzheimer, chroniczne zmęczenie, zaburzenia emocjonalne takie jak depresja czy stany lękowe, bóle i zawroty głowy, mdłości, dezorientacja, ataki padaczki. Znajdziesz je w większości produktów bez cukru, w tym w napojach gazowanych, deserach, gumie do żucia bez cukru, pieczywie, płatkach śniadaniowych, słodzikach, miętówkach, a nawet w witaminach do ssania czy w paście do zębów.

4. **Sztuczne barwniki (czerwony nr 40, żółty nr 6, niebieski nr 1 i nr 2).** Skutkami ubocznymi stosowania barwników spo-

żywczych może być wszystko od ADHD po uszkodzenie chromosomów czy raka tarczycy. Funkcje metaboliczne twojego organizmu są w dużej mierze zależne od działania tarczycy, dlatego wszystko, co jej zagraża, może automatycznie źle wpływać na twoją figurę i oczywiście na twoje zdrowie.

Znajdziesz je w cukierkach, napojach, płatkach śniadaniowych, pieczywie i lodach.

5. **Azotyny i azotany sodu.** Oba te, blisko ze sobą spokrewnione (różnią się tylko liczbą atomów tlenu – azotany mają o jeden więcej) dodatki do żywności są stosowane jako środki konserwujące oraz wzmacniające smak peklowanych mięs, boczku, wędlin, hot dogów, wędzonych ryb i innych przetworów mięsnych. Azotany bywają też używane do barwienia produktów spożywczych. Gdy dostaną się do ludzkiego układu pokarmowego, stają się silnie rakotwórcze. Dzieje się tak, ponieważ wewnątrz organizmu tworzą one nitrozoaminy, a te, przedostając się do krwi, sieją spustoszenie w wielu narządach – w szczególności w wątrobie i trzustce. Dlaczego warto dbać o trzustkę? Ponieważ to organ bezpośrednio odpowiedzialny za produkcję insuliny, hormonu kluczowego w kwestiach kontroli wagi ciała. (Pewnie już zaczynałeś myśleć, że martwię się tylko o twoje zdrowie. A tu niespodzianka. Działam wielozadaniowo i jednocześnie dbam o twoją sylwetkę). Azotyn sodu jest powszechnie uważany za substancję toksyczną. Departament Rolnictwa Stanów Zjednoczonych chciał zakazać jego używania jeszcze w latach 70. ubiegłego wieku, ale próby zakazu zostały storpedowane przez producentów żywności, którzy twierdzili, że nie ma innego sposobu na konserwowanie paczkowanych produktów mięsnych. Dlaczego dziś ciągle są używane? Odpowiedź jest prosta. Te związki chemiczne zmieniają kolor mięsa na krwistoczerwony. Działają jako utrwalacze koloru i sprawiają, że paskudne, stare mięso wygląda świeżo i soczyście.

Znajdziesz je w hot dogach, boczku, szynce, mielonkach, wędlinach, peklowanym mięsie, wędzonych rybach i innych przetworzonych produktach mięsnych.

6. **Hormony wzrostu (rBST, rBGH).** Sztuczne hormony są podawane tradycyjnie hodowanemu bydłu i krowom mlecznym – dodawane do ich paszy. Ma to na celu przyspieszenie tuczenia do uboju lub zwiększenie produkcji mleka. Badania wykazały, że spożycie produktów pochodzenia zwierzęcego zawierających te hormony skutkuje otyłością i może być przyczyną wczesnego pokwitania.
Znajdziesz je w nieekologicznych produktach mlecznych i mięsie.

7. **Glutaminian sodu.** Jest stosowany jako środek wzmacniający smak w gotowych zupach, sosach do sałatek, czipsach, mrożonkach i wielu daniach podawanych w restauracjach. Jest ekscytotoksyną, substancją, która nadmiernie pobudza komórki w podwzgórzu mózgowym, mogąc doprowadzić do ich uszkodzenia lub nawet do śmierci. Podwzgórze, usytuowane tuż powyżej pnia mózgu, jest odpowiedzialne za pewne procesy metaboliczne, a także za funkcjonowanie układu nerwowego.
Dlaczego jest to ważne? Jedną z najważniejszych funkcji podwzgórza jest połączenie układu nerwowego z układem wewnątrzwydzielniczym poprzez przysadkę mózgową. To właśnie podwzgórze kontroluje, wśród wielu innych rzeczy, nasze łaknienie. Zastanawiałeś się kiedyś, dlaczego, kiedy jesz żywność, która zawiera glutaminian sodu, nie możesz przestać jeść? Możliwe, że właśnie tu należy szukać przyczyny. Badania wykazały, że glutaminian sodu wpływa na przekaźniki neurologiczne w naszym mózgu. Wyłącza „czujniki" odpowiedzialne za poczucie sytości, zwiększając jednocześnie uczucie głodu i łaknienia. Regularne jego spożywanie może mieć wiele szkodliwych skutków ubocznych, takich jak depresja, zaburzenia orientacji, wady wzroku, zmęczenie, ból głowy czy otyłość. Nie daj się zwieść, jeśli nie zobaczysz go jako składnika na etykiecie. Glutaminian sodu często ukrywany jest pod nazwą kazeinianu sodu, hydrolizowanych drożdży, hydrolizowanego białka roślinnego lub opisywany jako autolizat drożdży.
Znajdziesz go w chińszczyźnie na wynos, daniach w restauracjach (zawsze pytaj, czy dany posiłek zawiera glutaminian sodu),

przekąskach, czipsach, ciastkach, przyprawach, zupach, produktach w puszkach, mrożonych daniach gotowych.

8. **Butylowany hydroksyanizol (BHA) i butylowany hydroksytoluen (BHT).** BHA i BHT to konserwanty znajdujące się w większości rodzajów płatków śniadaniowych, w gumie do żucia i olejach roślinnych. Działają jako utleniacze i środki konserwujące, sprawiają, że żywność nie traci koloru, nie zmienia smaku i zachowuje świeżość. Mają one szkodliwy wpływ na układ neurologiczny mózgu, mogą powodować zmiany zachowania, zakłócić funkcjonowanie systemu hormonalnego, jak również przyczynić się do powstawania w organizmie rakotwórczych związków reaktywnych. Trudno jest znaleźć produkty, które nie zawierają BHA ani BHT, ale jest to możliwe. Czytaj uważnie etykiety. Warto.
Znajdziesz je w czipsach ziemniaczanych, płatkach śniadaniowych, gumie do żucia, mrożonym przetworzonym mięsie, wzbogaconym ryżu, tłuszczach do pieczenia, słodyczach, galaretkach.

9. **Antybiotyki.** Antybiotyki są rutynowo podawane zwierzętom hodowlanym w celu zwalczania infekcji powstałych na skutek złych warunków, w jakich zwierzęta te są przetrzymywane, a ponadto antybiotyki powodują, że zwierzęta rosną większe w krótszym czasie. Drodzy pescowegetarianie, wy też nie jesteście bezpieczni. Antybiotyki (wraz pestycydami jako środkiem do zwalczania wszy morskiej – fuj!) są z tych samych powodów podawane również hodowlanym rybom.
Jeśli jeszcze się nie zorientowałeś, do czego zmierzam, to spieszę z wyjaśnieniem. Antybiotyki wpływają nie tylko na zwierzęta, którym są podawane, ale również na ludzi, którzy te zwierzęta zjadają. Liczne badania wykazują, że spożywanie nadmiernej ilości antybiotyków może oddziaływać bardzo niekorzystnie na sylwetkę i sprawiać, że ludzki organizm będzie gromadził tłuszcz niczym tuczne zwierzę. Przyczyn takiego stanu rzeczy może być wiele. Regularne przyjmowanie niewielkich dawek antybiotyków może spowodować zaburzenia w aktywności genów

odpowiedzialnych za rozbijanie węglowodanów oraz regulowanie poziomu cholesterolu i tłuszczu we krwi. Antybiotyki zabijają „dobre bakterie" w naszych jelitach, przez co uniemożliwiają nam właściwe przyswajanie witamin i minerałów. Kiedy nie jesteśmy w stanie przyswajać tych mikroelementów, nie możemy skutecznie syntetyzować hormonów.

Lista potencjalnych problemów jest bardzo długa. Aby dowiedzieć się więcej na temat antybiotyków i tego, jak wpływają one na twoją sylwetkę, przeczytaj fragment zatytułowany „Leki szkodzące twojej sylwetce" w rozdziale trzecim (str. 123). Poza problemem otyłości nadmierne spożycie antybiotyków powoduje ogromne zagrożenie dla ludzkości, ponieważ prowadzi do powstania „superbakterii" lub bakterii opornych na antybiotyki, jak np. MRSA (gronkowiec złocisty oporny na metycylinę). Ich nadużywanie może prowadzić do grzybicy, zespołu nieszczelnego jelita, zakażenia drożdżakiem Candida i wielu innych chorób. Nieumyślnego przyjmowania antybiotyków można uniknąć, przestawiając się na jedzenie organicznego mięsa oraz naturalnie poławianych ryb.

Znajdziesz je w mięsie tradycyjnie hodowanych zwierząt (w tym również w mięsie drobiu) oraz w hodowlanych rybach.

10. **Pestycydy.** W Mercer University School of Medicine przeprowadzono badania, które miały na celu stwierdzić, czy narażenie na spożycie pestycydów przyczyniło się do powszechnej otyłości u dzieci. Naukowcy zbadali prawie 6800 osób w wieku od 6 do 19 lat. Wystawienie poszczególnych osób na działanie pestycydów oceniano na podstawie badania próbek moczu na zawartość pozostałości pestycydów. Stwierdzono w ten sposób większą skłonność do otyłości u osób, w których moczu wykryto duże stężenie pestycydu znanego jako 2,5-dichlorofenol. Dlaczego zajmujemy się tymi naukowymi szczegółami? To bardzo proste: ponieważ 2,5-dichlorofenol jest jednym z najczęściej stosowanych pestycydów na świecie. Przywołane badanie skupiało się na dzieciach, ale stwierdzono też bardzo podobny wpływ pestycydów na dorosłych. Pestycydy zakłócają równowagę hor-

monalną, co z kolei rozregulowuje twój metabolizm. Myślę, że wiesz dobrze, gdzie to wszystko wyjdzie – na twoim brzuchu lub boczkach.

Znajdziesz je w większości nieorganicznych owoców i warzyw.

[2 punkty] •• Z ziemi, z wody, z drzewa

Jeśli to nie wyrosło, nie zostało złowione lub nie miało matki – nie jedz tego. Zastanów się. Twinkies albo Cheetos – co to u diabła jest? Nie ma twinkowych drzew i jestem głęboko przekonana, że nic nigdy nie powiło Cheetosa. Wracamy tu do tego, co mówiłam o chemii w żywności. Produkty, które nie mają oczywistego naturalnego pochodzenia, to czysta chemia. A chemia, jak już ustaliliśmy, przyczynia się do tego, że tyjemy. Stosując się do tej prostej zasady, możesz zidentyfikować obesogeny bez żmudnego czytania etykiet czy googlowania nazw składników. Jeśli czegoś nie stworzyła natura, nie jedz tego.

[2 punkty] •• Powróć do natury

Nie jedz produktów zastępczych. Wybieraj zawsze prawdziwe jedzenie. Na przykład: zamiast gotowych paczkowanych frytek zjedz normalne pieczone ziemniaki. Zjedz miskę owoców lub zrób z nich mus zamiast wybierać sztuczny dżem, który ma w swoim składzie również syrop kukurydziany o wysokiej zawartości fruktozy. Takim produktom dziękujemy! Sam przygotuj popcorn zamiast wybierać ten paczkowany z dodatkiem masła. Ukrój sobie kawałek prawdziwego sera zamiast zapychać się Cheese Whiz z puszki pełnej konserwantów.

Rozumiesz? Chodzi zasadniczo o to, byś zanim coś zjesz, zastanowił się, czy jest to produkt w swojej naturalnej najbardziej podstawowej, nieprzetworzonej postaci. Jeśli nie, zamień go na „prawdziwe" jedzenie. Jestem w tej kwestii nieugięta, ponieważ te pochodne naturalnych produktów to przeważnie

> **Szybkie cięcie**
> Zjedz średniej wielkości pomarańczę zamiast wypić 200 g soku pomarańczowego z koncentratu.
> **Cięcie: 245 kalorii**

żywność nadmiernie przetworzona, zawierająca mnóstwo zbędnych kalorii i substancji chemicznych, które sprawiają, że tyjesz. Kiedy już zdasz sobie sprawę z tego, co zawierają wszystkie sztuczne produkty, dużo łatwiej jest ich sobie odmówić.

[2 punkty] •• Czysta forma

Myślę, że zrozumiałeś to już dzięki moim wcześniejszym wskazówkom, ale jeśli nie, powtórzę: jeśli tylko możesz, wybieraj żywność ekologiczną. Tak jak mówiłam, pestycydy, sztuczne hormony i antybiotyki w żywności sprawiają, że tyjemy, i niszczą nasze zdrowie. Wiem, że to czasami nie jest takie łatwe, ale dobra wiadomość jest taka, że nie wszystkie produkty, które wybierasz, muszą być ekologiczne.

Oto w co szczególnie powinieneś zainwestować swoje eko-pieniądze: wołowina, nabiał, ryby i owoce morza, owoce o cienkiej skórce i warzywa. Jeśli teraz znajdziesz te dodatkowe parę złotych na zakupy spożywcze (i skorzystaj koniecznie z moich porad z rozdziału 6, by zaoszczędzić), przysięgam, że zyska na tym twoje zdrowie, sylwetka, a w ostatecznym rozliczeniu i twoje finanse. Zgadza się, wydając trochę więcej teraz, w przyszłości możesz oszczędzić sobie dużo większych wydatków. Chorowanie jest kosztowne. Koszty leczenia są aktualnie w Ameryce najczęstszym powodem popadania w ruinę finansową.

Oto lista 12 warzyw i owoców, które są najczęściej „zanieczyszczane" i które należy jeść tylko jeśli są ekologiczne:

jabłka	winogrona	gruszki
seler	sałata	ziemniaki
papryka	nektarynki	szpinak
wiśnie	brzoskwinie	truskawki

Są też warzywa i owoce, które zawierają mniej pozostałości pestycydów, więc nie trzeba przepłacać za ich organiczne wersje. Przeważnie mają one grubszą skórkę lub zawierają naturalne środki owadobójcze, które chronią je przed szkodnikami bez konieczności stosowania pestycydów i innych środków chemicznych.

Oto lista warzyw i owoców, które możesz znać pod nazwą „czysta piętnastka":

awokado	ananas	bakłażan
kantalupa	arbuz	cebula
grejpfrut	szparagi	słodka cebula
kiwi	kapusta	groszek
mango	kukurydza	słodkie ziemniaki/bataty

Jeśli nie stać cię na ekologiczne warzywa z „parszywej dwunastki" lub nie masz do nich dostępu, zamień je na coś z „czystej piętnastki". Na przykład zjedz mango zamiast jabłka. Albo grejpfruta zamiast jagód. Dodatkowo, mimo że nie ma tego na liście, jeśli nie możesz pozwolić sobie na kupowanie ekologicznego mleka, spróbuj zamiast tego używać mleka kokosowego lub migdałowego, ponieważ nie ma w nich hormonów ani antybiotyków.

[2 punkty] •• Odstaw produkty beztłuszczowe

Na pewno chociaż raz w swoim życiu przeżywałeś fascynację żywnością beztłuszczową. Być może nawet wciąż ją kupujesz. Bądź czujny – to, że na etykiecie widzisz napis 0% tłuszczu, wcale nie oznacza, że produkt nie zawiera kalorii albo że jest zdrowy. Produkty beztłuszczowe są często zapchane masą chemii i wypełniaczy, które mają na celu poprawić ich smak, konsystencję i zastąpić składniki odżywcze, które wraz z tłuszczem zostały utracone. Przyjrzyj się uważnie etykiecie. Znajdziesz tam na pewno całą listę HFCS, skrobię modyfikowaną, cukier, sól, barwniki spożywcze i inne substancje chemiczne i konserwujące. Teraz nie wygląda to już tak pięknie. Zjedzenie tego może kosztować cię i zdrowie, i figurę. Najlepiej wybierać produkty o niskiej zawartości tłuszczu. Obstawałabym nawet przy tym, że lepiej już wybrać wersję pełnotłustą niż tę silnie przetworzoną wersję beztłuszczową.

Maksymalizuj składniki odżywcze

[2 punkty] •• Jedz w technikolorze

To drobna wskazówka, która może przynieść wielkie efekty. Białe jedzenie – nie. Kolorowe jedzenie – tak. Uściślając: przetworzone białe jedzenie jest złe (białe pieczywo, makarony, przemielone ziarna zbóż, biały ryż itp.), czyli w zasadzie wszystko, co powstało na bazie białej mąki pozbawionej błonnika i składników odżywczych. Takie pokarmy to nieużytki odżywcze. Mogą być bogate w kalorie i niewyobrażalnie podwyższać poziom cukru we krwi, co – jak już ustaliliśmy – jest złe, złe, bardzo złe dla twojej sylwetki. Naturalnie białe produkty, takie jak ryby, pierś z kurczaka, białka jaj, są zdrowe. Wszystko co NATURALNIE kolorowe, jest zdrowe. Jedzenie o intensywnych barwach, jak jagody, jabłka, owoce cytrusowe i wszystko co ciemnozielone to skarbnice składników odżywczych i błonnika, które pomagają zwiększyć metabolizm tłuszczów, walczyć ze starzeniem się, poprawiają odporność organizmu, dodają energii i pozwalają kontrolować głód. Im więcej kolorów na talerzu, tym lepiej!

[1 punkt] • Jedz lokalnie

Przestrzegaj zasady 150 kilometrów. Jeśli to możliwe, staraj się jeść żywność, która jest uprawiana w odległości nie większej niż 150 km od twojego miejsca zamieszkania. Po pierwsze, w ten sposób wspierasz lokalną gospodarkę i przyczyniasz się do decentralizacji rynku spożywczego, co jest bardzo istotne, bo uderza w wielkie koncerny spożywcze, które infiltrują każdy aspekt naszego życia i zatruwają nas przetworzonym jedzeniem. Po drugie, w ten sposób oszczędzasz, ponieważ lokalni producenci mogą sobie pozwolić na mniejszą marżę, bo nie wydają tyle na marketing, transport, personel czy sklepowe wystawy co duże supermarkety. Po trzecie, i najważniejsze z punktu widzenia tej książki, lokalne jedzenie jest świeższe. Owoce hodowane lokalnie są lepsze, ponieważ mali producenci pozwalają im naturalnie dojrzeć, dzięki czemu mogły w nich wytworzyć się wszystkie składniki odżywcze (te w wielkich sklepach często zostały zerwane jeszcze zanim dojrzały i zostały spryskane chemią, by zyskać ładny wygląd). Owoce transportowane na duże odległości utleniają się, co oznacza, że starzeją się jeszcze w drodze, tracąc przy tym większość składników odżywczych i przeciwutleniaczy. Pamiętaj o tym, że właściwe odżywianie się jest kluczowe dla twojego zdrowia, odporności oraz kontroli masy ciała, ponieważ pomaga zoptymalizować równowagę hormonalną i funkcje metaboliczne.

Mięso, sery i jajka możesz również kupić od miejscowego rolnika. Będzie to na pewno korzystne dla lokalnej gospodarki i środowiska, ale by upewnić się, że skorzysta na tym również twoja sylwetka, zapytaj sprzedawcę, czy stosują u swoich zwierząt hormony lub antybiotyki. Jeśli tak, ich produkt nie różni się niczym od tego ze sklepu. Najczęściej

MIT: Diety wegetariańskie są zdrowsze niż diety zawierające mięso.

FAKTY: Jasne, jedzenie warzyw jest zdrowe. Ale tak jak mówiłam wcześniej, wykluczenie całej grupy produktów spożywczych nie jest dobrym pomysłem. Ludzie to istoty wszystkożerne, a to znaczy, że nasz organizm potrzebuje zarówno białek zwierzęcych, jak i roślinnych. Produkty odzwierzęce zawierają wiele istotnych składników odżywczych takich jak żelazo, witaminy z grupy B, kwasy omega-3 czy wapń. Część tych składników znajdziemy również w pokarmach roślinnych, ale ich ilość będzie znacznie mniejsza.

To, że jesteś weganinem, nie oznacza automatycznie, że zdrowo się odżywiasz. Niewykluczone, że jesz mnóstwo przetworzonych zbóż, soi, cukrów i substancji chemicznych, co – jak już ustaliliśmy – nie jest najlepszym żywieniowym wyborem. Najważniejsze, by jeść jak najwięcej zdrowych ekologicznych warzyw, wybierać produkty pełnoziarniste, kupować tylko naturalnie odławiane ryby i nieprzetworzone mięso od naturalnie wypasanych zwierząt.

jedzenie, które możesz dostać na małych lokalnych targach, jest ekologiczne. Warto jednak zapytać. Wielu rolników nie używa pestycydów ani innych szkodliwych środków, ale nie przeszli jeszcze procesu certyfikacji dla gospodarstw ekologicznych.

Oto w jaki sposób wdrożyć „150-kilometrową dietę". Dowiedz się, gdzie jest najbliższy targ spożywczy i zacznij tam robić zakupy. Możesz też skorzystać z takich rozwiązań jak dołączenie do Programu Rolnictwa Wspieranego Społecznie, wykupić „udziały" w lokalnym gospodarstwie lub płacić jego właścicielowi miesięczny „abonament", w zamian za który będziesz co miesiąc otrzymywał jego produkty, często z dowozem do domu. Możesz też przyłączyć się do kooperatywy spożywczej; takie kooperatywy organizują grupowe zakupy artykułów spożywczych – i nie tylko spożywczych – oferując swoim członkom produkty po obniżonych cenach. Większość oferowanych przez nie produktów jest ekologiczna i pochodzi z lokalnych rodzinnych gospodarstw rolnych. By zostać członkiem kooperatywy, wystarczy się zgłosić i opłacać składki.

Więcej informacji na temat tego typu programów znajdziesz na rządowych stronach internetowych oraz na stronach organizacji pozarządowych, takich jak Alternative Farming Systems Information Center (afsic.nal.usda.gov); FoodRoutes (www.foodroutes.org); Cooperative Grocers' Information Network (www.cgin.coop) czy LocalHarvest (www.localharvest.org). Znajdziesz tam wszystkie informacje, jakich potrzebujesz.

[1 punkt] • Jedz sezonowo

Kupuj i jedz produkty, które są dostępne o danej porze roku. W ten sposób oszczędzasz pieniądze: uprawa roślin poza ich naturalnym sezonem jest kosztowna. Naginanie praw natury to droga zabawa, a jej koszty cedowane są na konsumenta – czyli na ciebie. Rośliny hodowane poza sezonem są często faszerowane różnymi substancjami chemicznymi (przez które tyjesz), ponieważ wymagają sztucznego wspomagania, by móc przetrwać w nienaturalnych warunkach, w których są sprowadzane na świat.

Produkty sezonowe mają więcej składników odżywczych, co pozytywnie wpływa na zdrowie i poprawia metabolizm, a dzięki temu wspomaga cię w kontrolowaniu wagi twojego ciała. Japońscy naukowcy stwierdzili trzykrotnie mniejszą zawartość witaminy C w szpinaku zbieranym zimą w porównaniu z tym zbieranym latem. Witamina C hamuje produkcję kortyzolu – hormonu odpowiedzialnego za odkładanie tłuszczu w organizmie, odgrywa też kluczową rolę w zwalczaniu stresu.

W zależności od rejonu świata, a nawet w różnych regionach jednego kraju, produkty sezonowe mogą się różnić, ale podam ci kilka prostych wskazówek, które pomogą ci zastosować tę metodę i zapewnić sobie optymalne odżywianie:

WIOSNA: skup się na ciemnozielonych roślinach liściastych, takich jak boćwina, szpinak, sałata rzymska, natka pietruszki, bazylia. Dostępne są w tym okresie również szparagi i karczochy, a z owoców morele, truskawki i cytrusy.

LATO: w twoich posiłkach powinny przeważać warzywa takie jak dynia, pomidory, bakłażany, kukurydza; z przypraw używaj mięty, bazylii i kolendry. Wybieraj lekkie, orzeźwiające owoce, takie jak jagody, borówki, jeżyny, maliny, winogrona, melony, brzoskwinie czy śliwki.

Z nadejściem JESIENI skieruj się bardziej w stronę rozgrzewających produktów z późnych zbiorów. Będzie to marchew, słodkie ziemniaki, dynia, brokuły, kalafior, kapusta, cebula i czosnek. Używaj też rozgrzewających sezonowych przypraw korzennych, uwzględniając imbir, pieprz i gorczycę. Jedz jabłka i gruszki – o tej porze są najbardziej soczyste i kruche.

W ZIMIE wybieraj warzywa korzeniowe takie jak marchew, ziemniaki, cebula, czosnek. Stawiaj na cytrusy – pomarańcze, mandarynki, klementynki. Warto też sięgnąć po granaty i żurawinę.

Bez względu na porę roku bądź kreatywny. Niech piękno i naturalna energia wiosny, lata, jesieni i zimy będzie twoją inspiracją.

Zarządzaj swoimi posiłkami

[3 punkty] ••• Nie pomijaj

Nie pomijaj żadnego posiłku, zwłaszcza śniadania. Opuszczenie posiłku powoduje obniżenie poziomu cukru we krwi i zachwiania w poziomie insuliny, co z kolei prowadzi do tego, że przejadasz się przy kolejnym posiłku. Badania wykazały, że jedzenie smakuje nam nawet 25% bardziej, gdy jesteśmy głodni, naturalne jest zatem, że wtedy zjadamy za dużo. Gdy jesteś głodny, tracisz też swoją silną wolę. Ile razy zdarzyło ci się skubnąć M&M-sa od kolegi przy biurku obok, bo pominąłeś śniadanie czy lunch i „umierałeś z głodu"? Pewnie czułeś się też roztrzęsiony i nadpobudliwy? To wszystko objawy obniżonego poziomu cukru we krwi.

Pomijanie posiłków może odbić się niekorzystnie na twoim zdrowiu. Naukowcy poddali badaniom osoby jedzące po trzy posiłki dziennie i porównali ich wyniki z osobami, które jadły tylko jeden duży wieczorny posiłek. Okazało się, że osoby należące do tej drugiej grupy miały znacząco podwyższony poziom glukozy i opóźnione wydzielanie insuliny. Prowadzenie takiego trybu życia przez dłuższy czas może prowadzić do cukrzycy. Pomijanie posiłków zmniejsza twoją zdolność koncentracji, podejmowania decyzji, a nawet dyspozycję do wykonywania ćwiczeń fizycznych. Jeśli przez zbyt długi czas pozbawiasz się pożywienia, twój organizm może odczuć niedobór glukozy. Oto niektóre objawy, które oznaczają, że musisz coś zjeść NATYCHMIAST: zawroty głowy, dezorientacja, senność, osłabienie, niepokój.

Pomijanie posiłków to głupota i nie ma na nią usprawiedliwienia. Zawsze zjedz coś pożywnego w przeciągu godziny od przebudzenia się. Nie rób między posiłkami przerw dłuższych niż 4 godziny (za chwilę rozwinę ten temat). Nieważne, jak jesteś zapracowany. To nie jest takie trudne do zrobienia. Miej ze sobą zawsze przekąski, coś, co możesz zjeść na szybko. Nie zaprzepaść swojej diety.

[2 punkty] •• Zastosuj zasadę 4×4

Wyjaśnijmy sobie coś w kwestii harmonogramu posiłków. Nie powinieneś pomijać posiłków, ale nie chciałabym też, abyś objadał się przez cały dzień. Nie jedz „małych posiłków" – zapomnij o teorii sześciu małych posiłków, które „napędzą" twój metabolizm. To bzdury. Jeśli podjadasz przez cały dzień albo jesz dużo małych posiłków, twój organizm

MIT: Jedzenie częstych, małych posiłków stymuluje metabolizm.

FAKTY: To teoria, według której, jeśli będziesz stale dodawał niewielkie ilości żywności do ognia (przez ogień rozumiany jest tu twój metabolizm), płomień będzie utrzymywał się silny i spalisz w ten sposób więcej kalorii. Jest dokładnie ODWROTNIE. Jeśli będziesz ciągle dorzucał kolejne posiłki do „ognia", nigdy nie dokopiesz się do zgromadzonych zapasów tłuszczu. Stałe uwalnianie insuliny wprowadza twój organizm w fazę „chłonną". W tej fazie insulina nie tylko stymuluje enzymy, które przyczyniają się do gromadzenia cukru i odkładania tłuszczu, ale jednocześnie hamuje inne enzymy odpowiedzialne za uwalnianie cukrów i rozbijanie tłuszczów. Permanentne trwanie w stanie „chłonnym", w którym organizm nie doświadcza spadków i wzrostów insuliny i innych hormonów, zakłóca zrównoważone zużycie energii (a tłuszcz to nic innego jak nagromadzona energia). Jeśli będziesz jadł co cztery godziny, twój organizm będzie mógł przejść swobodnie z fazy „chłonnej" do fazy, w której sięga do nagromadzonych zapasów energii.

W dodatku, patrząc na to z behawioralnego punktu widzenia, ciągłe jedzenie może spowodować, że nie będziesz świadom, ile właściwie zjadłeś, co może prowadzić do przejadania się. Psychicznie też możesz czuć, że nie zaspokoiłeś głodu, bo ani razu w ciągu dnia nie usiadłeś i nie zjadłeś pełnego posiłku. Przestrzegaj zasady 4×4, a będziesz szczupły i szczęśliwy.

zaczyna produkować insulinę. Taka sytuacja sprzyja odkładaniu się tłuszczu, ponieważ jedzenie non stop podnosi poziom cukru we krwi, a organizm próbuje nadążyć z jego spalaniem.

Ponadto, podjadając małe przekąski, często zapominamy o uwzględnieniu ich w naszym codziennym spożyciu kalorii. Badania wykazały również, że małe posiłki nie zaspokajają naszych potrzeb, co skutkuje tym, że później przejadamy się, by osiągnąć uczucie sytości.

Chciałabym, żebyś jadł co cztery godziny. Nie powinieneś podjadać pomiędzy posiłkami. Jedynym wyjątkiem jest pora między lunchem a kolacją. Zjedz wtedy coś pożywnego. Jedzenie co 4 godziny stabilizuje poziom cukru we krwi, optymalizuje produkcję insuliny i zaspokaja głód – to bardzo ważne, jeśli chcesz schudnąć i kontrolować masę swojego ciała.

[2 punkty] •• Tylko rozsądne przekąski

Jak już wspomniałam przy omawianiu zasady 4×4, chciałabym, żebyś traktował przekąskę jako czwarty posiłek, a nie podjadał przez cały dzień. Powinno to wyglądać tak:

- Przekąska nie powinna przekraczać 20% twojej dziennej dawki kalorii. Czyli np. jeśli przyjmujesz dziennie 1200 kalorii, przekąska powinna zawierać ich około 200–240.
- Dopilnuj, by – jak inne posiłki – zawierała niezbędne składniki odżywcze. Niech będzie to zdrowy mix białek, tłuszczów i węglowodanów.

Oto kilka przykładów znakomitych sycących przekąsek (podane wartości kaloryczne są przybliżone i mogą się różnić w zależności od produktu i jego wielkości):

- małe jabłko i 7 orzechów włoskich (236 kalorii)
- łyżka masła orzechowego na 5–7 (w zależności od ich wielkości) pełnoziarnistych krakersach (200–215 kalorii)
- 1 filiżanka pokrojonych warzyw z 1/4 filiżanki hummusu (224 kalorie)
- ⅛ filiżanki popcornu posypanego 1 łyżeczką parmezanu (240 kalorii)

- 6–7 małych chlebków pita z 2 łyżkami dipu z czarnej fasolki i 2 łyżkami posiekanego awokado (213 kalorii)
- ½ filiżanki niskotłuszczowego serka wiejskiego z ½ szklanki świeżych owoców lub 10 migdałami (222 kalorie)
- 330 g owocowego smoothie przygotowanego na niskotłuszczowym jogurcie lub mleku (211 kalorii)
- 4 długie łodygi selera z dwoma łyżkami masła migdałowego (224 kalorie)

[2 punkty] •• Niech to będzie wydarzenie

Usiądź i zjedz porządny posiłek. Nigdy nie jedz przed telewizorem czy komputerem, stojąc nad kuchennym zlewem, biegnąc z jednego spotkania na drugie czy jadąc metrem. Usiądź nawet do swojej popołudniowej przekąski – niech to będzie „prawdziwy posiłek". Powiem ci dlaczego: gdy jesz podczas wykonywania innych czynności, przeważnie zjadasz więcej. Gdy twój umysł zajęty jest czymś innym, jedzenie pochłaniasz bezmyślnie. Przez to twoje ciało może nie zasygnalizować ci, że jesteś już najedzony, i stracisz kontrolę nad swoją dzienną dietą. Badania psychologiczne pokazują, że jeśli nie usiądziesz i nie zjesz posiłku na spokojnie, nie masz świadomości, że coś zjadłeś, przez co nie czujesz się syty.

Badania wykazały, że większość posiłków, które spożywamy na stojąco, to produkty o niskiej zawartości składników odżywczych i dużej ilości pustych kalorii. W artykule opublikowanym w „Journal of the American Dietetic Association" czytamy, że młodzi ludzie, którzy jedzą w biegu, częściej sięgają po fast foody i gazowane napoje niż ich rówieśnicy, którzy znajdują czas, by usiąść i spokojnie zjeść kolację.

Konkluzja: Siądź na tyłku i nie pozwalaj, by coś rozpraszało cię podczas jedzenia. No, może poza towarzystwem rodziny lub przyjaciół, którzy mogą uprzyjemnić ci posiłek.

[2 punkty] •• Zasada 80/20

80/20 to zasada powszechnie znana. Ja ją stosuję. Postaraj się, by zdrowe, dobre jedzenie stanowiło 80% twojej codziennej diety, a przekąski pozostałe 20%. Ja, na przykład, przyjmuję dziennie 1800 kalorii (pamiętaj, że ja się nie odchudzam – staram się tylko utrzymać swoją wagę). Około 1450 kalorii to same najzdrowsze produkty: ryby, warzywa, produkty pełnoziarniste itp., a pozostałe 350 kalorii to zazwyczaj ciastko lub gałka lodów.

Na co dzień, jeśli tylko mam na to ochotę, pozwalam sobie nacieszyć się potrawami, bez których nie mogłabym się obejść. Też możesz tak robić, jeśli zastosujesz rotację posiłków. Jeśli zjadłeś jakiś niezdrowy posiłek albo przekąskę, upewnij się, że twoje następne pięć posiłków (wliczając przekąski) będzie super-

> **Szybkie cięcie**
> Zastąp lody szklanką niskotłuszczowego mrożonego jogurtu.
> **Cięcie: 121 kalorii**

zdrowe. Ta metoda nie pozwala na podjadanie codziennie, ale dzięki niej, kiedy już sobie folgujesz, możesz przyjąć więcej kalorii, jednocześnie będąc spokojnym, że nadal jesz właściwie przez pozostałe 80% czasu.

To działa, bo dzięki tej zasadzie nie musisz sobie niczego odmawiać. Nasza silna wola ma swoje granice i jeśli odmawiamy sobie czegoś, co naprawdę bardzo lubimy jeść, prędzej czy później trafi się jakiś ciężki dzień (stres w pracy, dokazujące dzieciaki, stanie w korku – cokolwiek) i zaczniemy się objadać. Takie pozbawianie się przyjemności unieszczęśliwia i działa tylko na krótką metę. Przecież to niemożliwe, by już do końca życia nie zjeść kawałka czekolady czy pizzy.

Oczywiście uważam, że kupując swoje ulubione przysmaki, powinieneś się upewnić, że wybierasz produkty bez dodatków chemicznych. Ja np. zawsze kupuję masło orzechowe marki Unreal, bo nie zawiera HFCS, tłuszczów trans ani innych świństw. Z tych samych powodów kupuję ciastka Newman's Own bez dodatku chemii i innych śmieci.

Czasem zamiast zasady 80/20 możesz usłyszeć o metodzie „jednego dnia luzu". Jestem jej zaciekłą przeciwniczką. Z psychologicznego punktu widzenia prowadzi ona do tego, że cały tydzień żyjesz w oczekiwaniu na ten jeden dzień obżarstwa, co nie wróży nic dobrego. W dodatku zwolennicy „jednego dnia luzu" nie podają żadnych parametrów kalorii na taki dzień. Wiele osób przejada się w taki dzień do granic możliwości, czym niweczy efekty całego tygodnia ciężkiej pracy. Spotkałam się też z osobami, które denerwują się tym dniem, ponieważ mają poczucie winy, że za bardzo „zaszaleli". Zasada 80/20 stosowana w codziennym żywieniu się jest właściwą metodą na skuteczną utratę wagi i kontrolę nad masą swojego ciała. Jest efektywna i doskonale sprawdza się na dłuższą metę.

O napojach od podstaw

[2 punkty] •• Nie wypijaj kalorii

Większość napojów wysokokalorycznych – gazowanych i soków – jest pełna cukru i nieziemsko podnosi poziom insuliny. Co więcej, napoje te nie mają błonnika, który syci, więc wypijając 100 kalorii cukru w płynie, wciąż będziesz głodna. Soki mają tony cukru i kalorii – prawie tyle co napoje gazowane. Lepiej będzie, jak zjesz jakiś owoc.

Jeśli myślisz, że picie takich napojów w wersji „bez cukru" załatwi sprawę kalorii, to przypomnij sobie moją wcześniejszą radę o tym, dlaczego nie powinniśmy spożywać chemii. Sprawia, że tyjemy.

Oto kilka wskazówek o tym, jak (zdrowo) ugasić pragnienie bez załamywania wagi.

TAK

Woda, herbata i kawa (z umiarem – maksimum dwie filiżanki dziennie) to dobry wybór.

Jeśli uda ci się zdobyć jakiś napój słodzony naturalnym, niskokalorycznym słodzikiem, takim jak stewia lub ksylitol, to świetnie; te substytuty cukru nie podnoszą poziomu insuliny.

Ale woda jest zawsze lepszym wyborem. Mleko organiczne lub inne rodzaje mleka, takie jak mleko migdałowe czy kokosowe, są w porządku, jeśli będą częścią posiłku i wliczysz je do dziennej puli spożywanych kalorii.

NIE

Napoje gazowane, soki, słodzone herbaty, wody smakowe, napoje dietetyczne ze sztucznymi słodzikami i alkohol (zobacz „Maksymalnie dwa drinki", następna wskazówka dla tych, którzy nie wyobrażają sobie, żeby mogli stosować się do tej rady).

[1 punkt] • Maksymalnie dwa drinki

Alkohol tuczy. Większość trunków ma dużo pustych kalorii i – z wyjątkiem czerwonego wina i piwa – mało składników odżywczych. Alkohol niszczy także silną wolę i często prowadzi do przejedzenia się. Co gorsza, badania pokazały, że alkohol hamuje metabolizm tłuszczu o około 70%. Przyczynia się także do niechcianego magazynowania tłuszczów – a to dlatego, że kiedy wypijasz alkohol, rozkłada się on między innymi na octan, który będzie spalany przez twój organizm w pierwszej kolejności, zanim weźmie się za tłuszcze. Pozostałe, dodatkowe kalorie zostaną zmagazynowane w postaci tłuszczu.

Wiem, że nie odstawisz całkiem alkoholu, dlatego porozmawiajmy, jak mądrze pić. Pierwsza zasada to ustalić limit do dwóch drinków na tydzień. Wybierz sobie wieczór, w który zaszalejesz, i zamów sobie dwa drinki. Jeżeli wydaje ci się, że nie zaszumi ci w głowie, to się mylisz. Im mniej pijesz, tym mniejsza jest twoja tolerancja na alkohol. Jeśli nie pijesz dużo czy często, dwa drinki powinny wystarczyć.

Jeśli już pijesz, wybieraj te trunki:

- **Czerwone wino.** Zawiera umiarkowaną ilość kalorii, jest pełne przeciwutleniaczy, korzystne dla zdrowia. Na przykład zawarty w czerwonym winie resweratrol może pomóc w zapobieganiu uszkodzeniom naczyń krwionośnych, redukuje „zły" cholesterol i zmniejsza krzepliwość krwi.
- **Ciemne piwo.** Zawiera umiarkowaną ilość kalorii, jest pełne przeciwutleniaczy i flawonoidów, ten napitek ma także korzystny wpływ na serce.
- **Czysty alkohol.** Najlepiej spożywać go w prosty sposób, z lodem lub z niskokalorycznymi dodatkami, jak na przykład tequila z lodem i limonką, albo wódka z wodą gazowaną.

Jeśli wydaje ci się, że powyższe propozycje są zbyt nudne, i wolisz zostać przy swojej niedzielnej porannej Krwawej Merry albo piątkowej wieczornej margaricie, pomyśl o tym, czy otyłość jest zabawna. Raczej nie bardzo.

Jeśli będziesz pić drinki z dodatkami o wysokiej zawartości cukru, to naprawdę prosisz się o kłopoty. W połączeniu z nałogową słabością do alkoholu prowadzi to do wielu poważnych problemów ze zdrowiem, od raka po demencję. A to też nie jest zabawne. Krańcowo. Ale mimo że chciałabym, żebyś okazał mi wdzięczność za to, że pozwalam ci na dwa drinki w tygodniu, nawet jeśli nie jest to takie zabawne, to nie jestem taką suką. Oto kilka przykładów popularnych koktajli, w odchudzonych wersjach, jeśli już naprawdę nie wyobrażasz sobie życia bez nich:

Slim Colada – 145 kalorii
50 g wódki Skyy Infusions Coconut
50 g wody sodowej
odrobina soku ananasowego
wyciśnięta cytryna
Zmieszaj składniki z lodem i podaj w kieliszku do koktajli.

Slimmojito – 125 kalorii
50 g białego rumu
10 listków mięty ugniecionych w szklance
1 łyżeczka słodzika Truvia
25 g świeżego soku z limonki
75 g wody sodowej
Zmieszaj składniki z lodem i podaj w kieliszku do koktajli.

Slimmerita – 150 kalorii
40 g tequili z agawy (Milagro Silver)
40 g likieru pomarańczowego (Patron Citronge), można go zastąpić sokiem z granatów
110–140 g wody gazowanej o smaku cytryny albo mineralizowanej wody o smaku limonki
wyciśnięta limonka
Wymieszać wszystko z lodem i podać w wysokiej szklance.

[3 punkty] ••• Wypełniacze

Wszyscy wiemy, że woda ma pozytywny wpływ na odchudzanie; ogranicza głód, wypłukuje toksyny, przez które czujemy się źle i jesteśmy grubi, dodaje energii i przyspiesza metabolizm o około 3%. Wydaje się, że to niewiele, ale biorąc pod uwagę całą długość życia, da się zaobserwować wyraźną różnicę w twojej sylwetce. Gwarantuję ci to.

Na przestrzeni lat było dużo niejasności co do tego, jakie ilości wody powinniśmy pić. Dwa litry dziennie, filiżanka co godzina, sześć filiżanek dziennie, i tak dalej.

Zasada jest taka: potrzeba nawodnienia naszego organizmu waha się i zależy od wielu czynników, takich jak zmiany pogodowe, poziom naszej aktywności, indywidualne cechy naszego organizmu. Najlepsza zasada optymalnego nawodnienia jest taka, żeby pić tyle, by nasz mocz miał kolor lemoniady. Jeżeli ma ciemniejszy kolor, soku jabłkowego, potrzebujesz więcej wody. Jeśli bierzesz suplementy, może być jaśniejszy i to jest okej; ale jeśli przybiera kolor brązowawy, to zdecydowanie potrzebujesz więcej wody. To bardzo proste.

Zastanawiasz się albo martwisz, jakiego rodzaju wodę powinnaś wybrać – zasadową (o niskim bilansie ph) czy jonizowaną (woda ze zjonizowanych składników mineralnych z ładunkiem elektrycznym)? Niepotrzebnie. To nie jest temat do głębokich przemyśleń. Istnieją co prawda badania, które wykazują, że najlepsza dla ciebie może być woda zasadowa i/lub jonizowana, ale żeby odnieść korzyści zdrowotne i wyszczupleć, nie musisz kombinować z wyborem wody. Jeśli nie masz dostępu do odpowiedniego rodzaju wód czy są one zbyt drogie, nie przejmuj się!

[1 punkt] • Odkręć kran – woda butelkowana vs. woda z kranu

Butelkowana czy z kranu? Z kranu. Proste! To, że woda jest butelkowana, nie znaczy, że jest wolna od zanieczyszczeń. Może być całkiem odwrotnie. Woda w miejskich wodociągach jest ściśle regulowana co do jakości i monitorowana ze względów bezpieczeństwa. Butelkowana nie. Teoretycznie woda butelkowana jest sprawdzana przez FDA

(Agencję Żywności i Leków), ale tak się składa, że 70% wody sprzedawanej w butelkach jest wyjęte spod federalnej jurysdykcji. W wielu wodach butelkowanych wykryto bakterie, sztuczne substancje chemiczne i arszenik.

Pijąc wodę z kranu, oszczędzasz i pomagasz chronić środowisko. Nie przykładasz ręki do przepełniania wysypisk i emisji dwutlenku węgla, który wydzielany jest podczas transportu wody z dalekich miejsc wprost do twojej lodówki.

Ale to jeszcze nie koniec. Pijąc wodę z kranu, nadal jednak ryzykujemy, że jest w niej ołów, chlor, pestycydy, fungicydy, herbicydy, hormony, antybiotyki i azotany. Możesz sprawdzić jakość wody w twoim kranie, poddając ją badaniom fizykochemicznym i/lub bakteriologicznym w terenowej stacji sanitarno-epidemiologicznej albo w prywatnym laboratorium wykonującym takie badania.

Najlepszym rozwiązaniem jest założenie filtrów do wody. Idealną opcją są filtry odwróconej osmozy. Redukują obecność metali ciężkich, wirusów i niektórych farmaceutyków. Możesz też wybrać filtry węglowe (np. BRITA). Ich jakość jest różna, ale większość zredukuje obecność metali ciężkich, pestycydów i niektórych farmaceutyków.

Ostatnia myśl na temat wody: z bąbelkami czy bez? Wodę gazowaną uzyskuje się przez rozpuszczenie dwutlenku węgla (CO_2) w wodzie. Tworzy się w ten sposób kwas węglowy, który jest bardziej kwasowy od zwykłej wody (jest to mniej więcej ten sam poziom kwasowości, jaki ma sok jabłkowy czy pomarańczowy), ale mniej niż twój żołądek.

Ważne jest, żeby zrozumieć, że ludzkie ciało utrzymuje równowagę pH na stałym poziomie i że na jego pH nie będzie miała wpływu wypita woda.

Są pewne obawy co do erozji szkliwa zębów ze względu na zwiększoną kwasowość, ale badania z 2001 roku opublikowane w „Journal of Oral Rehabilitation" wykazały, że wprawdzie woda gazowana ma nieco większy wpływ na erozję szkliwa niż woda niegazowana, ale i tak wpływ ten jest niewielki i sto razy mniejszy niż wpływ innych napojów bezalkoholowych.

Niektóre butelkowane czy puszkowane wody gazowane zawierają sód, który zmniejsza kwasowość i wzbogaca smak. Jeśli jesteś na diecie

MIT: Mogę się odchudzić, pijąc napoje bez zawartości cukru.

FAKTY: Słuchając tych bzdur szybko nabierzesz brzuszka. Pamiętasz naszą rozmowę o chemicznych dodatkach? Badania przeprowadzone na Purdue University wykazały, że szczury, którym podawano sztuczne słodziki, spożywały więcej kalorii i tyły znacznie szybciej niż szczury, którym podawano cukier. Pij wodę!

niskosodowej i kupujesz gazowaną wodę w butelkach lub puszkach, sprawdź, czy nie zawierają sodu, i wybierz te, które mają jego mniejszą zawartość.

W każdym razie pij wodę, gazowaną czy nie, zasadową, jonizowaną czy zwykłą – w takich ilościach, by twój mocz był koloru lemoniady.

[1 punkt] • Zabawy ze smakiem

Jeśli zdecydowałeś się już zamienić puszkę gazowanego napoju na szklankę wody, ale nie wyobrażasz sobie, żebyś mógł ją wypić bez dosmaczania, mam dla ciebie świetną radę. Dosmaczaj wodę sokiem żurawinowym, z granatów, jabłkowym, z limonki czy winogron; dodawaj tylko odrobinę – by nie była mdła. Wybierając sok, upewnij się, że wybierasz ten naturalny, a nie z dodatkami cukru i innych świństw.

Jest taki produkt, który uwielbiam, Soda Stream. Dzięki niemu możesz tworzyć swoje własne, naturalne napoje gazowane. Pozwala ci dostosować nasycenie wody dwutlenkiem węgla (mało, średnio, dużo bąbelków) i dodać sok, jaki tylko chcesz. Jest przyjazny dla środowiska, pozwala ci zaoszczędzić fortunę, dzięki niemu pijesz potrzebną ci wodę i jest on błogosławieństwem dla tych, którym trudno odstawić napoje gazowane. Bob Harper i ja szczerze polecamy tę maszynkę; bardzo nam pomogła w wyeliminowaniu, raz na zawsze, zwyczaju sięgania po napoje gazowane.

[1 punkt] • Zacznij od małych ilości

Jeśli jesteś z tych osób, którym trudno jest sięgnąć po wodę, zacznij od małych porcji (w szklankach koktajlowych lub do soku) i wypijaj je jednym haustem. Jedna porcja zaliczona i tylko kilka przed tobą – możesz powtórzyć to parę razy w ciągu dnia. Pod wieczór będziesz zdziwiony, ile wody wypiłeś, bez tego niechętnego spoglądania na pełną po samą szyjkę butelkę.

[1 punkt] • Jedz produkty zawierające duże ilości wody

Jeśli masz skłonności do niewypijania takiej ilości wody, jaka jest ci potrzebna, a jesteś podjadkiem, dołącz do swojej diety pokarmy zawierające z natury dużą ilość wody, takie jak arbuz, cukinia, ogórek. Dostarczysz w ten sposób swojemu organizmowi dodatkową porcję wody i będziesz mógł przegryzać w ciągu dnia bez oglądania się na kalorie.

PODLICZ SIĘ I ZRZUĆ TO

Przyznaj sobie 3 punkty

- [ ] Żyj na minusie
- [ ] Zapamiętaj podstawowe zasady
- [ ] Wyczyść kuchenne szafki
- [ ] Zmniejszaj: przestaw się na „szczupłe" porcje
- [ ] Wybieraj, nie wykluczaj
- [ ] Nie jedz chemicznych świństw
- [ ] Nie pomijaj
- [ ] Wypełniacze

Przyznaj sobie 2 punkty

- [ ] Zapisz i podlicz
- [ ] Rozpakuj
- [ ] Droga małych kroczków
- [ ] Z ziemi, z wody, z drzewa
- [ ] Powróć do natury
- [ ] Czysta forma
- [ ] Odstaw produkty beztłuszczowe
- [ ] Jedz w technikolorze
- [ ] Zastosuj zasadę 4×4
- [ ] Tylko rozsądne przekąski
- [ ] Niech to będzie wydarzenie
- [ ] Zasada 80/20
- [ ] Nie wypijaj kalorii

Przyznaj sobie 1 punkt

- [ ] Jedz lokalnie
- [ ] Jedz sezonowo
- [ ] Maksymalnie dwa drinki
- [ ] Odkręć kran
- [ ] Zabawy ze smakiem
- [ ] Zacznij od małych ilości
- [ ] Jedz produkty zawierające duże ilości wody

———— **Suma punktów z rozdziału 1**

———— **Liczba rad, które wprowadziłem w życie**

ROZDZIAŁ 2

RUCH

Tak jak wspomniałam w zawartej rozdziale 1 radzie „Żyj na minusie" (str. 22), musisz spalić około 7000 kalorii, aby zgubić kilogram wagi (ta liczba może być dla każdego trochę inna). Najprawdopodobniej będziesz musiał jeść mniej, by to osiągnąć, jednak szybkość twoich postępów i ich utrzymanie będzie bardzo zależne od tego, jak, kiedy i dlaczego ćwiczysz. Zdrowa dieta jest konieczna, abyś nie przybrał na wadze, ale żeby naprawdę zrzucić zbędne kilogramy i poprawić wygląd, potrzebny jest mądry, intensywny program ćwiczeń.

Omówione w tym rozdziale wskazówki i triki są być może najważniejszymi z zawartych w tej książce. Musisz się ruszać, by schudnąć i/lub zachować seksowną szczupłą sylwetkę, ale nie musisz ćwiczyć godzinami, aby osiągnąć zachwycające efekty. Tak jak w przypadku tego, co jesz, kluczem do sukcesu jest JAKOŚĆ twojego treningu, a niekoniecznie ilość. A więc skup się, ponieważ to, czego zaraz się nauczysz, zaoszczędzi ci masę czasu, rzuci na kolana, odmieni twoje ciało i sprawi, że twoje treningi staną się przyjemniejsze i łatwiejsze do wykonania.

ZŁAMAĆ SZYFR ĆWICZEŃ

Podstawa

[1 punkt] • Odpowiedni strój

Odpowiedni strój jest kluczowy zarówno dla twojego bezpieczeństwa, jak i osiągnięć. Noś wygodne, dobrze dopasowane obuwie oraz ubrania stosowne do pogody i wykonywanych czynności. Wierz mi, warto w to zainwestować. Pamiętam, że kiedy po raz pierwszy wybrałam się na rower, uznałam, że wyglądam idiotycznie. W spodenkach z wkładkami na pośladkach czułam się tak, jakbym miała na sobie pieluchę. Więc pewnego dnia wybrałam się na przejażdżkę w zwykłych spodniach dresowych. Pod koniec myślałam, że siodełko będzie musiało zostać chirurgicznie usunięte z tyłka. Wierz mi, posiadanie odpowiedniego sprzętu jest ogromnie ważne.

Jeśli nie wiesz, co kupić, zapytaj kogoś, kto zna się na danym sporcie. Mój instruktor jazdy konnej pomógł mi kupić buty stosowne do mojego wzrostu i poziomu umiejętności. Mój instruktor surfingu upewnił się, że kupię damski strój piankowy w dobrym rozmiarze, odpowiedni do temperatury wody, w jakiej zwykle pływam. Świetnym miejscem, aby zacząć, jest sklep obuwniczy lub ze sprzętem sportowym, gdzie możesz spytać sprzedawcę. Każdy sport wymaga innych cech i funkcji, jakie ma spełniać ubiór, a więc postaraj się dokładnie sprecyzować, co będziesz w nim robił. Poproś sprzedawcę, aby wziął też pod uwagę twoją budowę, chód, sprawność fizyczną itp.

Niepisana zasada mówi, by kupować buty pół rozmiaru większe niż ten, jaki zwykle nosisz, ponieważ stopy często puchną podczas ćwiczeń. Wystarczy para dobrych butów sportowych; są zaprojektowane tak, by wytrzymywać intensywne użytkowanie. Jeśli chcesz trenować konkretny sport i jesteś na to naprawdę mocno zdecydowany, lepiej będzie, jeśli kupisz buty, które będą i wygodne, i wytrzymałe. Jeśli chcesz biegać, kup buty do biegania – i nie zakładaj ich na ćwiczenia cardio (trening aerobowy) na siłowni, ponieważ niewystarczająco wspierają boczne części stóp. To samo dotyczy wszystkich innych sportów, jazdy na rowerze stacjonarnym, crossfitu czy tańca.

Jeśli chodzi o ubrania, noś takie, które nie krępują twoich ruchów. Wybierz koszulki, spodnie i skarpety wykonane z oddychającej tkaniny, która dodatkowo odprowadza wilgoć ze skóry i szybko schnie, więc ty i twoje ubrania nie będziecie skąpani w pocie. Tkaniny z takich materiałów jak bawełna organiczna, wełna z merynosów czy bambus oferują wiele korzyści, które poprawią komfort ćwiczeń i są absolutnie warte zainwestowanych w nie pieniędzy. Szukaj ubrań, które mają:

- Kontrolę termiczną – tkaniny o właściwościach regulujących temperaturę ogrzeją cię, kiedy będzie zimno, i ochłodzą, kiedy będzie ci gorąco.
- UPF – wkomponowaną w materiał ochronę przeciw szkodliwemu działaniu promieni ultrafioletowych występujących w świetle słonecznym.
- Ściągacze – koszulki i spodnie sportowe ze specjalnym typem lycry lub włókien elastycznych, które mocno cię ściskają lub mają specjalne strefy, byś sam pamiętał aby, no cóż, wciągnąć brzuch.
- Właściwości antybakteryjne – równa się to brakowi brzydkich zapachów!
- Właściwości odstraszania owadów – jeśli jesteś na zewnątrz w tropikalnym klimacie, są koniecznością. Ty niczego nie poczujesz, ale tkanina będzie cię chronić przed komarami i innymi natrętnymi owadami.

Jeśli chcesz poczuć się i sprawdzić jako supersmukła maszyna fitness, przyszykuj się do tego. Jeśli będziesz czuł się dobrze w tym, co masz na sobie, prawdopodobnie będziesz ćwiczył troszeczkę mocniej i chętniej udasz się na siłownię.

[3 punkty] ••• Konsekwencja jest kluczem

Przez lata mówiłam ludziom, że każda wolna chwila, jaką mogą znaleźć w swoim grafiku, jest dobra na ćwiczenia. Dla niektórych jest to pierwsza czynność, jaką wykonują rano, dla innych są to wieczory, kiedy uspokoją się po całym dniu. Jednakże ostatnie badania sugerują, że najważniejsza jest konsekwencja. Najlepszą porą na ćwiczenia jest ta sama pora każdego dnia. Twoje ciało przyzwyczaja się i dostosowuje do niej, uwalniając pobudzające, budujące mięśnie hormony, takie jak testosteron, które pomagają w osiąganiu lepszych wyników i wspomagają metabolizm tłuszczów. Jeśli potrafisz być konsekwentny, możesz wykrzesać z siebie troszkę więcej ikry, co z kolei pomoże ci spalić więcej kalorii. Jeśli nie, nie denerwuj się, najważniejszą sprawą jest to, byś ćwiczył regularnie (ok. 4 do 6 razy w tygodniu), nieważne o jakiej porze dnia.

MIT: Statyczny trening rozciągający jest kluczowy dla zapobiegania kontuzji.

FAKTY: Statyczny trening rozciągający po wysiłku fizycznym może być dobroczynny, ale wykonywany przed treningiem nie zwiększa zakresu ruchu. Niektóre badania sugerują, że rozciąganie się może w gruncie rzeczy zdestabilizować mięśnie i osłabić je nawet o 30%, sprawiając, że są mniej przygotowane do ciężkiego treningu, zwłaszcza jeśli wykonujesz np. ćwiczenia z podnoszeniem ciężarów. A więc rozgrzewaj się, wykonując aktywne, dynamiczne ruchy takie jak wymachy rąk i nóg, proste przysiady, nie za szybki bieg lub nawet marsz – będziesz lepiej przygotowany do każdej aktywności i zmniejszysz ryzyko wynikające z jej wykonywania.

[1 punkt] • 5-minutowa rozgrzewka

Badania przedstawione w „Journal of Applied Physiology" dowodzą, że zbyt długa rozgrzewka może cię znużyć, zwłaszcza jeśli wykonujesz statyczne ruchy rozciągające. Według licznych badań niewłaściwa rozgrzewka „usypia" twoje mięśnie. To nic dobrego; chcesz przecież, by twoje mięśnie były gotowe do akcji! Pięć minut wysiłku cardio i/lub dynamicznego rozciągania się (z płynnymi ruchami w przeciwieństwie do statycznych ćwiczeń takich jak przysiady oraz skłony z dotknięciem palców stóp) wystarczy i przygotuje cię do podnoszenia poprzeczki podczas najważniejszej części treningu. Każdy trening cardio będzie odpowiedni, jeżeli przyśpieszy twój puls i dosłownie rozgrzeje twoje ciało, a nawet sprawi, że delikatnie się spocisz. Spróbuj jazdy na rowerze, bieżni lub ergometru wioślarskiego, możesz nawet poskakać na skakance lub spróbować znanych ze szkoły pajacyków. Jeśli chodzi o aktywne rozciąganie się, spróbuj takich ruchów, jak dotknięcia palców stóp (trzymaj ręce szeroko rozpostarte po bokach, zegnij się w biodrach i dotykaj na skos prawą ręką lewej stopy i odwrotnie), zataczanie kół ramionami, skręty tułowia, wykroki, przysiady, a nawet pozycje kota/krowy z zajęć jogi.

Rada: tak, potrzebujesz rozgrzewki przed trudniejszymi ćwiczeniami. Nie możesz zabierać się za nie tak od razu, twoje ciało potrzebuje stopniowego podnoszenia tętna, rozruszania stawów i nastawiania się psychicznego – właściwie wykonana rozgrzewka nie powinna zająć ci więcej niż 5 minut.

[3 punkty] ••• Przemodeluj swoje mięśnie

Czy naprawdę można zachować upragnioną wagę? Czy można podkręcić swój metabolizm? Odpowiedź na te pytania to dwa razy „tak". Aby to osiągnąć, musisz podnosić (jak w treningu z ciężarami), by stracić. Jeśli chcesz zgubić parę kilogramów, trening siłowy jest twoim E-biletem; E oznacza zużytą energię. Pozwól, że wyjaśnię. Ile razy słyszałeś, że gdybyś miał więcej tkanki mięśniowej, spalałbyś więcej tłuszczu i kalorii nawet podczas snu? Badacze dopiero niedawno zrozumieli procesy, jakie zachodzą w mięśniach podczas treningu siłowego. Nie chodzi tylko o to, że taki trening zwiększa masę mięśniową; po jego zakończeniu *twoje mięśnie przebudowują się.*

Zawsze powtarzam ci, abyś parł i ćwiczył, aż naprawdę będziesz zmęczony. A oto dlaczego: twoje mięśnie przechodzą wtedy proces przebudowy. Występuje to przy każdym treningu siłowym. Przebudowa trwa od około 24 do 96 godzin po treningu (dlatego też musisz wprowadzić odpoczynek w swoim tygodniowym rytmie ćwiczeń). W tym czasie amficyty (komórki satelitarne) okalają włókna mięśniowe i dostarczają im białka. Dzięki temu powstająca tkanka mięśniowa jest bardziej wytrzymała. Powoduje to dodatkowe spalanie około 100–105 kalorii. Dziennie.

Regularne ćwiczenia z obciążeniem skutkują rzeczywistym wzrostem tempa metabolizmu, na który możesz liczyć tak długo, jak trening jest kontynuowany. Spójrzmy na to w ten sposób: 30 minut treningu cardio o stałym tempie spowoduje spalenie około 300 kalorii. Ale w przeciwieństwie do treningu siłowego nie następuje po nim żaden proces przebudowy mięśni. Podczas 30-minutowego treningu oporowego spalisz podobną liczbę kalorii. Różnica polega na tym, że będziesz kontynuował spalanie około 100 kalorii dziennie przez kolejne 3 dni! Który trening wolałbyś wykonywać: spalający 300 kalorii trening cardio czy spalający 600 kalorii podczas jednej sesji trening oporowy? Jeden trening siłowy w tygodniu pomoże ci spalić nawet 30 000–36 000 dodatkowych kalorii w ciągu roku, co daje 4–5 kg tłuszczu! Teraz, kiedy o tym wszystkim wiesz, chcę, byś wykonywał trening siłowy dwa razy w tygodniu, tak aby te liczby się podwoiły.

Jeśli chcesz stracić na wadze, podkręć swój metabolizm i spalaj więcej kalorii, a swój trening siłowy wykonuj w obwodach, jak to jest wyjaśnione w następnym akapicie. Ten typ treningu nazywany jest MRT (*metabolic resistance training* – metaboliczny trening oporowy), czasem nazywany też MCT (*metabolic circuit training* – metaboliczny trening obwodowy), ponieważ w jego trakcie bardzo mocno wpływasz na swój metabolizm.

[3 punkty] ••• Bądź w ruchu

Jest wiele różnych sposobów na trening. Ale jeśli chodzi o utratę wagi, istnieje metoda, która zerwie z ciebie zbędne kilogramy tak szybko, jak to tylko możliwe: trening obwodowy. Trening obwodowy polega na wykonywaniu zestawów ćwiczeń siłowych i/lub ćwiczeń kondycyjnych, jeden po drugim, bez przerwy lub z niewielką przerwą pomiędzy nimi. Ten typ treningu daje nam to, co najlepsze w treningu cardio i treningu siłowym, ponieważ ćwiczy i kształtuje mięśnie, a jednocześnie stanowi wyzwanie dla układu sercowo-naczyniowego. Oszczędzasz czas i maksymalnie spalasz kalorie, ponieważ nie marnujesz ani chwili na odpoczynek.

Dzięki takiej wydajności nie musisz spędzać długich godzin na siłowni, co daje ci więcej czasu na inne aktywności. Wszystkie moje programy ćwiczeń, począwszy od tych wykorzystywanych na zajęciach, przez DVD aż po książkę *Making the Cut*, są oparte na treningu obwodowym. Oto dobry przykład takiego treningu, po tym, jak się rozgrzejesz:

Obwód 1
    Pompki
    Przysiady z wyciskaniem ciężarków
    Opady tułowia z ławeczki
    Pajacyki

Zasadniczo przechodzisz od ćwiczenia do ćwiczenia bez przerwy pomiędzy nimi, a każde ćwiczenie wykonujesz przez pełne 30 sekund. Po wykonaniu całego obwodu możesz zrobić sobie 30 sekund przerwy, po czym powtarzasz cały zestaw ćwiczeń. W ćwiczeniach z hantlami użyj takiego obciążenia, które spowoduje, że twoje mięśnie pod koniec ćwiczenia będą zmęczone, co uważam za lepsze od liczenia powtórzeń.

To odpowiada także na pytanie, czy w takim razie powinieneś skupić się na cardio, czy na treningu siłowym. Chcę, byś wykonywał trening cardio tylko w te dni, w które nie wykonujesz treningu obwodowego, ponieważ jest o wiele mniej efektywny niż obwody. Dlaczego nie robić obwodów codziennie, skoro spalasz więcej podczas treningu i po nim? W następnej części dowiesz się, dlaczego to jest nie do przyjęcia.

[2 punkty] •• Rozdziel to i zdejmij obciążenie

Wielu entuzjastów fitnessu spędza bardzo dużo czasu na treningach, ale niewiele czasu poświęca na regenerację. Prawdę mówiąc, większa część naszych osiągnięć pojawi się w dniu poświęconym na odpoczynek. Ćwiczenia są architektem, ale regeneracja jest budowniczym. Bez właściwie dobranego czasu na odpoczynek obciążysz swoje ciało, zahamujesz rozwój, a być może zrobisz sobie krzywdę.

Co powinieneś robić? Upewnij się, że przynajmniej jeden dzień w tygodniu będzie wolny od ćwiczeń. Nie trenuj *intensywnie* jakiejś grupy mięśni częściej niż dwa razy w tygodniu. Oraz, z czym zgadza się większość naukowców, dopilnuj, by przerwa między sesjami treningowymi trwała od 48 do 72 godzin, w szczególności między tymi intensywniejszymi lub kiedy wykonujesz ciężki trening oporowy.

Jak to się ma do mojego zalecenia, by ruszać się 5 do 6 razy w tygodniu? Nie martw się, zaraz ci pokażę. Wykorzystamy technikę nazywaną podziałem mięśni. Tworzysz własne obwody, aby pracować nad konkretną grupą mięśni, a nie nad wszystkimi tego samego dnia. Jeśli jesteś zdezorientowany, spokojnie. Poniżej pokażę ci, jak powinien wyglądać idealny podział mięśni i harmonogram ćwiczeń. Ale zanim to zrobię, chciałabym coś wyjaśnić. Trening całego ciała, podczas którego działa każda grupa mięśniowa, może dać wspaniałe rezultaty. Po prostu nie pozostawia on czasu na optymalny odpoczynek, więc albo nie możesz wykonywać go codziennie, albo powinieneś zmniejszyć jego intensywność.

Tymczasem w moim idealnym świecie możesz ćwiczyć na maksa 5 do 6 dni w tygodniu, a twoje mięśnie w dalszym ciągu będą miały czas na regenerację, a tym samym twoje wyniki polepszą się.

Twój trening (mięśnie, które ćwiczysz danego dnia) może wyglądać następująco:

Dzień 1: klatka piersiowa, tricepsy, ramiona, nogi z naciskiem na mięsień czworogłowy uda, dolna część mięśni prostych brzucha, mięśnie skośne brzucha

Dzień 2: plecy, bicepsy, nogi z naciskiem na tylną część ud, pośladki, górna część mięśni prostych brzucha

Dzień 3: cardio

Dzień 4: klatka piersiowa, tricepsy, ramiona, nogi z naciskiem na mięsień czworogłowy uda, dolna część mięśni prostych brzucha, mięśnie skośne brzucha

Dzień 5: plecy, bicepsy, nogi z naciskiem na tylną część ud, pośladki, górna część mięśni brzucha

Dzień 6: cardio

Dzień 7: dzień wolny

Są dwa powody, dla których połączyłam te grupy mięśni. Pierwszym jest ich funkcja. Klatka piersiowa, ramiona, tricepsy i mięsień czworogłowy są mięśniami, które odpychają, a mięsień tylny uda, mięśnie boczne brzucha i mięsień pośladkowy są mięśniami, które przyciągają; mięsień tylny uda i mięsień pośladkowy pracują zwykle razem, więc połączenie ich w parze ma sens. Mięśnie o tej samej funkcji pracują wspólnie podczas wykonywania ćwiczenia, więc najlepiej ćwiczyć je tego samego dnia. Jeśli nie trenujesz mięśni o tej samej funkcji w te same dni, zmaksymalizowanie twojej siły podczas ćwiczeń oraz późniejsza odpowiednia regeneracja będą prawie niemożliwe do osiągnięcia. Na przykład jeśli w poniedziałek wykonywałeś ćwiczenia wzmacniające bicepsy, a we wtorek wiosłowanie na siedząco (w tym ćwiczeniu bicepsy są mięśniami pomocniczymi), oznacza to, że ćwiczyłeś bicepsy dwa dni z rzędu, czy tego chcesz, czy nie. W dodatku mogą ucierpieć twoje plecy, ponieważ bicepsy będą zbyt wycieńczone po treningu dzień wcześniej.

Druga metoda, jaką chciałabym włączyć do treningów, to PHA (Peripheral Heart Action — obwodowy trening cardio. Podczas treningu PHA wykonujemy na przemian ćwiczenia dolnej i górnej części ciała, aby dać odpocząć mięśniom, które właśnie pracowały, bez pozwalania całemu ciału na spoczynek lub zwolnienie procesu spalania. Trening obwodowy, który będziesz wykonywał, na ogół wpisuje się w zasady działania PHA, co jest kolejnym powodem, dla którego jest tak efektywny. Ta technika zmusza krew do ciągłego krążenia po całym ciele przez powtarzający się nacisk na kolejne grupy mięśni o odmiennym położeniu (z górnej do dolnej części ciała i *vice versa*), co przyśpiesza tętno i prędkość spalania kalorii. Kluczem jest położenie nacisku na duże partie mięśni, takie jak klatka piersiowa, plecy i nogi, co wymaga większej wydajności serca, a w rezultacie powoduje wzrost tempa metabolizmu.

Oto przykładowy obwód PHA na oba dni z podziału mięśni:

poniedziałek i czwartek
  Wyciskanie ciężarków na piłce
  Przysiady z wcześniejszym wznosem ramion w przód
  Opady tułowia z podporem na podłodze lub z ławeczki
  Bieg w miejscu z podnoszeniem kolan
  Unoszenie nóg — na zmianę (łatwiejsza wersja) lub obu naraz

wtorek i piątek
  Przyciąganie hantli z pozycji wyprostowanej lub pochylonej
  Martwy ciąg oraz zginanie ramion w stawie łokciowym

Wiosła na siedząco przy pomocy gum lub taśm oporowych
Kopnięcia pięta-pośladek (w interwale)
Brzuszki na piłce

Jeśli starasz się teraz dopasować to do swojego harmonogramu zajęć, zastanów się, jakie mięśnie ćwiczysz. Jeśli w poniedziałek trenujesz jogę, która dzięki dużej liczbie ćwiczeń takich jak deska, pozycja kija i psa, skierowane twarzą w dół, intensywnie wzmacnia klatkę piersiową, ramiona i tricepsy, nie zaczynaj we wtorek treningu boot campowego, gdzie pompki, wyciskanie i opady będą angażowały tę samą grupę mięśni. Zamiast tego wybierz zajęcia, które skupiają się na dolnej części ciała. Może to wymagać sporego wysiłku już na etapie planowania, ale zapewniam cię, warto jest się trochę wysilić, bo zauważysz ogromną różnicę w szybkości, z jaką pojawią się rezultaty.

Jeśli korzystasz z płyty DVD z ćwiczeniami albo z zajęć, gdzie trenujesz całe ciało, wszystko w porządku, dopóki nie skupisz się zanadto na jednej grupie mięśni. Moje zajęcia BODYSHRED trwają tylko 30 minut, wykorzystują każdy mięsień w ciele, ale nie uderzają w jedną konkretną grupę mięśni.

Na koniec, nie chcę, byś nadwyrężał mięsień, który nadal boli po poprzednim treningu. To złota zasada. Powtarzam: dopilnuj, aby odpocząć przez przynajmniej jeden pełny dzień tygodniowo dla optymalnej regeneracji i lepszych wyników.

MIT: Brzuszki i ćwiczenia dolnych partii ciała spowodują pozbycie się tłuszczu z brzucha.

FAKTY: Nie możesz pozbyć się tłuszczu tylko miejscowo. Ani na twoim brzuchu, pośladkach, udach, ani na żadnym miejscu, które chcesz zmienić. Aby poprawić problematyczne rejony, musisz zredukować tkankę tłuszczową w całym ciele, to znaczy stosować trening o dużej intensywności połączony ze zdrową dietą i określonymi ćwiczeniami wzmacniającymi mięśnie pod warstwą tłuszczu.

[3 punkty] ••• Połącz to

Chcę, abyś podczas wykonywania treningu siłowego pomyślał też o efektywności. Łączę w tym samym ćwiczeniu małe mięśnie z dużymi, ponieważ synchronizacja działania licznych grup mięśniowych wymaga ogromnych ilości energii, a więc wyższego spalania kalorii. Trenowanie małych grup mięśniowych takich jak bicepsy, ramiona czy tricepsy razem z nogami pozwala ci o wiele lepiej wykorzystać czas. Zasadniczo to właśnie robisz podczas treningu rozdzielnego, który właśnie z tobą omówiłam. Jest na to kilka sposobów, a podzielę je na 3 typy: kombinacje wznosów, mashupy oraz shreddery. Typ pierwszy jest wtedy, gdy wykonujesz tylko jedno ćwiczenie, a potem bezpośrednio zaczynasz drugie bez odpoczynku. O mashupie mówimy wtedy, gdy wykonujemy naraz dwa ruchy. Shredder trenuje wiele grup mięśniowych w tym samym czasie, dużo się wtedy ruszasz i często zmieniasz pozycję. Wznosy są łatwiejsze, ponieważ nie wymagają tak dużej koordynacji, siły ani stabilności jak ćwiczenia typu mash-up czy shredder, zacznij więc od nich i stopniowo przechodź do kolejnych etapów. Oto przykłady ruchów, które możesz wykorzystać:

Wznosy

Przysiad połączony z wyciskaniem ramion nad głową
Przysiad sumo z ćwiczeniem tricepsów
Martwy ciąg z wiosłowaniem
Wykroki do przodu z ćwiczeniem bicepsów
Wykroki do przodu z wznosem wyprostowanego ramienia

Mashupy

Wykrok do boku z wznosem ramion
Deska z wiosłowaniem na zmianę przy użyciu hantli
Wykrok w tył z ćwiczeniem bicepsów
Wykrok do przodu z uniesieniem ciężarka do góry po skosie
Przysiad do boku z uniesieniem hantli do klatki piersiowej

Shreddery

Hip Heists. W pozycji na czworaka (z przodami stóp i dłońmi na podłodze) przeciągnij pod ciałem, po skosie prawe kolano w kierunku swojej lewej pachy. Następnie przenieś lewą rękę za siebie, tak by zwrócić ciało twarzą do góry, kolana ugięte, utrzymuj równowagę na dłoniach i stopach. Wróć do pozycji startowej, ponownie unieś prawe kolano do lewego ramienia i przenieś lewą rękę za siebie. Zrób tak kilka razy. Potem powtórz ćwiczenie, tym razem unosząc lewą nogę i prawą rękę.

Chód kraba. Usiądź na podłodze ze zgiętymi kolanami i wyprostowanymi rękami. Dłonie połóż blisko bioder, palce skieruj do przodu. Unieś biodra i „przejdź" na zmianę 4 kroki do przodu i 4 do tyłu. Upewnij się, że podczas ruchu w tym samym czasie używasz przeciwstawnej stopy i dłoni.

Chód niedźwiedzia. Oprzyj się na stopach i dłoniach, tak by kolana nie dotykały podłogi. Unieś biodra i „przejdź" na zmianę 4 kroki do przodu i 4 do tyłu. Upewnij się, że podczas ruchu używasz przeciwstawnej stopy i dłoni.

Deska bokiem z kopnięciami. Połóż się na boku, oparty o przedramię, kolana są zgięte. Unieś tułów do deski bokiem. Balansując kolanem położonym niżej, wyprostuj drugą nogę, starając się wykonać kopnięcie lub zachowując stopę w pozycji flex (palce stopy zadarte na siebie). Upuść ciało na matę i zmień strony. Wykonaj ponownie ćwiczenie. Kontynuuj, zmieniając strony.

Wstawanie po turecku. Połóż się na plecach, jedną rękę, w której trzymasz hantle, unieś w kierunku sufitu. Usiądź, skrzyżuj nogi, następnie wstań, utrzymując ciągle jedną rękę w wyproście. Utrzymaj ciężarek przez 30 sekund, następnie powtórz ćwiczenie, zmieniając rękę.

Możliwości są nieograniczone, a rezultaty niesamowicie szybkie. Dodatkowo trenowanie w ten sposób oszczędzi twój czas oraz usprawni ciało.

[2 punkty] •• Następnym razem zadziała

Ludzie często mnie pytają, ile zestawów czy powtórzeń każdego ćwiczenia powinni wykonać. Prawdopodobnie natknąłeś się na różnie odpowiedzi na to pytanie, takie jak wykonywanie niewielu powtórzeń przy dużym obciążeniu lub odwrotnie, wykonywanie wielu powtórzeń przy stosunkowo niewielkim obciążeniu. A może spotkałeś się z opinią, by zmieniać liczbę układów, tak by w jednym tygodniu wykonywać 1 zestaw 50 powtórzeń, a w następnym tygodniu 3 zestawy po 20 powtórzeń? Nie ma w tym nic złego, ale istnieje idealna liczba zestawów do tego, by schudnąć, a także odpowiedź na pytanie o liczbę powtórzeń.

Aby uzyskać wymierne rezultaty ćwiczeń, należy zmęczyć mięśnie, więc często polecam wykonywanie więcej niż jednej serii powtórzeń danego ćwiczenia, jeśli nie 3, 4 lub 5. Ważna kwestia: nie chcę, by twoje ćwiczenia były monotonne. Wolałabym, abyś trenował swoje mięśnie pod wszystkimi możliwymi kątami z wykorzystaniem różnorodnych ćwiczeń w przeciwieństwie do ciągłego powtarzania jednego zestawu. Kiedy ćwiczysz pod różnorodnym kątem i z różną intensywnością, docierasz do wielu włókien mięśniowych i dogłębnie je wzmacniasz, co prowadzi do lepszych i szybszych wyników (więcej na ten temat w następnej wskazówce).

Najlepiej byłoby, gdybyś wykonywał po 2 zestawy każdego ćwiczenia (które powinno być wbudowane w trening obwodowy, pamiętasz?), po 30 sekund na każde ćwiczenie. Jak już wcześniej wspomniałam, to lepsze niż liczenie powtórzeń. Skoro kładę taki nacisk na brak ustalonej liczby powtórzeń, możesz się zastanawiać, dlaczego po prostu nie każę ci wykonywać tylko jednego zestawu? To dlatego, że jeśli pracujesz unilateralnie (jednostronnie), musisz powtórzyć cały zestaw tak, by ćwiczyć także drugą stronę ciała. Dla przykładu, jeśli wykonujesz zestaw wykroków prawą nogą ze zginaniem ręki w łokciu, musisz też wykonać drugi zestaw tak, by równomiernie ćwiczyć lewą nogę.

Powodem, dla którego lubię 30-sekundowe powtórzenia, jest to, że pozwalają ci one dać z siebie wszystko. Dalej możesz bawić się cięższymi i lżejszymi hantlami, ale najważniejsze to zrobić jak najwięcej powtórzeń w ciągu 30 sekund. Dzięki tym wytycznym twoje ciało automatycznie dostosuje liczbę powtórzeń do swoich możliwości.

[2 punkty] •• Postaw sobie cel!

Aby być szczuplejszym, zrób dwa zestawy ćwiczeń, po 30 sekund każde, tak byś mógł zoptymalizować swój trening różnorodnością ruchów, które zmęczą twoje mięśnie. Trenując te same partie pod innym kierunkiem i nachyleniem, wytwarzasz lepsze napięcie mięśniowe i rozgrzewasz więcej włókien mięśniowych! Poza tym pomaga to uniknąć w treningu stagnacji, która sprawia, że twoje mięśnie przyzwyczajają się do tych samych ćwiczeń, wykonywanych w ten sam sposób, i najzwyczajniej przestają się efektywnie rozwijać.

Teraz pokażę ci, jak to wygląda od strony naukowej. Postaram się jednak przekazać ci to w prosty sposób. Weźmy na przykład twoje ramiona: masz tam włókna mięśniowe, które biegną w trzech kierunkach – z przodu, z boku i z tyłu – i stanowią trzy części twoich ramion i mięśni naramiennych. Jeśli chcesz mieć wyraźne, seksowne ramiona, z delikatnie zarysowanymi wcięciami, które ukazują się, gdy podnosisz rękę, musisz uderzyć w ramiona pod każdym kątem. Jeśli ćwiczysz tylko wznosy poziome w przód i nigdy nie podnosisz niczego w sposób, który angażuje mięśnie z boku albo z tyłu, te włókna mięśniowe nie będą wystarczająco obciążone i możesz pożegnać się z wymarzonymi ramionami. A więc pamiętaj, aby twoje ćwiczenia były różnorodne, uderzały w mięśnie pod różnym kątem i przyśpieszały szaleńcze rezultaty.

[2 punkty] •• Ćwicz!

Zapomnij o „strefie spalania tłuszczu". Znasz tę kretyńską teorię, że powinieneś ćwiczyć z umiarkowaną intensywnością (60–70% twojego maksymalnego tętna), aby podczas treningu spalać przede wszystkim tłuszcze? To wierutna bzdura i kompletna strata czasu. Prawda jest zupełnie inna. Aby osiągnąć wybitne wyniki, musisz pracować na wyższych obrotach, z intensywnością około 85% twojego maksymalnego tętna.

Pozwól, że wyjaśnię. W czasie treningu fizycznego twoje ciało ma do dyspozycji trzy możliwe źródła, z których czerpie energię: glukoza/glikogen (cukier zawarty w krwi i ten zawarty w mięśniach), tłuszcz i białko. Białka są ostatnią deską ratunku — spośród tych trzech źródeł twoje ciało będzie pobierało energię najbardziej niechętnie właśnie z tego ostatniego. Od intensywności treningu zależy, czy twoje ciało będzie czerpało energię z cukrów, czy z tłuszczów. Ćwiczenia o wysokim poziomie intensywności zmuszają ciało do skorzystania w dużym stopniu z zapasów glukozy i glikogenu, ponieważ są one wydajniejszym paliwem, którego potrzebujesz, kiedy ćwiczysz. Jeśli trenujesz na niskim poziomie intensywności, twoje ciało nie musi być tak wydajne, więc skorzysta z zapasów tłuszczu.

Brzmi to tak, jakby niezbyt intensywny trening był bardziej efektywny, jeśli chodzi o zgubienie kilogramów, prawda? NIEPRAWDA. Ta fizjologiczna prawidłowość doprowadziła do błędnego przekonania, że taki trening jest lepszy niż ten intensywny, jeśli chodzi o spalanie tłuszczu i utratę wagi.

Prawda jest taka, że mimo iż podczas treningu o niewielkiej intensywności *procentowo* spalasz więcej kalorii pochodzących z tłuszczu, *całkowita* liczba spalonych kalorii podczas intensywnego treningu jest wyższa, ponieważ najzwyczajniej w świecie spalasz wtedy więcej kalorii. Pozwól, że ci to przybliżę na podstawie wyników dwóch badań; jedno pochodzi z „New England Journal of Medicine", a drugie zostało przeprowadzone przez American College of Sports Medicine (ACSM).

Pierwsze badanie pokazuje, że ważący 90 kg mężczyzna, który porusza się po płaskiej nawierzchni z prędkością 5 km na godzinę przez 60 minut, spali 5,25 kalorii na minutę. Teraz, jeśli ten sam facet biegnie z prędkością 10 km na godzinę przez 60 minut, spali 15,22 kalorii na minutę. Okej, spójrzmy, co nam mówi matematyka. Bieganie i ćwiczenia o wyższej intensywności pozwolą spalić 975 kalorii, podczas gdy chodzenie i lżejsze ćwiczenia tylko 315 kalorii. Mężczyzna biegający spalił ogółem 660 KALORII WIĘCEJ.

W drugim badaniu 10 uczestników ćwiczyło z niską intensywnością, chodząc z prędkością 6 km na godzinę przez 30 minut. Spalali 8 kalorii na minutę, co daje razem 240 kalorii. Ze wszystkich spalonych kalorii 59% z nich (144 kalorie) pochodziło z glukozy i glikogenu, a 41% (96 kalorii) z tłuszczu. Następnie ta sama grupa ludzi ćwiczyła przez 30 minut z prędkością 10 km na godzinę, spalając 15 kalorii na minutę. Ogółem każdy z nich spalił 540 kalorii, z których 76% pochodziło z glukozy i glikogenu (342 kalorie), a 24% z tłuszczu (108 kalorii). Tak więc przy większym wysiłku każdy z nich spalił o 210 kalorii więcej (450 − 240 = 210), w tym o 12 więcej kalorii pochodzących z tłuszczu (108 − 96 = 12).

Jak widzisz, nawet mimo że procentowo udział spalonych kalorii pochodzących z tłuszczu w czasie treningu o niższej intensywności jest większy, to podczas intensywnego treningu i tak spalasz więcej kalorii „tłuszczowych", nie mówiąc już o kaloriach ogółem.

Ale poczekaj − to jeszcze nie wszystko. Jak myślisz, co się dzieje z kaloriami z glukozy i glikogenu, które nie zostaną spalone? Zostają zmagazynowane pod postacią tłuszczu. Właśnie dlatego głównym celem treningu powinno być spalenie jak największej ilości kalorii.

I ostatnia myśl na ten temat, obiecuję. Jeśli ćwiczysz intensywnie, spalasz kalorie długo po zakończeniu treningu. Jak wspominałam wcześniej, określamy to terminem *afterburn*. Jedną z zalet treningu o wysokiej intensywności, a w szczególności treningu siłowego, jest to, że możesz podkręcić swój metabolizm do tego stopnia, że więcej kalorii spalasz również podczas odpoczynku lub podczas normalnego funkcjonowania. Twoje ciało staje się wydajniejsze, a ty zmieniasz się w piec do spalania kalorii − i o to chodzi!

Jak już wspomniałam, chcę, byś trenował na poziomie 85% swojego maksymalnego tętna. Aby się dowiedzieć, jaki to poziom i jak go osiągnąć, skorzystaj z poniższego równania:

Od liczby 220 odejmij swój wiek. To jest maksymalny poziom twojego tętna. Więc jeśli mam 38 lat, mój MPT to 220 − 38 = 182. Następnie ćwicz na poziome 85% tego wyniku, z wyjątkiem treningów, gdzie dorzucam interwały (już za chwilę więcej na ten temat) gdzie ćwiczymy z intensywnością prawie na poziomie 100%. Mnożę 85 × 182, a mój ostateczny wynik to 155 uderzeń serca na minutę.

Znajomość tętna pozwala ci dowiedzieć się, jaka intensywność ćwiczeń jest konieczna, by optymalnie spalać kalorie. Jeśli chcesz łatwiejszego sposobu, by to śledzić: w czasie ćwiczenia nie powinieneś ciężko dyszeć, ale prowadzenie rozmowy powinno sprawiać ci trudność.

[2 punkty] •• Mieszaj

Nie pozwól, by przy odbywaniu treningów popaść w rutynę. By temu zapobiec, regularnie zmieniaj ćwiczenia. Płynie z tego wiele korzyści. Po pierwsze, nie nudzisz się. Po drugie, twoje ciało nie popada w stagnację zarówno pod względem osiągów, jak i utraty wagi. Po trzecie, dla twojego zdrowia i tężyzny fizycznej trening całego ciała jest decydującą kwestią. Musisz trenować swoje ciało i rozwijać takie cechy jak prędkość, moc, zręczność, równowaga czy elastyczność, aby stać się atletą w pełnym tego słowa znaczeniu. Pomaga to także zapobiegać urazom, podnosi sprawność – i sprawia, że szybciej spalasz kalorie.

Jeśli myślisz sobie: *Nie wiem, jak trenować na te wszystkie sposoby*, najprostszym rozwiązaniem jest udział w różnorodnych zajęciach. Większość klubów, jeśli do jakiegoś należysz, oferują codziennie szeroką gamę zajęć. Aby czuć się świeżo, spróbuj jogi, aby rozciągnąć swoje ciało; zajęcia boot campowe dadzą ci siłę, prędkość, zręczność i wzmocnią twoje mięśnie; jazda na rowerze stacjonarnym zwiększy twoją wytrzymałość i doda sił twoim nogom. Możesz też spróbować zajęć, które oferują ci to wszystko naraz, takich jak kickboxing. Starałam się to robić z BODYSHRED – takie zajęcia nie tylko cię wysmuklą, ale też uczynią naprawdę wysportowanym.

Nie namyślaj się zbyt długo. Po prostu próbuj nowych rzeczy, eksperymentuj z różnymi typami zajęć. Z czasem wszystko dobrze się ułoży.

Powiększ swoje mięśnie

[3 punkty] ••• Przyłóż się

Chcesz schudnąć, spędzając przy tym mniej czasu na siłowni? Jeśli tak, musisz nauczyć się poprawnego wykonywania treningu HIIT. HIIT to skrót od High Intensity Interval Training, czyli Intensywny

Trening Interwałowy. Jeśli istnieje najbardziej nadużywane w ostatnich latach pojęcie, może nim być właśnie „trening interwałowy". Na szczęście nie bez kozery. Trening HIIT jest programem ćwiczeń, który zawiera następujące po sobie krótkie okresy treningu anaerobowego oraz mniej intensywne okresy regeneracji. Ostatnio przeprowadzone badania wyraźnie wskazują, że jeśli chcesz najwydajniejszego treningu aerobowego, HIIT jest właśnie dla ciebie. Jeśli zestawisz ze sobą bardzo intensywny trening interwałowy z ciągłym treningiem statycznym, okaże się, że to bardzo nierówny pojedynek – HIIT wygrywa w przedbiegach, zarówno pod względem spalania kalorii, jak i zużycia tłuszczów.

Temu typowi przerywanego treningu przyjrzano się w czasie licznych badań – które obejmowały naprzemienne intensywne i słabsze ćwiczenia aerobowe, czy to chód/bieg na bieżni, jazda na rowerze, czy jakiekolwiek inne ćwiczenia – a ich rezultaty prowadzą do jednego wniosku: HIIT pozwala spalić więcej tłuszczu w trakcie treningu i po jego zakończeniu niż zwykły trening statyczny. Dla tych, którzy muszą wiedzieć: to zjawisko „dopalania" (ang. *afterburn*) nazywamy też zwiększoną powysiłkową konsumpcją tlenu.

Uczeni odkryli także, że w porównaniu z innymi formami treningu aerobowego ćwiczenia HIIT znacząco przyśpieszają metabolizm. Jeśli te dwa argumenty ci nie wystarczą, pamiętaj, że trening HIIT jest

MIT: Zawsze ćwicz do upadłego.

FAKTY: Mimo że zapewne czytałeś w jakimś magazynie dla kulturystów, że doprowadzanie swojego ciała do granic wytrzymałości podczas każdego treningu jest dobrym pomysłem – wcale tak nie jest. Może to skutkować przetrenowaniem, spadkiem sił, a nawet kontuzją. Ćwicz do momentu, w którym mógłbyś wykonać jeszcze jedno powtórzenie (chociaż pewnie musiałbyś trochę „odpuścić", aby je wykonać), ale nigdy do momentu, w którym mięśnie odmówią posłuszeństwa.

o wiele krótszy od innych rodzajów ćwiczeń! Nie ma sensu ćwiczyć 60 minut, jeśli wystarczy 20–30 minut ciężkich interwałów, które dadzą ci więcej niż godzina, podczas której walczysz o przetrwanie.

Sesje HIIT są zwykle krótkie i wykonuje się je jako trening cardio, więc wykorzystałam tę zasadę, by wkomponować go w każdy inny typ ćwiczeń – niezależnie od tego, czy jest to trening siłowy, czy aerobowy.

Podczas tygodniowego treningu rozdzielnego możesz wykorzystać HIIT w dniach przeznaczonych na trening cardio. Po prostu pod koniec treningu obwodowego wpleć do niego 30-sekundowy lub 1-minutowy interwał o wysokiej intensywności. Według badaczy wystarczy okres od 30 sekund do 2 minut, aby osiągnąć maksymalną intensywność. Żeby poprawnie wykonywać HIIT, powinieneś wysilić się na 85–100% swoich możliwości, po czym odpocząć. Sama wolę niezbyt długie rundy, ponieważ w krótkim czasie możesz usiłować osiągnąć maksimum swoich możliwości. Zaufaj mi, jeśli wykonasz jakiekolwiek z ćwiczeń, jakie ci zaproponuję, tak mocno jak tylko potrafisz, nie będziesz w stanie kontynuować dłużej niż dwie minuty; to właśnie jest piękno i efektywność HIIT. Nie myśl sobie, że możesz przez godzinę wykonywać przeskoki nogami w tył i w przód w pozycji pompki i spalić 900 kalorii. Te ćwiczenia mają być intensywne i krótkie, zadziałają tylko wtedy, gdy wykonujesz je na ponad 89% swoich możliwości.

Oto kilka ćwiczeń do wyboru:

- Naprzemienne wypady nóg – 12 kalorii na minutę
- Przysiady z wyskokiem – 13 kalorii na minutę
- Pajacyki – 13,5 kalorii na minutę
- Łyżwiarz – 13,5 kalorii na minutę
- Przeskoki nogami w tył i w przód w pozycji pompki – 15 kalorii na minutę
- Skip C – 12 kalorii na minutę
- Bieg w miejscu z unoszeniem wysoko kolan – 13 kalorii na minutę
- Skakanie na skakance – 11 kalorii na minutę

Oto przykładowy trening obwodowy. Pierwsze cztery elementy to ćwiczenia oporowe i wzmacniające, ostatnie ćwiczenie to interwał:

- Podciąganie się z asystą (chyba że potrafisz je robić bez pomocy) lub wiosłowanie w pozycji pochylonej
- Wykroki wahadłowe (ta sama noga, zrób wykrok w przód i w tył) ze zginaniem ramion z hantlami (unosimy dłonie w górę i w dół)
- Wiosłowanie na siedząco (z linką lub tubą oporową)
- Podwójne skoki ze skakanką (dwa obroty skakanki na skok)

Kiedy wykorzystujesz HIIT w dniu treningu cardio, klasycznym modelem postępowania jest Tabata, w stosunku 2 do 1 – 20 sekund ćwiczenia najmocniej jak potrafisz i 10 sekund przerwy. Wykonujesz w ten sposób 8 interwałów. Tak, trwa on tylko 4 minuty.

Przeciętna osoba nie jest w stanie wytrzymać całego treningu, jest on odpowiedniejszy dla zaawansowanych sportowców. Trochę zmodyfikowałam jego zasady, aby trening był bardziej odpowiedni dla początkujących i średnio zaawansowanych, tak że jest on wykonalny i skrajnie efektywny. Jeden z uczestników programu *The Biggest Loser*, stosując się do tych zaleceń, stracił w 30 minut aż 500 kalorii. Zalecam ćwiczenia o wysokiej/niskiej intensywności w proporcjach 30 sekund maksymalnego wysiłku (90–100%), po czym 30 sekund lżejszych ćwiczeń na około 50% możliwości.

Bez względu na to, który rodzaj treningu wybierzesz, jeśli wplecisz w niego HIIT, te krótkie, intensywne układy ogromnie zwiększą twoją sprawność fizyczną, co prowadzi do szybszego metabolizmu cukrów i radykalnie poprawia spalanie tłuszczów.

[2 punkty] •• Przyspiesz

Istnieje sposób, aby bawić się tempem powtórzeń, tak aby stawiać przed sobą coraz to nowe wyzwania i zwiększać tempo spalania kalorii. Jeśli chodzi o tempo powtórzeń, większość osób trzyma się wypróbowanego sposobu: powolny kontrolowany ruch trwający około 2 sekund w fazie pozytywnej (podnoszenie, pchanie lub ciągnięcie ciężarka) i tyleż samo w fazie negatywnej (opuszczanie i zwolnienie ciężaru). To dobre tempo, jeśli jednak chcesz z treningu wyciągnąć więcej, rozważ szybszy ruch w jego pozytywnej fazie podczas kilku ze swoich cotygodniowych treningów. Superszybkie, niespodziewanie narastające tempo powtórzeń korzystnie wpłynie na twoją siłę i energię, a także przyśpieszy proces spalania i zrzucania zbędnego tłuszczu.

Takie szybkie powtórzenia, podnoszenie, pchanie czy ciągnięcie w pozytywnej fazie ruchu wykonaj tak szybko, jak tylko potrafisz, zachowując jednocześnie prawidłową technikę. Jeśli nie potrafisz utrzymać właściwego ułożenia ciała podczas ćwiczenia, po prostu zmniejsz obciążenie. Następnie powoli, przez około 2 do 4 sekund obniżaj ciężarek *kontrolowanym ruchem* do pozycji startowej. Nie przyspieszaj w negatywnej fazie ruchu – NIGDY!

Dla tych, którzy zastanawiają się nad negatywną fazą ruchu lub zwolnieniem tempa, aby schudnąć: odradzam. Niektóre badania zwracają uwagę na przyrost tkanki mięśniowej dzięki tej metodzie, ale nie odnotowano zasadniczych zmian w kondycji i tempie spalania tłuszczu. Co więcej, nie chcę, aby twoje tętno zredukowało się podczas ćwiczeń w zwolnionym tempie. Nie musisz przyśpieszać podczas każdego treningu, ale przynajmniej raz w tygodniu postaraj się zmienić tempo powtórzeń, tak jak modyfikujesz pozostałe aspekty swojego treningu — aby zyskać siłę i energię oraz przyspieszyć metabolizm tłuszczów.

[2 punkty] •• Ryzykuj

Poznaj serie ćwiczeń trafnie nazywane „superseriami" czy też „supersetami" — bezpieczny, naturalny sposób na uzyskanie mocniejszej i smuklejszej sylwetki w stosunkowo krótkim czasie. Istnieje wiele rodzajów superserii, ale dla naszych potrzeb wykorzystamy te, które angażują tę samą grupę mięśni. Jest to metoda zaawansowanego treningu, w której wykonujesz dwa ćwiczenia tej samej partii mięśni, jedno po drugim, bez żadnej przerwy. Taki trening ma pod kilkoma względami przewagę nad konwencjonalnym, prostym zestawem ćwiczeń. Podczas superserii pozbywasz się czasu na odpoczynek pomiędzy ćwiczeniami, a jak już wiemy, większa intensywność to lepsze wyniki. Superserie dociążają mięśnie bez zakładania dodatkowego obciążenia — są idealne dla kogoś, kto pragnie być silny, wytrzymały i mieć szczupłą sylwetkę, a niekoniecznie powiększyć swój rozmiar.

Oto kilka przykładów efektywnych superserii:

- Ściąganie drążka, pompki na sztangielkach
- Pompki, rozpiętki
- Wyprosty nóg na maszynie, wykroki
- Rowerki na leżąco, unoszenie nóg
- Martwy ciąg, rozciąganie mięśni pleców na rzymskiej ławeczce
- Płytkie wykroki, przysiady z podskokiem

A tak superserie można wkomponować w trening obwodowy:

- Wyciskanie sztangielek w leżeniu na ławce
- Unoszenie sztangielek w leżeniu na ławce i mostki
- Ćwiczenie „superman"
- Przeskoki nogami w tył i w przód w pozycji pompki

[2 punkty] •• Wywieraj na siebie nacisk

Twoje mięśnie, kości i stawy działają jak system pracujących razem dźwigni, który pozwala ci unosić ciężar, czy to swojego własnego ciała, czy też sztangielki. Wraz ze zwiększaniem odległości pomiędzy przedmiotem, który podnosisz, a stawem, który się porusza, twoje mięśnie muszą wygenerować więcej mocy. Robiąc to, zasadniczo powiększasz długość dźwigni – twoich rąk, nóg lub tułowia, utrudniasz swoim mięśniom pracę. Musisz zużyć więcej energii, aby ją wykonać, co sprawia, że stajesz się silniejszy i smuklejszy za jednym zamachem. Oto, co mam na myśli: kiedy robisz pompki, opierając się na rękach i stopach, a potem opadasz na kolana, skracasz dźwignię, więc ćwiczenie jest o wiele łatwiejsze. Naszym celem jest utrudnienie sobie tego zadania, żeby spalić więcej i szybciej osiągnąć upragniony cel. Chcemy wydłużać nasze dźwignie podczas ćwiczeń.

Oto kilka sposobów na wprowadzenie tej techniki w życie:

- Rób pompki, podpierając się na dłoniach i stopach – nawet jeśli ręce znajdują się na podniesieniu takim jak step.

- Wykonuj poziome wznosy z rękami wyprostowanymi, zamiast zgiętymi w stawie łokciowym.
- Wykonuj rozpiętki lub rozpiętki z linkami zamiast używać maszyn, gdzie ręce są zgięte.
- Wykonując wznosy nóg, wyprostuj je zamiast zginać w kolanie.

Jeśli nadal nie wiesz, jak najlepiej wykonywać dane ćwiczenie, tak by przynosiło maksimum efektów, skorzystaj z tej wytycznej: za każdym razem staraj się utrzymać swoją pozycję. Jeśli istnieje opcja wykonania ruchu ze zgiętymi nogami lub rękami albo z wyprostowanymi kończynami, wybierz tę drugą opcję, aby zwiększyć intensywność swojego treningu.

Jest jedno zastrzeżenie – wykonuj trudniejszą wersję ćwiczeń, dopóki jesteś w stanie utrzymać właściwą postawę. Być może będziesz musiał się do tego przygotowywać. Wolę, byś wykonał tylko kilka trudniejszych ruchów, a następnie zmniejszył poziom trudności, wykonując ćwiczenia idealnie, niż miałbyś nigdy ich nie spróbować. Przez podejmowanie coraz trudniejszych wyzwań staniesz się silniejszy.

[2 punkty] •• Kręć się i krzycz

No, może nie musisz krzyczeć, ale chcę, abyś wykonywał skręty – dużo i w każdym kierunku. Chociaż mamy urządzenia, które wymagają użycia mięśni głębokich, aby wykonać dane ćwiczenie poprawnie, najlepszym sposobem na wprowadzenie tej wskazówki w życie jest odpowiednie wykorzystanie ciężaru własnego ciała i hantli oraz unikanie maszyn, które sztucznie izolują grupy mięśni i działają jednopłaszczyznowo: do przodu i do tyłu, na boki oraz w górę i w dół. Ćwiczeniem najlepiej ilustrującym to, co mam na myśli, jest trening tylnej części ud za pomocą urządzenia na siłowni. W rzeczywistości nasze ciało tak nie działa; kiedy trenujemy je w ten sposób, ćwiczenia stają się nienaturalne i nieefektywne. Im częściej będziesz ćwiczył „trójwymiarowo", tym więcej kalorii spalisz, będziesz bardziej wysportowany i sprawny.

Możesz wypróbować kilka z tych ćwiczeń:

- Wykrok z uderzeniem (przez uderzenie mam na myśli ruch ręki na wprost, pod pewnym kątem w momencie wykonywania wykroku)
- Przeskoki z boku na bok
- 180 przysiadów z podskokiem (wykonaj przysiad, a potem podskocz, zmieniając w powietrzu swoje położenie o 180 stopni, wykonaj kolejny przysiad i powtórz ruch)
- Pompki z przeskokiem (będąc w pozycji deski zadzieraj nogi do swoich boków zamiast trzymać je za sobą)
- Wstawanie z leżenia na brzuchu (podskocz z leżenia z twarzą skierowaną ku podłodze, leżąc jak na desce surfingowej)

Jeśli nie czujesz się dobrze zaznajomiony z tym rodzajem wielowymiarowego treningu, spróbuj na początek włączyć w swój harmonogram ćwiczeń, przynajmniej raz w tygodniu, zajęcia takie jak joga, taniec, kickboxing lub mój BODYSHRED.

[3 punkty] ••• Pogłębiaj!

Zakres ruchu lub odległość, jaką twoje ciało pokonuje w czasie ćwiczeń, poruszając się z jednego punktu do drugiego, jest kluczem do sprawności fizycznej oraz jak najefektywniejszego wykorzystania treningów. Jeśli ćwicząc, wykorzystujesz pełen zakres ruchu każdego stawu, zyskujesz elastyczność, sprawność ruchową, siłę i szybciej spalasz kalorie.

Oto kilka sposobów, w jakie być może skracasz swój zakres ruchu w czasie treningu:

- Przysiady, przy których wykonywaniu nie udaje ci się umieścić ud równolegle do podłogi.
- Wyciskanie, w którym nigdy do końca nie wracasz do pozycji początkowej i nie prostujesz w pełni rąk.
- Wykrok, w którym kolano dalszej nogi znajduje się około 15 cm od podłogi zamiast 5 cm.
- Wyciskanie sztangielek nad głową bez prostowania w pełni rąk.

Jeśli twoje mięśnie są bardzo ściśnięte i nie jesteś w stanie wykonać całego ruchu, uważaj, abyś nie nabawił się kontuzji, starając się jak najdokładniej wykonać dane ćwiczenie. Jednakże jeśli poruszasz się bezmyślnie podczas ćwiczeń, nie starasz się, przestań się oszukiwać. Wydłużenie ruchu o zaledwie kilka centymetrów przyśpieszy spalanie w trakcie i po treningu, jednocześnie poprawiając twoją kondycję.

MIT: Mięśnie zamieniają się w tłuszcz, a tłuszcz zamieniany jest w mięśnie.

FAKTY: Tak jak tłuszcz nie może przekształcić się w mięśnie, tak mięśnie nie zamienią się w tłuszcz. Rozbudowywanie tkanki mięśniowej i pozbywanie się tkanki tłuszczowej to dwa całkowicie odmienne procesy. Spalasz tłuszcz i wzmacniasz mięśnie, ale idea przekształcania jednego w drugie jest tak prawdziwa jak przemiana ołowiu w złoto.

[2 punkty] •• Wstawaj!

Podskakuj, daj susa, skacz, sprężynuj, wzbijaj się – właśnie tak. Chcę, byś latał, a to dzięki zaawansowanej technice zwanej pliometryką albo treningiem wyskoku. Chociaż po raz pierwszy pojawił się już w latach 60. i 70. ubiegłego wieku, dopiero w ostatnim dziesięcioleciu stał się wiodącą metodą poprawiania wydajności treningów

Trening plio to rodzaj intensywnego treningu, który znacząco zwiększa siłę, szybkość i wytrzymałość, pozwalając ci spalać więcej kalorii i pozbywać się tłuszczu. Ponieważ wyczerpuje ciało, przyśpiesza metabolizm na wiele godzin po zakończeniu treningu.

Oto jak działa: wykonujesz bardzo szybki ruch (taki jak przysiad z wyskokiem), który opiera się na energii wytwarzanej w trakcie czegoś, co nazywamy „cyklem skracania i rozciągania". Mięsień, który jest rozciągany zanim nastąpi gwałtowny skurcz (nazywany odbiciem), skurczy się o wiele mocniej i gwałtowniej. Biorąc za przykład przysiad z wyskokiem, „obniżanie się do pozycji przysiadu" na chwilę przed skokiem obniża twój środek ciężkości i delikatnie rozciąga wszystkie zaangażowane w ten ruch mięśnie. To jest faza przygotowawcza. Następnie, w miarę prostowania nóg do skoku i uniesienia się nad podłogę, odpalasz więcej potencjalnej energii dzięki odrzutowi, jaki wytworzyłeś, unosząc się z pozycji niskiego przysiadu.

A oto kolejne przykłady wykorzystania tej metody w swoim treningu:

- Wykrok, w którym skaczesz w czasie prostowania nóg.
- Skoki na skrzynię, gdzie dosłownie zginasz kolana, a potem wskakujesz na skrzynkę lub platformę.
- Pompki, w których podrzucasz górną część ciała poziomo tak, by oderwać dłonie od podłogi.

Tak by wszystko było jasne, możesz dodać podskok do swojego podstawowego zestawu ćwiczeń, a dzięki dodatkowej sile uderzenia zwiększy się jego intensywność i spalanie kalorii. Aby w pełni skorzystać z zalet metody plio i podnieść efektywność ruchu, dopilnuj, aby lądując, powrócić do pozycji startowej. Skorzystasz wtedy z dobroczynnego działania „cyklu skracania i rozciągania", kiedy ponownie będziesz z niej gwałtownie wyskakiwał. Zadbaj też o to, aby chronić się przed kontuzją, lądując miękko z palców na pięty.

Jedno ostrzeżenie: podczas gdy pod względem wyników korzyści płynące z treningu plio są niezrównane, to ten typ treningu jest niezwykle ciężki. Nie próbuj eksperymentować i wykorzystywać tej metody, jeśli nie jesteś bardzo sprawny fizycznie. Jeżeli jesteś kontuzjowany lub coś ci dolega, skontaktuj się z lekarzem zanim rozpoczniesz tego typu trening.

[2 punkty] •• Bądź niestabilny

Czy kiedykolwiek na siłowni przyjrzałeś się tym wszystkim dziwnym urządzeniom i aparatom, takim jak dyski z poduszką, piłki BOSU, platformy balansowe i wiele innych, zastanawiając się, jak ich używać? Masz szczęście, bo jestem tu po to, by ci to wyjaśnić: służą do ćwiczenia równowagi. Przygotowując się do napisania tej książki, zrobiłam szeroki przegląd wyników najnowszych badań porównujących ćwiczenia równowagi wykonywane na podłodze z tymi, które wykorzystują wymienione wcześniej urządzenia, a w szczególności jeśli łączy się je z treningiem siłowym. Znalazłam masę niezgodności i wywołujących sprzeciw kontrowersji. Zasadniczo utwierdziłam się w przekonaniu, że będziesz mógł trenować ciężej i uzyskasz lepsze wyniki, jeśli będziesz się trzymał solidnych nawierzchni.

Nie twierdzę, że te urządzenia nie poprawią twojej równowagi. Ale jeśli chcesz zwiększyć siłę, pobudzić i zaangażować swoje mięśnie – a o to właśnie chodzi w spalaniu kalorii – chcę, abyś to ty stał się niestabilny, a nie platforma, na której stoisz. Ćwiczenia, które wymagają stabilizacji, wykorzystują większą liczbę mięśni i są o wiele trudniejsze od tych, w których zachowywanie równowagi nie jest konieczne; to pomoże ci spalić zbędne kalorie, a przecież o to nam właśnie chodzi. Ponadto równowaga jest integralną częścią twojego treningu fitness, który ma za zadanie poprawić twoją koordynację, kondycję i postawę. Te wszystkie ustrojstwa i narzędzia są w porządku i fajnie się nimi czasem pobawić. Nie mówię, byś ich nigdy nie używał, ale pamiętaj, przede wszystkim chodzi mi o efektywność i najlepsze wykorzystanie twojego czasu.

Oto przykłady, jak zaburzyć swoją równowagę:

Podnieś kończynę. Zamiast podczas ćwiczeń balansować na obu stopach i/lub obu rękach, podnieś z podłogi rękę lub nogę, aby zaburzyć swoją równowagę w taki sposób:

- Podnoś rękę lub nogę podczas robienia pompek.
- Wykonuj przysiady na jednej nodze.
- Wykonując wykrok do boku oraz powracając do pozycji początkowej, unieś kolano zamiast dotykać stopą podłogi.
- Podczas wykonywania deski unieś rękę lub rękę i nogę.
- Wykonuj martwy ciąg z hantelkami, podpierając się na jednej nodze (zawsze kiedy zginasz się i podnosisz, mobilizujesz swoje narządy zmysłów).
- Przeciągaj linkę, stojąc na jednej nodze zamiast na dwóch.

Możliwości są nieskończone. Po prostu oceń ćwiczenie, jakie wykonujesz, i sprawdź, czy da się odjąć jeden punkt podparcia.

Sprytna platforma. W tej metodzie wykorzystujesz solidną powierzchnię, z której opuszczasz lub podnosisz ciężar własnego ciała (spalasz kalorie i wzmacniasz mięśnie głębokie), jednocześnie zachowując równowagę. Oto kilka przykładów:

- Wykonuj pojedyncze wejścia na ławeczkę lub wysoki step z jednoczesnym uniesieniem kolana.
- Stojąc na stepie, zrób wykrok w tył.
- Wykonuj opady kolana w wykroku z jedną stopą na stepie.
- Umieść jedną lub obie stopy na stepie i rób pompki.

Aby jak najwięcej skorzystać na treningu równowagi, włącz te dwie proste zasady, omówione powyżej, w swój trening budujący mięśnie lub mający na celu utratę wagi, a wyniki będą coraz lepsze.

Więcej cardio

[2 punkty] •• Zwiększ nachylenie

Aby spalić 15% więcej kalorii na bieżni, wystarczy tylko troszeczkę zwiększyć jej nachylenie. Chód po bieżni o 5-procentowym nachyleniu może zrobić wielką różnicę w porównaniu z bieżnią poziomą. Im bardziej strome podejście, tym więcej kalorii spalasz, i to niezależnie od tempa i bez przedłużania czasu trwania treningu. Oto przykład: jeśli ważąca 65 kilogramów kobieta maszeruje po poziomej bieżni przez 30 minut z prędkością 6,5 km/h, spali 132 kalorie. Jeśli dodatkowo ustawi nachylenie bieżni na 5%, spali 220 kalorii. Jeśli zwiększy nachylenie do 10%, to mimo że tylko idzie, spali już 312 kalorii. Bonus: to w przybliżeniu taka sama ilość kalorii, jaką spalisz podczas 30-minutowego joggingu na płaskiej bieżni. Więc jeśli nie jesteś stanie biec lub truchtać, chodzenie „pod górkę" zwiększa intensywność ćwiczenia, spalanie kalorii, a także świetnie wzmacnia mięśnie.

[2 punkty] •• Ręce precz

Z pewnością słyszałeś, jak podczas programu *The Biggest Loser* wydzieram się na jego uczestników, aby zdjęli ręce z bieżni, orbitreka lub steppera. To dlatego, że *trzymając się, spalasz do 25% kalorii mniej.* Więc następnym razem, kiedy będziesz miał dzień cardio na siłowni, puść poręcz! Dzięki temu nie tylko więcej spalisz, ale też podniesiesz sobie poprzeczkę.

[2 punkty] •• Cardio zasilane rękami

Chodząc, truchtając lub biegając, kieruj łokcie poziomo w tył zamiast luźno machać rękami zwieszonymi po bokach ciała. To natychmiast zwiększy twoje tempo oraz skuteczność treningu bez dodatkowego obciążania nóg.

MIT: Jeśli cardio jest częścią twojego treningu, nie nabierzesz masy mięśniowej.

FAKTY: O ile trening cardio może trochę utrudnić pozyskanie mięśni, to nadal możesz się rzeźbić. Jeśli twoim celem jest „shredding" i uwielbiasz swoje ćwiczenia cardio, po prostu postaraj się w ciągu tygodnia wykonywać trening oporowy i przyjmować odpowiednie dla utrzymania masy mięśniowej składniki odżywcze, a czas cardio skróć do sprintów zamiast kontynuować długie sesje wytrzymałościowe. Widziałeś kiedyś nogi sprintera? To chyba wystarczy.

[2 punkty] •• Zmień to

Jeśli mozolisz się na bieżni i nigdy nie pomyślałeś o zmianie sprzętu do ćwiczeń aerobowych, ta wskazówka jest dla ciebie. Każde urządzenie pobudzi twoje ciało w inny sposób, i czy się zgadzasz z tym, czy nie, łatwo jest popaść w rutynę. Aby maksymalnie skorzystać z treningu, uniknąć stagnacji i przegnać nudę, podczas każdego treningu korzystaj z innego urządzenia albo bądź kreatywny i użyj 2 lub 3 różnych maszyn. Czas minie szybciej, a twój trening będzie jeszcze lepszy!

Wykorzystaj przestrzeń na zewnątrz

[1 punkt] • Przenieś się do sąsiedztwa

Aby uchronić się przed nudą, warto przenieść swój trening na świeże powietrze. Wszystko, czego potrzebujesz, jest tuż za twoimi drzwiami, w najbliższej okolicy. Możesz się porządnie zmęczyć, wykorzystując środowisko wokół, aby stworzyć swoją osobistą siłownię. Znajdź park lub dużą otwartą przestrzeń, gdzie możesz wykonywać znane ze szkoły ćwiczenia wzmacniające, takie jak pajacyki, przeskoki nogami w tył i w przód w pozycji pompki, skakanie na skakance, wykopy czy bieg w miejscu z unoszeniem wysoko kolan. Rób przysiady, plie, wykroki, pompki i brzuszki. Możesz też wykorzystać podpórki, takie jak ławka, ściana, drzewo czy słup oświetleniowy.

Oto kilka fajnych pomysłów:

- Wykonuj przysiady, opierając się na płaskiej ścianie.
- Rób opady, pompki, stepy i sit-składy na ławce.
- Podciągaj się, trzymając się mocnej gałęzi lub słupa na ulicy.
- Wykonuj wykroki w tył lub plie jak na stepie, korzystając z krawężnika (ale nie na ruchliwej ulicy!).
- Podciągaj się na drążkach na placu zabaw.
- Jako ćwiczenia cardio wykonuj interwały HIIT, używając sąsiednich przecznic jako wyznaczników: przejdź przecznicę, przebiegnij przecznicę. Po drodze wciśnij między nie jakiekolwiek ćwiczenia.
- W parku lub na plaży wyznacz dwa punkty w odległości około 50 metrów. Jeden długi krok to mniej więcej odległość 0,9 metra. Przebiegnij 20 razy od jednego do drugiego punktu. Za każdym razem, kiedy dobiegniesz do znacznika, wykonaj jedno z następ-

MIT: Buty modelujące naprawdę kształtują twoje nogi i podnoszą pośladki.

FAKTY: Oczywiście, że nie! To podpada pod kategorię „to zbyt piękne, by mogło być prawdziwe!". Jak wynika z dwóch ostatnich badań przeprowadzonych przez American Council of Exercise, „nie ma żadnych dowodów na poparcie tezy, że takie buty pomogą osobom noszącym je intensywniej ćwiczyć, spalić więcej kalorii lub poprawić siłę i ukształtowanie mięśni". Członek tego stowarzyszenia, Todd Galati, nie znalazł żadnych różnic (poza ceną) pomiędzy tymi specjalnymi butami a zwykłymi butami sportowymi. „Te buty nie są jak magiczna tabletka". To chodzenie może coś zmienić w twoim życiu – nie buty.

pujących ćwiczeń: 20 wykroków, 20 przysiadów, 20 pompek, 20 brzuszków lub utrzymaj pozycję deski przez 20 sekund. Odpoczywaj pomiędzy interwałami przez mniej więcej 30 sekund.

[1 punkt] • Poczuj, jak porusza się ziemia

Wykonywanie ćwiczeń cardio na świeżym powietrzu może znacząco zwiększyć spalanie. Badania dowodzą, że dzięki różnicom w nachyleniu i nierównościom terenu (a także przez dodatkowy opór pod postacią wiatru lub prądów wodnych) twoje tętno przyśpiesza średnio o około 5–10 uderzeń na minutę. Jeśli pogoda dopisze, następny trening wykonaj na chodniku zamiast na bieżni. Pojeźdź po drodze zamiast pedałować w sali; pobiegaj po torze przy miejscowym liceum zamiast na stepperze na siłowni. Pływaj w oceanie zamiast w basenie; wybierz się na kajaki zamiast używać wioślarza.

PODLICZ SIĘ I ZRZUĆ TO

Przyznaj sobie 3 punkty

☐ Konsekwencja jest kluczem
☐ Przemodeluj swoje mięśnie
☐ Bądź w ruchu
☐ Połącz to
☐ Przyłóż się
☐ Pogłębiaj!

Przyznaj sobie 2 punkty

☐ Rozdziel to i zdejmij obciążenie
☐ Następnym razem zadziała
☐ Postaw sobie cel!
☐ Ćwicz
☐ Mieszaj
☐ Przyspiesz
☐ Ryzykuj
☐ Wywieraj na siebie nacisk
☐ Kręć się i krzycz
☐ Wstawaj!
☐ Bądź niestabilny
☐ Zwiększ nachylenie
☐ Ręce precz
☐ Cardio zasilane rękami
☐ Zmień to

Przyznaj sobie 1 punkt

☐ Odpowiedni strój
☐ 5-minutowa rozgrzewka
☐ Przenieś się do sąsiedztwa
☐ Poczuj, jak porusza się ziemia

_____ Suma punktów z rozdziału 2

_____ Liczba rad, które wprowadziłem w życie

ROZDZIAŁ 3

W DOMU

Jak napisałam wcześniej, celem tej książki jest zagwarantowanie ci odporności na wszelkie zagrożenia. Chcę, byś dysponował mnóstwem strategii, których w razie potrzeby użyjesz do radzenia sobie ze wszystkim, co mogłoby utrudniać ci zrzucenie zbędnych kilogramów i zdrowy tryb życia. Jednak aby tak się stało, skupmy się najpierw na przeanalizowaniu twojego otoczenia domowego i sytuacji, które właśnie tam mogą wpływać na twoją wagę i dobre samopoczucie. Jako że twój dom jest – dosłownie – twoją bazą, musimy się upewnić, iż jest ona solidna i stabilna. Mam tutaj na myśli wszystko, od zakupów, które przynosisz, przez domową siłownię, której stworzenie możesz rozważyć, po kosmetyki wolne od środków chemicznych, a nawet nietoksyczne środki czyszczące, których powinieneś używać. Tak, zgadza się, tak bardzo cię kocham, że nie pominę żadnego aspektu twojego życia! Jeżeli w tym momencie zaczynasz panikować, zastanawiając się, jak bardzo moje rady podwyższą twoje wydatki, nie martw się. Jeśli zastosujesz się do moich rad, to zamiast wydawać fortunę, sporo zaoszczędzisz.

ZAKUPY SPOŻYWCZE

Zajmijmy się na początek najbardziej oczywistą rzeczą – tym, co znajduje się w twojej kuchni. W rozdziale 1 omówiliśmy szczegółowo reguły diet i strategie ich stosowania, czas więc teraz na wdrożenie ich w życie. Jedzenie, które przechowujesz w swojej lodówce i które przygotowujesz, jest integralną częścią twojego sukcesu, dlatego też w tej części książki dowiesz się, jak „odchudzić" swoje zakupowe wybory, tak aby one odchudziły ciebie.

Szczupłe zakupy

[3 punkty] ••• Centralny punkt sklepu centralnym punktem twojej wagi

To oczywiste – unikaj głównych alejek sklepowych, zaglądaj za to w te zakątki, gdzie sprzedawane jest świeże jedzenie – owoce, warzywa, nabiał, mięso czy ryby. W głównych alejkach zazwyczaj umieszczane jest śmieciowe jedzenie – ciastka, czipsy, płatki czy chleb – nie są one niezbędne do życia, lecz bardzo kuszące.

[3 punkty] ••• Głowa w dół

Jeśli już musisz udać się w alejki, których powinieneś unikać, patrz na dolne półki. Dlaczego? Otóż produkty przynoszące większe zyski – bardziej przetworzone, wyprodukowane tanio, z gorszej jakości składników – zazwyczaj ulokowane są na wysokości twojego wzroku. Zdrowsze rzeczy, w których produkcję trzeba włożyć więcej czasu i pieniędzy, zazwyczaj znajdują się na najniższych półkach, aby zniechęcić cię do sięgnięcia po nie i skłonienia do zakupu produktu przynoszącego większy profit.

[1 punkt] • Wybierz wózek zamiast koszyka

Według najnowszych badań opublikowanych w „Journal of Marketing Research", dotyczących uosobionego poznania (poglądu, który głosi, iż ruch fizyczny ma znaczny wpływ na funkcje kognitywne i proces podejmowania decyzji), jeśli podczas zakupów użyjesz wózka zamiast koszyka, prawdopodobnie będziesz wybierać zdrowsze produkty. Osoby używające koszyków częściej sięgać będą po słodycze i inne produkty zawierające puste kalorie zamiast pożywnych i zdrowych rzeczy, ponieważ trzymanie koszyka wyzwala potrzebę gratyfikacji. Jeśli wybierasz wózek, często rozpościerasz ramiona – jest to gest sugerujący odrzucenie niechcianych rzeczy. Tak więc gdy następnym razem znajdziesz się w sklepie, weź wózek zamiast koszyka. Nawet jeśli wszystkie inne metody odchudzania zawiodą, jeżdżenie na wózku sklepowym jak na hulajnodze pomoże ci spalić parę kalorii. Ja tak robię!

[3 punkty] ••• Nie rób zakupów głodny – NIGDY

Nigdy, pod żadnym pozorem, nie idź na zakupy spożywcze głodny. Jest to czysty przepis na porażkę. Głód osłabia naszą trzeźwość oceny sytuacji i silną wolę, co prowadzi do kupowania zbyt dużej ilości produktów, które w dodatku są nieodpowiednie i niezdrowe. Nie tylko szkodzi to naszej diecie, ale także kieszeni. Zadbaj więc o to, żeby twój żołądek nie był pusty, kiedy wychodzisz na zakupy.

MIT: Głodówka jest dobrym sposobem na zrzucenie wagi.

FAKTY: Głodówki są najlepszą metodą na zniszczenie twojego metabolizmu. Nawet jeśli zaobserwujesz tymczasowy spadek wagi, będzie on jedynie TYMCZASOWY. Kiedy będziesz się głodzić, schudniesz, ale gdy znów zaczniesz jeść normalnie, odzyskasz wszystkie kilogramy, i to z nawiązką. Dlaczego? Z biochemicznego punktu widzenia pozostawanie bez jedzenia sprawia, iż twój organizm zaczyna reagować tak, jakby głodował. Hormony wydzielane przez twoje ciało spowalniają metabolizm, następuje wchłanianie mięśni i gromadzenie tłuszczu. Tkanka tłuszczowa jest niezbędna do przetrwania, mięśnie nie. Ponadto mięśnie spalają więcej kalorii niż tkanka tłuszczowa, więc gdy organizm przestawia się na „tryb" oszczędzania kalorii, usiłuje „spożyć" jak najwięcej tkanki mięśniowej, by przetrwać. Nie głoduj więc, chyba że robisz to z przyczyn religijnych – jeśli tak, rób to przez bardzo krótki czas.

[2 punkty] •• Bądź jak Święty Mikołaj

Rób listy niezbędnych sprawunków i sprawdzaj je dwa razy, zanim udasz się na zakupy. Pozwoli ci to podejmować lepsze decyzje, ponieważ w momencie sporządzania listy nie masz przed sobą niezdrowych produktów, które kuszą cię podczas planowania posiłków na cały tydzień.

Poza tym dzięki liście nie błąkasz się bezcelowo po niebezpiecznych sklepowych alejkach i nie narażasz się na pokusy związane z nieodpowiednimi produktami.

[2 punkty] •• Chodź sam: nie zabieraj dzieci

Jeśli masz małe dzieci i możesz uniknąć zabierania ich z sobą, idź na zakupy sam. Nauczyłam się tego boleśnie, chodząc po dziale płatków śniadaniowych z moją dwuletnią córką, która chciała kupić wszystkie produkty z kreskówką na opakowaniu. Jeśli nie włożyłam ich do koszyka, urządzała niesamowity raban. Dzieci są dziećmi, my jesteśmy dorośli; naszym zadaniem jest je chronić i podejmować zdrowe decyzje, korzystne dla naszej rodziny. Wystarczająco trudno jest zachować silną wolę, gdy jesteśmy sami – nie trzeba dodawać sobie stresu krzykami dzieci. Nawet jeśli wyrosły już z tego okropnego okresu, czy naprawdę chcesz się trudzić, by wyperswadować im kolejną paczkę płatków?

[1 punkt] • Noś obcisłe dżinsy

Wysil się i wskocz w dżinsy przed następną sklepową wycieczką. Będzie to dla ciebie przypomnienie, że wciąż chcesz się w nie mieścić – skutecznie uchroni cię to od poddawania się pokusom i kupowania produktów, których nie potrzebujesz.

Odchudzające jedzenie

[2 punkty] •• Niskokalorycznie

Jak wspomniałam wcześniej w rozdziale 1, należy uważać na produkty odtłuszczone, ponieważ zawierają one tony wypełniaczy i innych szkodliwych substancji, które mają zrekompensować brak naturalnego zapachu i konsystencji. Nie potrzebujesz jednak także całego tłuszczu z pełnotłuszczowych produktów. Potrzebujemy określonej ilości zdrowego tłuszczu, ale tłuszcz jest także wysokokaloryczny (9 kalorii w 1 gramie, w porównaniu do 4 kalorii na gram dla protein i węglowodanów). Właśnie dlatego optymalną opcją jest wybieranie produktów niskotłuszczowych; zyskujesz w ten sposób niezbędne składniki odżywcze bez dostarczania organizmowi dodatkowych kalorii. Wybieraj niskotłuszczowe mleko, niskotłuszczowy grecki jogurt, niskotłuszczowy biały ser i chude mięso.

> **Szybkie cięcie**
> Zastąp zwykły majonez dwiema łyżkami stołowymi niskokalorycznego lekkiego majonezu.
> **Cięcie: 83 kalorie**

[3 punkty] ••• Bądź zdrowy

Wybieraj stuprocentowo pełnoziarniste wersje ziaren. Oznacza to, że twój chleb, makaron, płatki, wypieki muszą być pełnoziarniste. Nie daj się skusić frazami „wieloziarnisty", „siedem ziaren", „dwanaście ziaren" czy „ekologiczna mąka". To ważne, ponieważ stuprocentowo pełnoziarnisty produkt to taki, przy którego produkcji nie zostały usunięte ani składniki odżywcze, ani błonnik. Spożywanie produktów pełnoziarnistych przynosi wiele pozytywnych efektów zdrowotnych, od obniżania ciśnienia tętniczego, do zapobiegania cukrzycy typu 2 oraz chorobom serca. Ponadto błonnik stabilizuje poziom cukru we krwi oraz sprawia, że dłużej czujemy się najedzeni, przez co jemy mniej. Upewnij się, że na opakowaniu znajduje się adnotacja „w 100 procentach pełnoziarnisty" lub pomarańczowa pieczątka z rysunkiem obrazującym pełne ziarna. Jeśli wciąż nie jesteś pewien, sprawdź skład danego produktu.

Poniżej przedstawiam listę powszechnie używanych produktów pełnoziarnistych, które możesz znaleźć na sklepowych półkach.

- Amarant
- Jęczmień
- Kukurydza, w tym pełnoziarnista mąka kukurydziana oraz prażona kukurydza
- Proso
- Owies i mąka owsiana
- Komosa ryżowa

- Ryż, brązowy i kolorowy (na przykład czerwony, fioletowy czy czarny)
- Żyto
- Miłka abisyńska
- Przenżyto
- Pszenica, w tym różne odmiany i postacie takie jak orkisz, kamut, pszenica makaronowa, kasza z ziarna pszennego, pszenica łamana, ziarna pszenicy
- Dziki ryż

Podczas sprawdzania opakowań zwróć uwagę, by wszystkie mąki i ziarna, które kupujesz, poprzedzone były słowem „pełny". Jeśli na opakowaniu widzisz „pełnozbożowe", to także znaczy, że produkt jest pełnoziarnisty, według Whole Grain Comission; jednak jeśli na opakowaniu nie znajdziesz jasnej informacji, że produkt zawiera w stu procentach pełne ziarna, możliwe jest, że został wyprodukowany z mąki razowej. Oczywiście najlepiej jest wybierać produkty w stu procentach wyprodukowane z pełnych ziaren, jednak drugą dobrą opcją jest właśnie wybieranie produktów z mąki razowej.

Wybieraj takie dodatki do dania głównego:

- Dziki ryż
- Ryż brązowy

MIT: Jeśli zamierzasz schudnąć, wybieraj produkty bezglutenowe.

FAKTY: Jeżeli nie jesteś uczulony na gluten i/lub nie cierpisz na chorobę autoimmunologiczną zwaną enteropatią glutenową dorosłych (która według Celiac Disease Foundation – Fundacji do spraw Enteropatii Glutenowej jest problemem jednego na 133 Amerykanów), przejście na produkty bezglutenowe nie ma znaczenia. Prawdę mówiąc, produkty bezglutenowe często mają więcej kalorii i mniej błonnika niż ich odpowiedniki zawierające gluten. Poza tym produkty takie są o wiele droższe. Najlepszym wyjściem będzie pozostanie przy produktach pełnoziarnistych.

- Ryż długoziarnisty
- Komosa ryżowa
- Kasza z ziarna pszennego
- Amarant
- Jęczmień

Nie ograniczaj się tylko do podanej przeze mnie listy, moim celem jest nadać twoim wyborom właściwy kierunek. Jeżeli tylko będziesz trzymać się ogólnych wskazówek, które przedstawiłam, wszystko będzie dobrze.

[1 punkt] • Jedz ryby

Wybieranie owoców morza może sprawiać problemy, zwłaszcza jeśli bierze się pod uwagę ich wpływ na zdrowie i figurę. Poniżej podaję kilka ogólnych zasad, które pozwolą ci płynąć we właściwym kierunku, nie pod prąd:

> **Szybkie cięcie**
> Lubisz sushi? Jedz California Roll zamiast Rainbow Roll.
> **Cięcie: 128 kalorii**

- Zawsze wybieraj ryby łowione w ich naturalnym środowisku, ponieważ wiele z ryb hodowlanych może być genetycznie modyfikowanych, karmionych paszą z dodatkiem antybiotyków czy pochodzić ze środowiska zanieczyszczonego pestycydami. Wszystko to może zagrażać twojemu metabolizmowi, co wyjaśniłam już wcześniej.
- Dla własnego zdrowia unikaj dużych ryb drapieżnych, jak mieczniki czy rekiny; gromadzą one więcej rtęci i toksyn niż inne gatunki morskie.

Oto moja prosta lista. Wszystkie te gatunki ryb są dobre, jednak ryby oznaczone gwiazdką są najlepszymi wyborami, ponieważ są najchudsze i mają najmniej kalorii:

Uchowiec	Śledź atlantycki
Dziki łosoś alaskański	Okoń czarnomorski
Sardele	Małże (małgwie płaskołazy)
Golec zwyczajny*	Graniec zmienny*

Halibut*
Plamiak*
Koryfena*
Ostrygi
Dorsz pacyficzny*
Halibut pacyficzny*
Mintaj pacyficzny
Karmazyn pacyficzny
Pstrąg tęczowy

Karbonela
Sardynki*
Ryba lucjanowata*
Sola*
Krab kamienny, krab Kona, krab Dungeness
Płytecznik*
Tuńczyk* (tuńczyk biały, łowiony na wędkę w USA i Kanadzie, konserwowany w wodzie)

[1 punkt] • Nie idź na łatwiznę

Nie kupuj już pokrojonych produktów. Warzywa i owoce sprzedawane w kawałkach wystawione były na działanie powietrza i natlenione. Oznacza to, że tracą one swoje wartości odżywcze i starzeją się. Czy kiedykolwiek widziałeś, co dzieje się z jabłkiem godzinę po tym, jak je nadgryzłeś? Brązowieje, prawda? To właśnie jest natlenienie. Nie bądź leniwy. Nie jest trudno zjeść warzywo lub owoc w całości lub pokroić je samodzielnie. Żywność już pokrojona jest o wiele droższa i zawiera mniej składników odżywczych poprawiających metabolizm.

[1 punkt] • Oceń jedzenie po jego opakowaniu

Jeśli musisz przedzierać się przez niezliczone warstwy opakowania i plastiku, aby dostać się do jedzenia, niemal na pewno jest ono dla ciebie nieodpowiednie. Poza tym wiele plastikowych opakowań zawiera substancje szkodzące twoim gruczołom — perfluorowęglowodory. Producenci jeszcze do 2015 roku nie muszą wycofywać tych substancji, ale ty możesz zrobić to teraz. Spróbuj strategii przedstawionej w następnej wskazówce jako najlepszego rozwiązania.

[1 punkt] • Wykończ kasjera

Kupuj produkty bez kodów kreskowych. Pomyśl. Wszystko co świeże, zdrowe i niemal nieprzetworzone nie potrzebuje żadnego dodatkowego opakowania czy kodu kreskowego. Warzywa, owoce, ziarna, nasiona z pojemników hurtowych czy mięso zazwyczaj nie posiadają kodów. Skup się na tym, by jak najbardziej zmęczyć kasjera przez zmuszenie go do sprawdzenia ceny każdego produktu poprawiającego twoje zdrowie.

[1 punkt] • Odrzuć puszki

Wnętrza wielu puszek z jedzeniem są pokryte warstwą tworzywa zawierającego toksyczny bisfenol (BPA). Przeprowadzono mnóstwo badań na temat wpływu tego niebezpiecznego związku chemicznego na nasze zdrowie. Badania sugerują także bezpośrednie powiązanie tego związku z otyłością dzieci. Nie myśl, że ciebie to nie dotyczy, bo jesteś dorosły! Jest to tak samo niebezpieczne dla dorosłych. Oto dlaczego: BPA działa w naszym ciele jak estrogen, żeński hormon. Jeśli wymknie się spod kontroli, może zrujnować naszą gospodarkę hormonalną i przyczynić się do nadmiernego przyrostu tkanki tłuszczowej. Szukaj produktów zamkniętych w szklanych słoikach zamiast w puszkach, wybieraj świeże lub mrożone warzywa oraz ziarna z pojemników hurtowych. Jeśli już musisz kupić produkt w puszce, spróbuj się upewnić, że jest on wolny od BPA, nim włożysz go do swojego koszyka.

[2 punkty] •• Wybieraj dobre kawałki

Jak to już wcześniej ustaliliśmy, jakość twojego jedzenia jest kluczowa w twojej walce o wiecznie szczupłą sylwetkę. Jednak chodzi nie tylko o jakość, ale także o rodzaj wybieranego przez ciebie mięsa. Nawet jeśli coś jest zdrowe, nie znaczy to, że jest niskokaloryczne. Poniżej przedstawiam najchudsze rodzaje mięsa dla was, mięsożercy:

* **Wieprzowina** – szynka, schab, polędwiczki
* **Drób** – piersi
* **Wołowina** – schab i pręga wołowa, polędwica wołowa
* **Jagnięcina** – noga, kotlet barani, pieczeń jagnięca

Nie daj się zwieść sprzedawcom

Większość rad w tej książce jest dość oczywista, lecz ta jedna może być kłopotliwa – nie wszystkie przetworzone produkty są dla ciebie złe. Definicja słowa „przetwarzać" jest bardzo szeroka. W gruncie rzeczy oznacza to przygotowanie jedzenia dla ułatwienia konsumpcji. Mrożone warzywa czy stuprocentowo pełnoziarnista owsianka jest produktem przetworzonym, lecz nigdy nie zabronię ci jej jeść. Sposobem na rozróżnienie przetworzenia niezagrażającego zdrowiu od przetworzenia szkodliwego, wywołującego choroby, jest nauczenie się, czego należy szukać na opakowaniach. To właśnie zademonstruję ci teraz: jak odszyfrowywać etykietki i uniknąć oszukańczych sztuczek marketingowych, byś nigdy już nie został wprowadzony w błąd.

Etykiety spożywcze – szybki poradnik

[3 punkty] ••• Patrz na porcje

Wiele etykiet spożywczych ukrywa realną ilość kalorii w danym produkcie poprzez dzielenie go na porcje. Na przykład, jeśli kupujesz standardową butelkę Snapple (choć proszę Boga, byś tego nie robił), raczej nie planujesz się nią z nikim dzielić. Spójrz dokładnie na etykietę, a zauważysz, że jedna butelka zawiera 2,5 porcji. Jeśli popatrzysz na ilość kalorii i znajdziesz wartość 120 kalorii na porcję, rozsądek podpowie ci, że jedna butelka to jedna porcja, co jest niestety nieprawdą. Wypij całą butelkę, a zyskasz dodatkowe 300 zbędnych kalorii, co jest równowartością jednego posiłku, a przecież nawet nie zdążyłeś sięgnąć po kanapkę. Morał brzmi: zawsze sprawdzaj liczbę porcji oszacowaną na etykiecie, a następnie liczbę kalorii na porcję. Wielkość porcji jest ilością, jaką musiałbyś zjeść, by przyswoić wartości odżywcze wykazane na etykiecie. Nie więcej, nie mniej.

[3 punkty] ••• Krótko i zwięźle

Kupuj produkty, które mają tak mało składników na etykiecie, jak to tylko możliwe. Jeśli zastanawiasz się, gdzie jest granica, podpowiadam — trzymaj się pięciu i mniej składników, dla własnego dobra.

[3 punkty] ••• Policz do trzech

Składniki wymienione są na etykietach odpowiednio do ich zawartości w produkcie. Pierwsze trzy składniki są więc niemal wszystkim, co jesz. Gdy myślisz, że coś jest zdrowe, bo zawiera owoc granatu (lub inne warzywo lub owoc), tak naprawdę wiodącymi składnikami może być cukier kukurydziany, mąka i skrobia kukurydziana. Nie daj się zmylić. Jeśli pierwsze trzy składniki są złe, cały produkt jest zły. Odłóż go i wybierz zdrowszy.

MIT: Skład podany na opakowaniu ma na celu informowanie konsumentów.

FAKTY: Skład został podany w formie dokładnie przemyślanej przez producentów. Ma on zmylić konsumentów i przekonać ich, że produkt jest zdrowszy i lepszej jakości, niż w rzeczywistości jest. Przeczytaj moje rady dotyczące rozszyfrowywania etykiet, by nie dać się zmylić.

[3 punkty] ••• Dobieraj uważnie

Czy kiedykolwiek bawiłeś się z dzieckiem w dopasowywanie do siebie tych samych zwierzątek lub identycznych kształtów? Dokładnie to samo musisz zrobić, kiedy czytasz składniki podane na etykiecie — dopasować te, które są identyczne, mimo odrębnych nazw. Jedną z najbardziej powszechnych praktyk jest dzielenie cukrów na wiele składników, by uniknąć pojawienia się cukru jako wiodącego składnika. Przykładowo, producent może zestawić ze sobą sacharozę, wysokofruktozowy syrop kukurydziany, bryłki syropu kukurydzianego, cukier brązowy, cukier gronowy i inne składniki, aby zagwarantować, że żaden z tych składników nie będzie występował w tak wysokiej ilości, aby pojawić się na szczycie listy. Dlatego też, jeśli widzisz etykietę, na której widnieją dwa oddzielne rodzaje cukru, z miejsca odłóż produkt na półkę. Nie tylko dlatego, że może dostarczyć ci dodatkowych kalorii.

[3 punkty] ••• Powiedz to głośno

Jeśli masz problem z wymówieniem nazwy, nie kupuj produktu. Jeśli składnik nie jest powszechnie znanym produktem żywnościowym czy przyprawą, może być produktem modyfikowanym genetycznie lub produktem chemicznym. Oznacza to również, że prawdopodobnie przyczynia się do otyłości. Nie chcesz tego. Twoje ciało tego nie potrzebuje. Zostaw ten produkt.

[3 punkty] ••• Użyj dekodera

Niesamowite jest, jak bardzo sprytne mogą być osoby odpowiedzialne za marketing, postępujące w sposób, który mógłbyś podejrzewać o nielegalność.

Oto kilka wskazówek, jak czytać między wierszami i wyczuć podstęp:

- **Produkt bezglutenowy.** To, że coś nie zawiera glutenu, nie oznacza wcale, że jest niskokaloryczne i dobre dla ciebie. Gluten jest proteiną zawartą w zbożach oraz produktach je zawierających. Jeśli nie masz alergii na gluten ani enteropatii glutenowej, nie musisz wybierać produktów bezglutenowych. Tak naprawdę, jak wspomniałam wcześniej, produkty bezglutenowe mają często więcej kalorii, mniej błonnika i są droższe. Nie wierz nagonce.
- **W pełni naturalny.** Tak naprawdę nic to nie znaczy, choć oczywiście kojarzy się z produktem świeżym i minimalnie przetworzonym lub wcale nie przetworzonym. Wiele osób kojarzy to również z produktem organicznym, lecz te dwa terminy nie mają ze sobą nic wspólnego. Termin „w pełni naturalny" nie jest uregulowany żad-

nymi przepisami, przeciwnie do terminu „organiczny". Producenci produktów spożywczych mogą więc do woli umieszczać termin „w pełni naturalny" na etykietach swoich produktów, nawet jeśli jest to niezgodne z prawdą. Pamiętaj, aby dokładnie czytać skład produktu, nim włożysz go do koszyka.

- **Żywność wzbogacona.** Wiele produktów przetworzonych jest często „wzbogaconych" o błonnik, kwasy tłuszczowe omega-3, wapń i inne tego typu składniki, by przekonać cię, że sięgasz po zdrowy produkt. Niestety, zazwyczaj użyte składniki odżywcze są niezwykle niskiej jakości. Przykładem może być inulina. Jest to niskiej jakości błonnik uzyskiwany z korzeni cykorii. Producenci wmawiają ci, iż jeśli dany produkt zawiera inulinę, pomoże ci uzyskać dzienne zapotrzebowanie na błonnik. Badania dowodzą jednak, iż inulina nie obniża cholesterolu i nie powoduje uczucia pełności tak jak stuprocentowy błonnik z ziaren. Kwas omega-3 używany do wzbogacenia produktów spożywczych często jest po prostu kwasem α-linolenowym, który blednie przy innych odmianach, takich jak DHA czy EPA. Wzbogacone produkty są więc często po prostu niezdrowe, wzbogacone witaminami i minerałami złej jakości, tylko po to, by cię przekonać, że są zdrowe. Nie daj się oszukać.
- **Smak owocowy.** Nie ma żadnych owoców w smaku owocowym. Nawet jeśli opakowanie mówi, że produkt jest w pełni naturalny i wykonany z naturalnych ekstraktów, oznacza to jedynie, że w jakimś momencie został pozyskany z rośliny bądź zwierzęcia. W dzisiejszych czasach naukowcy pozyskują smak, używając bakterii, a następnie nazywają je naturalnym smakiem truskawkowym. Dlaczego? Ponieważ tak jest taniej.
- **Zdrowy dla serca.** Zazwyczaj używa się tego określenia na etykietach produktów, które zawierają olej kukurydziany. Jednak jeśli dokładnie się przyjrzysz, ujrzysz całą prawdę wypisaną małą czcionką: „Agencja ds. Żywności i Leków stwierdza niewielkie dowody na potwierdzenie tej cechy". Badania również wykazują coś zgoła innego. Olej kukurydziany zawiera dużo kwasów omega-6, które, między innymi według „British Journal of Nutrition", mają związek z otyłością i wysokim cholesterolem.

[3 punkty] ••• Jeśli coś brzmi zbyt dobrze, wyczuj podstęp

Niesamowite jest, jak często producenci zupełnie odwracają kota ogonem, tylko po to, abyś zdecydował się na ich produkt. Często umieszczają chwytliwe frazy typu „brak tłuszczów trans" lub „zero kalorii", podczas gdy tak naprawdę ich produkt jest ich pełen. Moim ulubionym przykładem jest sytuacja z czasów, gdy sama byłam idiotką jedzącą tony „beztłuszczowych" dietetycznych produktów. Zakochałam się wówczas w sprayu o chwytliwej nazwie „I Can't Believe It's Not Butter" („Nie mogę uwierzyć, że to nie masło"). Używałam go do wszystkiego. Spryskiwałam nim popcorn, smażyłam na nim jajka, smarowałam nim tosty. Uznałam to za sposób nadania niezbyt smacznym produktom dietetycznym lepszego smaku. W sumie czemu nie? Spray smakował zupełnie jak masło, miał zero kalorii i żadnych tłuszczów trans, prawda? Otóż NIEPRAWDA.

Pewnego dnia wreszcie zmądrzałam. Podczas rozkoszowania się kolejnym dietetycznym waflem pokrytym moim ulubionym sprayem maślanym pomyślałam: *Jak to możliwe, że nie ma tu żadnych kalorii?* Sięgnęłam więc do etykiety. Głównym składnikiem był hydrogenizowany olej sojowy. Dziś też nie jestem geniuszem, ale nawet dziecko wie, że olej ma kalorie. Byłam już wtedy nieco doświadczona w temacie jedzenia i wiedziałam, że „hydrogenizowany" jest synonimem tłuszczów trans. *Jak to?* Oburzona i wściekła, zatelefonowałam do producenta i poznałam prawdę. Ponieważ w jednym „psiknięciu" znajdowało się zaledwie 9 kalorii, a właśnie to była jedna porcja produktu, wolno było im stwierdzić, że produkt jest bezkaloryczny i nie zawiera tłuszczów trans, mimo iż w tej niewielkiej buteleczce mieściło się 1200 kalorii – praktycznie wszystkie pochodzące właśnie z tłuszczów trans.

By podsumować tę obszerną historię, morał brzmi: jeśli etykieta zawiera piękne stwierdzenia, spróbuj dowiedzieć się prawdy. Jeśli nie masz na to czasu, ale wciąż masz wątpliwości, nie kupuj. Wybierz coś innego, zdrowszego.

[3 punkty] ••• Zapoznaj się z solą

Mimo iż sód jest bezkalorycznym minerałem przejściowym, tak naprawdę *może* wpływać na twoją wagę. Niektóre badania sugerują, iż sód ma wpływ na poziom kortyzolu w organizmie (a wysoki poziom kortyzolu ma związek z gromadzeniem się tłuszczu w okolicy brzucha). A do tego produkty zawierające dużo sodu są zazwyczaj wysoko przetworzone i wysokokaloryczne. Nadwyżka sodu ma niekorzystny wpływ na ciśnienie krwi oraz powoduje wzdęcia. Jak widać, pozornie nieszkodliwy minerał ma jednak wpływ na nasze zdrowie. Upewnij się, że to, co jesz, ma mniej miligramów sodu niż kalorii na porcję. Pamiętaj też, że osoby przed 50. rokiem życia powinny spożywać nie więcej niż 2000 miligramów sodu, a osoby powyżej tego wieku – nie więcej niż 1500 miligramów dziennie.

[3 punkty] ••• Zapoznaj się z cukrem

Powszechnie wiadomo, że duża ilość cukru w twojej diecie jest szkodliwa. Nie tylko dlatego, że produkty bogate w cukier są często wysokokaloryczne. Powodują one również wzrost poziomu insuliny we krwi. W ten sposób poziom cukru w twojej krwi spada, co prowadzi do uczucia głodu i gromadzenia tłuszczu. By tego uniknąć, dopilnuj, by produkty przez ciebie kupowane zawierały nie więcej niż 5 gramów cukru na porcję.

[3 punkty] ••• Bądź jak babcia – dostarcz sobie błonnik

Czy pamiętasz, jak babcia mówiła o spożywaniu błonnika? Moja miała wręcz obsesję na punkcie jedzenia produktów bogatych w błonnik każdego dnia. Babcie są mądre. Wiesz, że najlepszą opcją jest kupowanie produktów pełnoziarnistych. Jednak jeśli z jakiegoś powodu stwierdzisz, że nie jest to dobry wybór, upewnij się przynajmniej, że dany produkt posiada co najmniej 2 gramy błonnika na każde 100 kalorii. I pamiętaj – błonnik jest ważny, ponieważ stabilizuje poziom cukru we krwi, zmniejsza twój głód i hamuje tendencję do przejadania się.

GOTUJ

No dobrze, masz już zdrowe jedzenie kupione w sklepie spożywczym, tylko co z nim zrobić? Nie wystarczy, że produkty same w sobie są dla ciebie zdrowe. Jeśli źle je przygotujesz, mogą się łatwo stać niekorzystne dla twojego zdrowia.

Skupmy się więc na dobrych strategiach dotyczących gotowania.

Gotuj szczupło

[3 punkty] ••• Łam zasady

Nie wierz ślepo przepisom — większość nie stawia sobie wcale za cel utraty wagi czy promowania zdrowia. Zmodyfikuj je tak, aby odpowiadały twoim potrzebom. Nie znaczy to, że masz to zrobić kosztem smaku. Jednak w większości przypadków duże ilości soli, cukru i tłuszczu umieszczone w przepisie są zbędne. Możesz je ograniczyć, a potrawa i tak nie straci na smaku, przysięgam. Spróbuj następujących metod, aby uczynić swoje jedzenie zdrowszym, zachowując jego wyśmienity smak:

- Zrezygnuj z ⅓ używanego tłuszczu.
- Użyj jedynie połowy zalecanego cukru.
- Użyj połowy soli. Redukuj ją następnie za każdym razem, gdy przygotowujesz swoje ulubione danie, aż osiągniesz absolutne minimum z zachowaniem smaku.

[3 punkty] ••• Wymieniaj

Zamiast redukować, spróbuj zamienić niezdrowe składniki na zdrowsze i zawierające mniej kalorii:

- Zamiast oleju czy masła spróbuj użyć chudego, zawierającego niewielką ilość sodu bulionu drobiowego.

MIT: Jedz jedynie białka jajek, zostawiając żółtka.

FAKTY: Przez lata (bardzo długie) demonizowano żółtka jajek, uznając je za szkodliwe dla poziomu cholesterolu. Wiemy już, że jest to nieprawda. Jajka nie wpływają na twój cholesterol, jeśli nie smażysz ich na maśle i nie podajesz z bekonem. Badania przeprowadzone przez University of Connecticut dowiodły, że tłuszcze zawarte w jajkach pomagają zredukować LDL, czyli zły cholesterol. Jeśli to cię nie przekonuje, pozostaje jeszcze fakt, że żółtka zawierają większość witamin i minerałów oraz połowę protein z całego jajka.

- Masło w wypiekach możesz zastąpić:
  – niesłodzonym musem jabłkowym,
  – rozgniecionym bananem,
  – suszoną śliwką,
  – oliwą z oliwek lub olejem kokosowym (nie są co prawda mniej kaloryczne, ale o wiele zdrowsze od oleju kukurydzianego).
- Zamiast lukru spróbuj polewy bezowej lub niskotłuszczowego jogurtu.
- Śmietanę zastąp mleczkiem kokosowym (koniecznie z kartonu, nie z puszki).
- Zamiast całego jajka użyj dwóch białek.
- Dżemy i syropy zastąp przecierem owocowym.
- Zamiast tłustej kwaśnej śmietany czy majonezu użyj niskotłuszczowego jogurtu.
- Zrezygnuj z cukru, zastępując go:
  – niesłodzonym musem jabłkowym,
  – agawą,
  – organicznym syropem klonowym (nie jest mniej kaloryczny, ale korzystniejszy dla zdrowia),
  – miodem (jak wyżej, jest równie kaloryczny, ale zdrowszy),
  – stewią,

– ksylitolem (równie słodki jak zwykły cukier, ale o 40% mniej kaloryczny i zawierający o 70% mniej węglowodanów; nie powoduje więc ogromnych skoków poziomu cukru we krwi),
– erytrytolem (cukier alkoholowy niemal bezkaloryczny, niewpływający na poziom cukru we krwi, używany głównie do pieczenia).

* Zastąp białą mąkę:
    – mąką orkiszową,
    – mąką pełnoziarnistą,
    – mąką migdałową.

[2 punkty] •• Doprawiaj

Dobrym sposobem na polepszenie smaku potraw bez stosowania tuczących dressingów i sosów jest używanie przypraw. W sklepach możesz znaleźć wiele dobrej jakości przypraw. Przyprawy firmy Mrs. Dash są bardzo dobrej jakości i nie zawierają sodu. Jeśli jednak masz czas i ochotę, możesz sam wykonać dobre przyprawy:

> **Szybkie cięcie**
> Zastąp 200 gramów mięsa z udek kurczaka 200 gramami filetu z piersi kurczaka.
> **Cięcie: 240 kalorii**

Łatwa przyprawa (do żeberek, kurczaka czy ryb)
    1 łyżka stołowa cebuli w proszku
    1 łyżka stołowa brązowego cukru
    1 łyżka stołowa suszonego rozdrobnionego tymianku
    1½ łyżeczki ziela angielskiego
    ½ łyżeczki soli
    1 łyżeczka świeżo zmielonego czarnego pieprzu
    ½ łyżeczki gałki muszkatołowej
    ½ łyżeczki cynamonu
    ½ łyżeczki goździków
    ¼ łyżeczki czerwonej papryki

Przyprawa południowa (do wieprzowiny)
    2 łyżki stołowe papryki
    1 łyżeczka grubego czarnego pieprzu

1 łyżeczka białego pieprzu

½ łyżeczki cebuli w proszku

½ łyżeczki soli czosnkowej

1 łyżeczka chili

1 łyżka stołowa brązowego cukru

1 łyżeczka musztardy w proszku

Przyprawa cytrusowa (do kurczaka lub indyka)

¼ filiżanki świeżych liści rozmarynu

6–8 posiekanych ząbków czosnku

skórka z jednej pomarańczy

skórka z jednej cytryny

2 łyżki stołowe świeżego tymianku

2 łyżki stołowe pomarańczy

szczypta soli

Chili (do wołowiny i kurczaka)

2 suszone papryczki chipotle (jeśli chcesz, aby przyprawa była jeszcze pikantniejsza, użyj trzech)

3 łyżki stołowe czarnego pieprzu

2 łyżki stołowe suszonego oregano

1 łyżka stołowa suszonych liści kolendry

1 liść laurowy

1 łyżeczka kminku

1 łyżeczka cebuli w proszku

1 łyżeczka suszonej skórki pomarańczy

[1 punkt] • Żuj gumę

Ile razy podczas gotowania zdarza ci się próbować potraw czy oblizywać łyżki? Pamiętam, że jako dziecko uwielbiałam oblizywać widełki robota kuchennego, gdy moja mama coś piekła. Wciąż to lubię, jednak moje dzieci mi na to nie pozwalają. Te kalorie niestety również się liczą. Dobrym sposobem na uniknięcie ich jest żucie gumy – najlepiej miętowej. Jeśli żujesz gumę, pewnie szybko opuści cię ochota na próbowanie koziego sera z sałatki ziemniaczanej, którą właśnie przygotowujesz. Większość gum wypełniona jest chemikaliami, sztucznymi substancjami słodzącymi i barwnikami, jednak jeden produkt ich nie posiada, i ten właśnie gorąco polecam: Spry. Spróbuj tej gumy przy najbliższej misji w kuchni.

[1 punkt] • Próbuj czegoś nowego

Chcę, abyś wypróbował jeden nowy przepis każdego miesiąca. W ten sposób powiększysz swój zasób zdrowych potraw i nigdy nie znudzisz się jedzeniem. Łatwo jest znaleźć źródła zdrowych przepisów. Magazyny „Cooking Light", „Shape" czy „Women's Health" to wspaniałe miejsca, w których znaleźć można całą gamę zdrowych, niskokalorycznych i smacznych receptur.

[2 punkty] •• Przyspiesz

Oczywiście nie chcę, abyś kiedykolwiek cokolwiek smażył. Możesz mnie jednak nieco oszukać, w taki sposób, aby nie zrujnować swojego kalorycznego budżetu. Jeśli chodzi o produkty smażone, to wcale nie ilość oleju decyduje o ich wpływie na twoją wagę, ale *czas* pozostawania w nim. Absorbowanie kalorii i tłuszczu jest kwestią właśnie czasu, a nie ilości. Jeśli więc koniecznie musisz coś usmażyć, na przykład na specjalne przyjęcie, pokażę ci teraz, jak to zrobić:

Wlej na patelnię tyle oleju, aby móc całkowicie zanurzyć w nim produkt. Rozgrzej go następnie do temperatury około 200 stopni Celsjusza. Będziesz musiał użyć oleju, który ma wysoki punkt dymienia, na przykład oleju z awokado, szafranowego lub słonecznikowego. Zanurz produkty na 30–60 sekund we wrzącym oleju, wyjmij i usuń nadmiar oleju. Jedna uwaga — jeśli chodzi na przykład o kurczaka czy indyka, musisz je nieco podgotować, nim zaczniesz je smażyć, by upewnić się, że w całości jest dogotowane i może być umieszczone w oleju na tak krótki czas, jak to tylko możliwe. Oto, jak to zrobić: rozłóż kawałki kurczaka na talerzu odpowiednim do kuchenki mikrofalowej i dopraw z obu stron. Umieść talerz w mikrofali i podgrzej na najwyższej mocy przez półtorej minuty. Wyjmij talerz, odwróć kawałki i podgrzej ponownie, znów około półtorej do dwóch minut tak, aby mięso było dogotowane w środku. Odstaw kurczaka do ostygnięcia w temperaturze pokojowej. Teraz możesz pokryć kurczaka białkami jajek czy mąką pszenną. Zanurz go w gorącym oleju na 30 sekund z każdej strony.

[2 punkty] •• Wysusz

Sposób, w jaki gotujesz swoje jedzenie, może mieć ogromny wpływ na twoje ciało. Celem powinno być przygotowywanie potraw przy użyciu jak najmniejszej ilości oleju czy masła, aby uniknąć wchłaniania niepotrzebnych kalorii. Jak już nadmieniłam wcześniej, unikaj smażenia; zdrowszymi metodami przygotowania potraw są: pieczenie, opiekanie, grillowanie czy gotowanie na parze. Jeśli chodzi o sauté, wszystko zależy od techniki. Używanie nieznacznej ilości tłuszczu jest zdrowe (spróbuj oliwy, oleju z pestek winogron, lnianego czy kokosowego), nadmierna jego ilość już nie. Jeśli cię na to stać, przygotowuj swoje potrawy w tytanowych garnkach i patelniach. Nie są toksyczne, jak teflon, i nie powodują przywierania, więc nie będziesz potrzebował dużej ilości oleju czy masła. Są drogie, lecz jeśli możesz sobie na nie pozwolić, są warte swojej ceny.

[2 punkty] •• Pozbądź się tłuszczu, oszczędź kalorie

Pewnie nieraz widziałeś, jak robi to twoja mama czy babcia. Może nawet sam tak robisz, ale czy wiesz, po co? Jeśli schłodzisz swoją potrawkę czy sos, zbierz zgromadzony na wierzchu tłuszcz – w ten sposób uchronisz swoje naczynia krwionośne przed nagromadzeniem niepotrzebnej warstwy tłuszczu i pozbędziesz się do 100 kalorii z każdej porcji swojego posiłku.

[2 punkty] •• Zwarty i gotowy

No cóż, zostawiam w tytułach poszczególnych rad mnóstwo niedopowiedzeń. Ale przynajmniej wiem, że przyciągam w ten sposób twoją uwagę. Jeśli przygotowujesz makaron, ugotuj go al dente. Dzięki temu wolniej będziesz go trawić, co pomoże organizmowi kontrolować poziom wydzielanej insuliny. W ten sposób ustabilizuje się poziom cukru we krwi i powstrzymany zostanie proces odkładania się tkanki tłuszczowej.

Gromadź odpowiedzialnie

[2 punkty] •• Własna skrzynka z narzędziami

Bądź zapobiegliwy i zawsze przygotowany dzięki posiadanym w kuchni przyrządom. Mam tu na myśli wszystkie rzeczy, które pomogą ci liczyć i oszczędzać kalorie.

* **Miej wagę kuchenną zawsze pod ręką**, by ważyć swoje porcje. Wiem, że jest to nudne i sprawia, że jedzenie staje się raczej udręką niż przyjemnością, jednak dokładność jest nieodzownym elementem liczenia kalorii, a twoim celem jest zrzucić zbędne kilogramy. Dobra wiadomość jest taka, że po kilku tygodniach korzystania z wagi będziesz mógł „na oko" dokładnie ocenić ilość i wagę. Ta umiejętność będzie także przydatna, gdy będziesz jeść poza domem. Korzystanie z wagi i umiejętność oceny wielkości porcji będzie dużo dokładniejszym sposobem niż wbijanie sobie do głowy, że jedna garść to jedna filiżanka, a wielkość jednego kciuka to ok. 30 gramów, i tak dalej. Pomyśl – każdy z nas ma innej wielkości dłonie. Da ci to wartość zbliżoną do pożądanej, ale tylko tyle. Większość ludzi stosujących pomiary dłonią wciąż tkwi w „przybliżonych" porcjach. Kiedy poznasz, jak naprawdę wygląda 100 gramów zważonych na wadze, dużo łatwiej będzie ci w przyszłości odmierzyć tę ilość, gdy nie będziesz mieć wagi pod ręką.
* **Wyposaż się w naczynia-miarki.** Nie wsypuj bezmyślnie płatków do miski w nadziei, że udało ci się odmierzyć właściwą ilość. Odmierz je dokładnie – z takiego samego powodu, z jakiego używasz wagi – by kontrolować, ile jesz.

- **Kup spryskiwacz do oleju.** Jeśli nie możesz użyć tytanowych patelni, o których mówiłam wcześniej, spryskiwacz pozwoli ci pokryć patelnię tak małą ilością kalorii, jak to tylko możliwe.
- **Kup parowar.** Gotowanie na parze to świetna metoda na przygotowanie niskokalorycznego zdrowego jedzenia. Boisz się o smak? Spokojnie, jest wiele przypraw i ziół, które zaspokoją twoje podniebienie, dodając potrawom aromatu. I to właśnie jest mój następny punkt.
- **Zdobądź młynek do ziół.** Ten pomocnik ułatwi ci rozdrabnianie ziół do doprawiania twoich potraw. Możesz oczywiście używać suszonych, jednak świeże zioła zawierają więcej fitoskładników i mniej soli.
- **Kupuj szklane pojemniki** – po to, by nie trzymać i nie odgrzewać potraw w plastikowych pudełkach. Są one pełne chemikaliów, które przenikają do jedzenia i rujnują balans hormonalny i metabolizm w twoim ciele. Oczywiście istnieją plastikowe naczynia niezawierające szkodliwych substancji, ale po co ryzykować? Używaj szklanych naczyń do swoich posiłków (możesz przykryć je plastikową pokrywką, jeśli masz pewność, iż nie dotyka ona żywności w środku).
- **Kub blachę do muffin.** Nie, wcale nie po to, by jeść muffiny. Takie blachy świetnie sprawdzają się przy odmierzaniu małych porcji tuczących produktów, jak na przykład quiche, a dodatkowo możesz w nich porcjować przystawki. Zawsze możesz zamrozić resztki i wykorzystać je potem, jako przekąski.

[3 punkty] ••• Trzymaj niezbędne rzeczy pod ręką

Upewnij się, że zawsze masz niezbędne zdrowe produkty pod ręką, schowane w swojej spiżarni czy lodówce. W ten sposób, gdy najdzie cię ochota, zawsze będziesz mógł sięgnąć po coś zdrowego. Poniżej przedstawiam przykładowo zdrowe rzeczy, które powinieneś mieć pod ręką.

W spiżarni:

- Paczka prażonych migdałów
- Owsianka
- Komosa ryżowa

- 100% pełnoziarnisty chleb
- Krakersy pełnoziarniste
- Makaron pełnoziarnisty
- Ocet balsamiczny
- Musztarda organiczna
- Olej z oliwek z pierwszego tłoczenia lub masło kokosowe
- Salsa
- Bulion z małą zawartością sodu
- Łowiony na wędkę niskosodowy tuńczyk lub łosoś w wodzie (w puszce lub w worku)
- Pieczone czipsy tortilla
- Pop chips, paczka 100 kalorii (moje ulubione, oczywiście)
- Masło migdałowe
- Fasolka w puszce, czarna, garbanzo, adzuki
- Ryż brązowy
- Niskosodowe pomidory (w puszce)
- Zioła i przyprawy według uznania, takie jak pieprz cytrynowy z małą ilością sodu, przyprawa włoska, musztarda w proszku, papryczka chili, cynamon

Gotowe w lodówce:

- Organiczne niskokaloryczne paluszki serowe Horizon
- Małe organiczne niskokaloryczne greckie jogurty
- Owoce sezonowe
- Hummus
- Paluszki marchwiowe
- Plasterki z indyka
- Główka organicznej sałaty
- Mrożone (lub świeże w sezonie) jagody
- Jajka na twardo (ugotuj tuzin jajek i trzymaj je w lodówce; zachowają świeżość do tygodnia po ugotowaniu, jeśli nie zdejmiesz skorupki. Używaj ich do sałatek jajecznych lub w celu dodania protein do potrawy, albo po prostu obierz i zjedz jako szybki zastrzyk proteinowy)

SPALAJ

Łamacze kalorii

Tak, wiem, jesteś zabiegany. Twój terminarz wypełniony jest szczelnie pracą i obowiązkami domowymi i wizyta na siłowni jest zazwyczaj pierwszą rzeczą, z jakiej rezygnujesz. Sama tak robię. Jesteś przepracowany i siłownia wydaje się jedyną rzeczą, którą możesz wyrzucić ze swojej listy. Przecież musisz zarabiać i opiekować się rodziną, prawda? Oczywiście, że tak. Nie znaczy to jednak, że możesz przestać o siebie dbać. Musisz znaleźć odrobinę czasu dla siebie i swojego zdrowia. Jednym ze sposobów, które sama stosuję, jest fitness w domu. W ten sposób oszczędzam czas potrzebny na dojazd w określone miejsce, który niekiedy zajmuje od 30 do 60 minut. Poza tym nie muszę stać w kolejce do wejścia na siłownię, wpychać ubrań do szafki w szatni, czekać na zajęcia lub sprzęt.

Czasem naprawdę nie ma czasu na wyjście z domu – opiekujemy się dziećmi, wypełniamy inne obowiązki domowe. Poniżej przedstawiam plany ćwiczeń, które wykluczają wszelkie wymówki, jakie tylko jesteś w stanie wymyślić.

BĄDŹ ZARADNY – ĆWICZ, PRACUJĄC W DOMU

Co musisz wiedzieć o termogenezie niezwiązanej z ćwiczeniami fizycznymi (NEAT)

Spalanie kalorii podczas codziennych czynności i nieformalnych nawyków ćwiczeniowych zostało przeanalizowane przez dr. Jamesa Levine'a, wybitnego naukowca z kliniki Mayo. Jego badania dowiodły, że zwiększenie ilości wszelkiego rodzaju codziennej aktywności fizycznej (poza ćwiczeniami) może pomóc ci spalić kalorie! Przeczytaj moje wskazówki w rozdziale 7 dotyczące wiercenia się i ciągłego pozostawania w ruchu, co według dr. Levine'a jest najlepszym sposobem na utrzymanie wspaniałej sylwetki!

- Włącz muzykę i podnieś swoje tempo, tańcząc podczas odkurzania czy zmywania podłóg.
- Zmień kosiarkę automatyczną na taką, którą będziesz musiał pchać.
- Zamieć podjazd lub grab, zamiast używać odkurzacza do liści.
- Myj okna ręcznie.
- Umyj samochód zamiast jechać na myjnię.
- Zaangażuj się w pracę w ogrodzie – piel grządki, przystrzyż drzewka i krzewy, zasadź kwiatki i warzywa.
- Baw się ze swoim psem.
- Zachowaj balans: podczas przygotowywania jedzenia, składania prania czy mycia zębów stań na jednej nodze na minutę, następnie zmień nogę i powtórz tę czynność.

[1 punkt] • Weź krzesło

Nie, nie siadaj. Przysparza nam to wystarczająco dużo problemów. Mam inny pomysł. Często wokół nas znajdują się przedmioty przydatne podczas fitnessu, o których zastosowaniu nie mamy nawet pojęcia.

Oto kilka rzeczy, które możesz wykorzystać do ćwiczeń i które znaleźć możesz w swoim własnym domu i okolicy:

- *Schody!* Większość naszych domów i bloków ma schody. Używam ich zawsze, gdy nie mogę wyjść z domu. Po prostu wchodź i schodź – nawet jeśli możesz to robić tylko przez 20 minut. Skorzystasz na tym niemal tak samo jak na drogim stepperze, z którego korzystać możesz na siłowni.
- *Stoły i krzesła.* Możesz ćwiczyć wchodzenie i schodzenie na stabilnym stoliku kawowym czy kuchennym krześle. Możesz użyć ich do pompek, by ćwiczyć swoje tricepsy. Możesz także umieścić na nich

swoje pięty, położyć się i wypychać swoje biodra do góry. Możesz także użyć krzesła jako ciężarka, jeśli potrzeba. Spróbuj podnosić je, by ćwiczyć ramiona, klatkę piersiową i bicepsy.

• *Papierowe talerzyki czy ręczniki* – są świetne do wykonywania ślizgów na cementowej albo drewnianej podłodze. Zapewnią ci swobodne ślizganie się, lecz bądź ostrożny. Pomogą ci one ćwiczyć mięśnie brzucha, nóg czy klatki piersiowej. Kilka wspaniałych przykładów ćwiczeń znajdziesz na YouTube. Wyszukaj w internecie „towel workout", by zasięgnąć więcej informacji.

MIT: Podnoszenie ciężarów sprawi, że staniesz się masywny.

FAKTY: Trening siłowy jest dobrym sposobem na spalanie tłuszczu i utrzymanie masy mięśniowej. Podnoszenie ciężarów szczególnie oddziałuje na podniesienie metabolizmu i podniesienie spalania kalorii przeciętnie o 105 dziennie, do 3 dni po ćwiczeniach. Właśnie to spalanie jest powodem, dla którego każda kobieta powinna regularnie ćwiczyć siłowo. Kobiety mają mniej włókien mięśniowych niż mężczyźni i mniej hormonów pomagających budować mięśnie, na przykład testosteronu. Aby kobieta wyglądała masywnie, musiałaby startować w olimpiadzie w podnoszeniu ciężarów i nadludzko ćwiczyć siłowo, jednocześnie przyjmując niezliczone ilości kalorii.

[1 punkt] • Sam wybuduj, sam skorzystasz

Stwórz swoją domową siłownię. Może to wydawać się zniechęcające, czasochłonne i drogie, ale wcale nie musi takie być. Jeśli myślisz, że nie masz miejsca, będziesz zaskoczony tym, jak mało go potrzebujesz. Jeśli nie możesz poświęcić jakiegoś pomieszczenia na swoją prywatną siłownię, znajdź przestrzeń 2,5×2,5 metra (przesuń stolik do kawy, jeśli musisz) i umieść tam najprostsze przyrządy do ćwiczeń.

Oto, czego potrzebujesz:

Twoje własne ciało. Jest ono twoim najważniejszym narzędziem do ćwiczeń, zwłaszcza w domu. Nie ma prawie żadnej partii twojego ciała, której nie mógłbyś wyćwiczyć sam, używając jedynie swojego ciężaru. Oto kilka sposobów:

- **Pośladki i uda:** przysiady, wypychanie, przysiady sumo, wyrzuty boczne, martwe ciągi, unoszenie nóg, kroki (wstępowanie).
- **Klatka piersiowa, ramiona, tricepsy:** pompki, skłony z rękami na podłodze, pośladkami w górze i głową skierowaną do dołu, pompki z pośladkami w górze, uginanie ramion w pozycji krzesełkowej.
- **Plecy:** ćwiczenie „superman", podnoszenie się na drążku z pozycji leżącej (umieść drążek na dwóch siedzeniach krzeseł, połóż się pod nim, złap go tak, aby dłonie zaciskały się w kierunku twojej głowy, nie nóg, i spróbuj się w ten sposób unieść).
- **Mięśnie brzucha:** przysiady, brzuszki, przyciąganie nóg do brzucha, rowerki, unoszenie się na palcach stóp i rękach, boczne unoszenie, podnoszenie nóg, ćwiczenie „hollow man" (leżenie na plecach z rękami wzdłuż ciała, otwartymi dłońmi, rozciągniętymi złożonymi nogami, podniesioną głową, ramionami i nogami nieco powyżej podłoża przez 30 sekund, w ten sposób wciągając brzuch).
- **Trening krążenia:** energiczne uderzanie piętą o pośladki, unoszenie kolan, wymachy nóg przy podpieraniu się na rękach, biegi w miejscu, pajacyki, ćwiczenia skater.

Para regulowanych ciężarków. Kup ciężarki, których obciążenie można regulować od 1,5 kg do 3,5 kg. Pomogą ci dodać element wytrzymałościowy do wielu wymienionych ćwiczeń i stworzą nowe możliwości treningu. Możesz wykonywać podnoszenie ze skłonu, by ćwiczyć plecy, unoszenie boczne w pozycji leżącej dla swojej klatki piersiowej, podnoszenie w górę oraz do przodu i na boki w celu ćwiczenia ramion, rozciąganie tricepsów oraz odrzucanie ramion do tyłu, przyciąganie ciężarków do siebie oraz wyrzuty ramion (poziome ruchy w dół oraz wzdłuż ciała), by ćwiczyć kręgosłup. Prawdą jest, że można do tego używać butelek z wodą czy świeczników, ale używaj ich tylko jako ostatniej deski ratunku (na przykład jeśli podróżujesz i nie masz dostępu do hotelowej siłowni). Przedmioty te nie służą do ćwiczeń, więc ciężar nie rozkłada się równomiernie, trudno jest je pewnie chwycić i łatwo mogą wyślizgnąć się z dłoni.

Ekspander. Nie jest absolutnie niezbędny, jeśli masz hantle, ale jest bardzo tani, więc dlaczego nie dodać go do kolekcji sprzętu do ćwiczeń? Są dwa rodzaje ekspanderów – z rączkami i bez, do zakładania na ręce czy nogi. Można je zabrać ze sobą w podróż. Ekspander może zastąpić maszynę do ćwiczeń na siłowni. Możesz zaczepić go o nogę sofy i wykonywać podciąganie się. Zaczep go o słup i wykonuj przyciąganie rąk do siebie. Kup pasek mocujący do drzwi i powieś ekspander tak, by wykonywać przyciąganie z góry. Lub po prostu przymocuj ekspander do drzwi. Wykonuj w ten sposób przeróżne ćwiczenia – możliwości są nieskończone.

Mata do jogi. Nie polecam kupowania używanych, ale posiadanie maty, na której możesz ćwiczyć, jest bardzo ważne, zwłaszcza jeśli masz twardą podłogę. Jeśli nie stać cię na dodanie jej do swojego ekwipunku, połóż na podłodze dwa ręczniki kąpielowe i ćwicz na nich.

Skakanka. To zrozumiałe. Jest to świetny przyrząd do treningu cardio pomocny w spalaniu kalorii.

I tyle.

Jeśli masz trochę wolnej gotówki, mam dla ciebie jeszcze dwie rzeczy warte uwagi: sprzęt do ćwiczeń cardio i ławka. Ławka przyda się do wszystkiego, od ćwiczeń z ciężarkami, do kroków i stopni; dzięki temu masz stabilną platformę, która jest o wiele bezpieczniejsza niż stół czy krzesło. W dniach, kiedy niespecjalnie masz ochotę na ciężkie ćwiczenia, szybkie spalenie kalorii zapewni ci bieżnia pochyła. Możesz ćwiczyć, oglądając swoje ulubione programy w telewizji, lub zafundować sobie nieco ruchu w śnieżny i pochmurny dzień. Jest to wygodny i wszechstronny sposób na ćwiczenia. Raczej unikałabym rowerów stacjonarnych i X-trainerów, ponieważ nie pozwalają one na spalenie takiej ilości kalorii co bieżnia.

CZYSTE PRODUKTY

Usuwanie wszelkich toksyn i chemikaliów z twojego jedzenia jest najważniejszym elementem twojego odchudzania. Ale czy wiesz, dlaczego ważne jest również usunięcie ich z twojego domu? Większość substancji, które osiadają na twojej skórze, jest absorbowana przez twoje ciało. Chemikalia i toksyny w środkach czyszczących, higienicznych i kosmetykach mogą powodować choroby i otyłość przez zaburzanie twojej gospodarki hormonalnej. Cóż za zbieg okoliczności! Nauczę cię, jak rozwiązać ten problem przez bardziej ekologiczny tryb życia w sposób nierujnujący domowego budżetu. Schudniesz, pomożesz naszej planecie i oszczędzisz pieniądze.

Ekologiczny dom

Nie potrzebujesz ostrych chemikaliów w płynie do mycia naczyń czy w detergentach. Ekologiczne produkty czyszczące mogą być drogie, więc jeśli cię na nie nie stać, czytaj dalej. Moja ulubiona ekspertka do spraw ekologii, Caroline Howell, właścicielka firmy Green Beanie, zaproponuje ci, jak samemu zrobić ekologiczne produkty czyszczące za grosze.

[2 punkty] •• Domowej roboty środki czyszczące

- *Biały ocet* jest popularnym środkiem do czyszczenia, który zabija zarazki i bakterie dzięki dużej kwasowości. Używanie go do czyszczenia jest świetnym sposobem na uniknięcie chemikaliów. Zmieszaj równe ilości wody i octu w butelce z atomizerem i ruszaj do sprzątania. Nadaje się do wszystkiego, co normalnie czyścisz płynem Windex. Jest też ekologiczny i bardzo ekonomiczny.
- *Soda oczyszczona*, tak jak ocet, jest nietoksyczna, wielofunkcyjna i tania. Wymieszaj ¼ szklanki sody ze 100 ml ciepłej wody. Najlepiej również rozprowadzaj mieszankę przy użyciu butelki z atomizerem, a następnie wytrzyj powierzchnię do sucha. Soda jest świetna za-

równo przy udrażnianiu rur, jak i myciu naczyń czy usuwaniu przykrych zapachów z lodówki. Możesz również użyć boraksu lub sody do prania – są one mocniejsze od sody oczyszczonej i mogą również służyć do wybielania ubrań czy usuwania plam.

- *Sok z cytryny* ma przyjemny zapach, usuwa tłuszcz, poleruje oraz usuwa osad z mydła i kamień. Cytryna jest znakomita do czyszczenia i polerowania mosiądzu i miedzi. Zmieszaj sok z cytryny z octem lub sodą oczyszczoną, by uzyskać pasty czyszczące. Przekrój cytrynę na pół, a następnie miejsce przecięcia posyp sodą. Użyj tak przygotowanej cytryny do czyszczenia naczyń, powierzchni i usuwania plam. Pamiętaj, że cytryna może działać jak wybielacz, przetestuj ją więc najpierw na niewidocznej powierzchni, nim zaczniesz czyścić nią cały dom.
- *Oliwa z oliwek* jest doskonałym naturalnym woskiem oraz środkiem polerującym do metalu i drewna. Połącz 1 szklankę oliwy z ½ szklanki soku z cytryny i zacznij polerowanie.
- *Woda utleniona* jest środkiem antybakteryjnym i przeciwwirusowym, więc logiczne jest użycie jej jako środka czyszczącego. Potrzeba jednak trochę czasu, by zaczęła działać, więc jeśli pokryjesz nią powierzchnię, poczekaj około minuty, nim zaczniesz wycierać czyszczoną powierzchnię. Możesz użyć jej do wszystkiego, od toalet i pryszniców do blatów kuchennych. Jest też pomocna jako wybielacz i odplamiacz do ubrań.
- *Sól* jest naturalnym środkiem ścierającym, który w dodatku jest nietoksyczny, tani i łatwo dostępny. Używaj soli kamiennej lub morskiej do ciężkich zabrudzeń, nie stosuj jej jednak do czyszczenia stali nierdzewnej, ponieważ możesz ją trwale porysować.

Naturalne piękno

Jeśli chodzi o higienę i piękno, czystość i naturalność jest jedyną możliwą opcją. To zakrawa na ironię, że ludzie wydają setki dolarów na produkty kosmetyczne zawierające ogromne ilości chemikaliów, które przyspieszają starzenie się, rujnują metabolizm i mogą wywoływać choroby. Jakże to niepotrzebne. Istnieją ogromne ilości produktów naturalnych, niezawierających szkodliwych substancji, jak również setki przepisów na domowej roboty kosmetyki, które z powodzeniem mogą zastąpić produkty przeładowane toksynami i zapewnić prawidłowe funkcjonowanie organizmu. Używanie produktów niezawierających chemikaliów spowoduje na dłuższą metę ogromną zmianę w twoim metabolizmie i zdrowiu ogólnym.

MIT: Stosując odpowiedni krem, dietę i różne praktyki, pozbędziesz się cellulitu.

FAKTY: Niestety, nic nie da się zrobić z cellulitem, mimo iż próbowaliśmy wszystkiego. Cellulit jest bardziej związany z tkanką łączną niż z tłuszczem zgromadzonym w naszym ciele. Właśnie dlatego nawet szczupłe osoby mogą go mieć. Wielu próbowało wyjaśnić, skąd bierze się cellulit. Teorii jest wiele, od genetyki do hormonów, ale tak naprawdę jak na razie nic nie możemy zrobić, by polepszyć sytuację. Nie daj się zwieść drogim kremom czy bolesnym zabiegom; cellulit jest jednym z tych problemów, które albo atakują cię znienacka, albo nie. Nie ma na to żadnego solidnego wyjaśnienia ani też sensownego rozwiązania.

[3 punkty] ••• Pomysły na domowej roboty kosmetyki

- *Oliwa z oliwek* jest wspaniałym środkiem nawilżającym do twarzy.
- *Olej kokosowy* jest fantastycznym balsamem do ciała.
- *Peeling z brązowego cukru*: zmieszaj ½ szklanki brązowego cukru z 3 łyżeczkami oleju migdałowego i 10 kroplami oleju z wanilii. Natrzyj mieszanką ciało i spłucz pod prysznicem. Uważaj, żeby się nie pośliznąć – ta mieszanka może spowodować, że twój brodzik będzie śliski.
- *Maseczka z awokado*: rozgnieć awokado, aż nabierze kremowej konsystencji, dodaj 1 łyżeczkę miodu i 1 łyżkę stołową organicznego

jogurtu. Nałóż na twarz i pozostaw przez 15 minut. Spłucz maseczkę i wytrzyj twarz do sucha. Jest to świetna maseczka nawilżająca, usuwająca martwe komórki i wygładzająca skórę twarzy.

- *Balsam do ust z masła shea*: 1 łyżka stołowa wosku pszczelego, 2½ łyżki stołowej organicznego masła shea, 1 łyżka stołowa słodkiego oleju migdałowego, 2 krople witaminy E, 2 krople organicznego oleju z drzewa herbacianego, 8 kropel organicznego olejku różanego. Podgrzej wszystkie składniki w małym rondlu w niskiej temperaturze i dokładnie połącz, mieszając. Wlej do małego pojemnika i odstaw do ostygnięcia. Balsam jest świetnym pomysłem na prezent.
- *Peeling z soli morskiej*: 1 szklanka soli z Morza Martwego, 15 kropel olejku lawendowego, ¼ szklanki suszonej lawendy. Połącz składniki i umieść w słoiku. Nabierz i użyj.
- *Ogórek*. Po prostu odkrój dwa plastry i połóż na zamkniętych oczach. Ogórek odżywia, nawilża i zapobiega cieniom pod oczami.

Leki szkodzące twojej sylwetce

[3 punkty] ••• Upewnij się

Prawie 70% Amerykanów ma problem z otyłością i – niestety – spora ilość leków na choroby związane z otyłością, np. na cukrzycę, wysokie ciśnienie czy depresję, sama może powodować przyrost wagi. Oto popularne środki, które są znane z wywoływania otyłości: Paxil, Depakote, Prozac, Remeron, Zyprexa, Deltasone (prednisone), Thorazine, Endep, Elavil, Vanatrip, Allegra, Zyrtec, Diabinese, Insulase, Tenormin, depot medroxyprogesterone acetate (DMPA). Pewne kontrowersyjne badanie pokazuje, jak wiele zagrożeń związanych z wagą mogą wywoływać te leki. Zanim zdecydujesz się sięgnąć po którykolwiek z nich – albo jeśli już je zażywasz – skonsultuj się z lekarzem.

Leki przeciwalergiczne. Badanie przeprowadzone przez naukowców z Uniwersytetu Yale w roku 2010, opublikowane w magazynie „Obesity", wykazało, że osoby regularnie zażywające leki antyhistaminowe (opisywano głównie leki bez recepty, Zyrtec i Allegra) są tęższe niż osoby, które nigdy ich nie zażywały. Wyniki badania wskazują również, że prawdopodobieństwo otyłości jest o 55% większe u osób zażywających te leki niż u osób zdrowych. Nie potwierdzono jeszcze bezpośredniego powiązania między lekami i alergiami, ale inne badania potwierdzają, że leki antyhistaminowe powodują wzrost apetytu oraz uspokajają. Komu chciałoby się ćwiczyć, będąc oszołomionym i głodnym? Badanie osób przyjmujących doustnie leki kortykosteroidowe przez dłuższy czas (szczególnie w dużych dawkach, lecząc astmę) wykazało, że 60 do 80% z nich zaobserwowało przyrost wagi. Ryzyko wydaje się większe zwłaszcza gdy leki tego typu przyjmowane są doustnie zamiast w formie inhalacji.

Antybiotyki. Oto ciekawostka. Sugerowałam już wcześniej, że powinieneś jeść czyste mięso bez dodawanych do niego antybiotyków i hormonów. Czy nie wydaje się logiczne, że jeśli zwierzęta karmi się lekami i hormonami, by przybrały na wadze, ludzie jedzący ich mięso również przytyją? Naukowcy myślą tak samo, badając zależność między antybiotykami i otyłością. Według nich antybiotyki mogą wpływać na bakterie w naszym układzie trawiennym i szkodzić naszej zdolności metabolizowania składników odżywczych, przez co zaczynamy cierpieć na otyłość i syndrom metaboliczny. Najnowsze badania opublikowane w magazynie „Nature" pokazują ogromny związek między wzrostem liczby osób otyłych w USA i korzystaniem z antybiotyków.

Antydepresanty i stabilizatory nastroju. Lek Depakote używany jest do leczenia choroby afektywnej dwubiegunowej, padaczki i do zapobiegania migrenie. 44% kobiet i 24% mężczyzn obserwowanych podczas badania z 2007 roku zajmującego się pacjentami cierpiącymi na padaczkę zaobserwowało u siebie przyrost wagi o co najmniej 5 kg podczas zażywania tego leku przez ponad rok. Podobny wpływ na wagę ma Lithium, choć ten lek charakteryzuje się mniejszą ilością efektów ubocznych.

Zyprexa i Clozapine są lekami antypsychotycznymi, stosowanymi w leczeniu schizofrenii i choroby afektywnej dwubiegunowej. W 2005 roku dowiedziono, że 30% osób używających leku Zyprexa przytyło o około 7% w ciągu 18 miesięcy jego przyjmowania. Oba te specyfiki zawierają wysokie stężenie antyhistaminy i blokują wydzielanie serotoniny, co może wywołać przyrost wagi.

Elavil, Endep, Vanatrip (amitryptylina) są niczym innym jak TCA, czyli trójpierścieniowymi lekami antydepresyjnymi. Leki te wpływają na neuroprzekaźniki i wydzielanie antyhistaminy, a to z kolei wpływa na ilość energii i regulację apetytu (na serotoninę, dopaminę i acetylocholinę), co prawdopodobnie jest przyczyną przyrostu wagi.

Insulina. W przypadku insuliny interesujące jest to, że wydaje się ona działać w odwrotną stronę. Branie leków na cukrzycę typu 2 przyczyną otyłości? Badania dowodzą, że osoby zażywające insulinę przybrały na wadze średnio 5 kg przez pierwsze 3 lata jej zażywania. Połowę tej wagi przybrały w ciągu pierwszych trzech miesięcy.

Beta-blokery. Tenormin, Lopressor, Inderal (propranolol) używane są do kontrolowania ciśnienia krwi, lecz spowalniają proces spalania kalorii i powodują uczucie zmęczenia, utrudniając codzienne ćwiczenia i prowokując tycie. Badania wykazują, że osoby zażywające Tenormin podczas pierwszych kilku miesięcy przyjmowania leku przybrały na wadze około 2,25 kg więcej niż osoby zażywające placebo. Mimo że ustabilizuje się twoje ciśnienie, twoja waga wręcz przeciwnie.

Pamiętaj, aby zawsze konsultować się z lekarzem i omówić z nim efekty uboczne każdego leku, jaki bierzesz. Jeśli jednym z nich jest przyrost wagi, zapytaj o inny lek, który go nie powoduje. Jeśli nie możesz zmienić leku, poproś lekarza o pozwolenie na stopniowe zmniejszanie dawki leku z jednoczesnym wprowadzaniem zmian w stylu życia.

PODLICZ SIĘ I ZRZUĆ TO

Przyznaj sobie 3 punkty

- [ ] Centralny punkt sklepu centralnym punktem twojej wagi
- [ ] Głowa w dół
- [ ] Nie rób zakupów głodny – NIGDY
- [ ] Bądź zdrowy
- [ ] Patrz na porcje
- [ ] Krótko i zwięźle
- [ ] Policz do trzech
- [ ] Dobieraj uważnie
- [ ] Powiedz to głośno
- [ ] Użyj dekodera
- [ ] Jeśli coś brzmi zbyt dobrze, wyczuj podstęp
- [ ] Zapoznaj się z solą
- [ ] Zapoznaj się z cukrem
- [ ] Bądź jak babcia – dostarcz sobie błonnik
- [ ] Łam zasady
- [ ] Wymieniaj
- [ ] Trzymaj niezbędne rzeczy pod ręką
- [ ] Włóż płytę
- [ ] Pomysły na domowej roboty kosmetyki
- [ ] Upewnij się

Przyznaj sobie 2 punkty

- [ ] Bądź jak Święty Mikołaj
- [ ] Chodź sam: nie zabieraj dzieci
- [ ] Niskokalorycznie
- [ ] Wybieraj dobre kawałki
- [ ] Doprawiaj
- [ ] Przyspiesz
- [ ] Wysusz
- [ ] Pozbądź się tłuszczu, oszczędź kalorie
- [ ] Zwarty i gotowy
- [ ] Własna skrzynka z narzędziami
- [ ] Domowej roboty środki czyszczące

Przyznaj sobie 1 punkt

- ☐ Wybierz wózek zamiast koszyka
- ☐ Noś obcisłe dżinsy
- ☐ Jedz ryby
- ☐ Nie idź na łatwiznę
- ☐ Oceń jedzenie po jego opakowaniu
- ☐ Wykończ kasjera
- ☐ Odrzuć puszki
- ☐ Żuj gumę
- ☐ Próbuj czegoś nowego
- ☐ Weź krzesło
- ☐ Sam wybuduj, sam skorzystasz

_____ **Suma punktów z rozdziału 3**

_____ **Liczba rad, które wprowadziłem w życie**

Rozdział 4

DO DZIEŁA

Już wiesz, jak kierować swoim odżywianiem i ćwiczeniami oraz jak przystosować swoje domowe środowisko do tego, aby żyć zdrowo i szczupło. Teraz powiem ci, jak sobie radzić w różnych środowiskach i w różnych okolicznościach, których nie możesz kontrolować w każdym ich aspekcie, tak aby wykorzystywać je na swoją korzyść. To są obszary, w których większość osób się gubi.

Nie wyobrażasz sobie, jak wiele osób zrujnowało swoje postanowienia dotyczące odżywiania się i odchudzania, ponieważ pofolgowali sobie na imprezach, albo dlatego, że nie wiedzieli, jak jeść odpowiednio i trzymać się diety czy jak utrzymać swój harmonogram ćwiczeń w ciągu tygodnia, kiedy przytłacza nas nawał pracy.

Ten rozdział poruszy wszystkie te tematy. Poda ci wszelkie wskazówki niezbędne do tego, by się zdyscyplinować i nie odstępować od swojej diety ani od harmonogramu ćwiczeń i nie być podatnym na wpadki, kiedy jesteś z dala od domu.

CZAS ZABAWY

Rozdział ten zaczniemy od największego wyzwania, czyli jak przejść przez przeróżne scenariusze oraz jak zdrowo się odżywiać i bawić podczas imprez, nie niszcząc swoich postanowień związanych z odchudzaniem. Wiem, że to trudne, a ty nie chcesz być niegrzeczny, mówiąc, co powinni, a czego nie powinni serwować ci na imprezie. Nie możesz też przynieść swojego jedzenia, jeżeli nie byłeś poproszony, aby współuczestniczyć w przygotowaniu przekąsek (ale o tym jeszcze za chwilę). Co robić? Podążaj za moimi wskazówkami – są naprawdę proste, a pozwolą ci trzymać się swoich postanowień i nie tracić nic z imprezy.

Świętowanie odchudzania się

[3 punkty] ••• Napełnij swój żołądek

Zjedz coś przed wyjściem na imprezę. Jeżeli zjesz coś przed, niezdrowe przekąski na imprezie nie będą cię kusić. Jeżeli jest to impreza w porze kolacji, na której się je i je, i je, zjedz trochę więcej przed wyjściem, wtedy nie będziesz tak głodny i na pewno zjesz dużo mniej.

[2 punkty] •• Bądź uprzejmym gościem

Przynieś ze sobą zdrową przekąskę dla wszystkich gości. Wtedy pomożesz gospodarzom i zachowasz się taktownie. Poza tym nie będziesz musiał mówić o swojej diecie i zabezpieczysz się na wypadek, gdyby na imprezie nie było zdrowych przekąsek.

[3 punkty] ••• Trzymaj się z dala od bufetu

Często nie umiem zrozumieć, dlaczego osoby odchudzające się często na imprezach okupują bufet – przecież jeżeli chodzi o utrzymanie diety jest to najniebezpieczniejsza strefa. Dużo łatwiej jest trzymać się w ryzach, gdy usiądziesz ze znajomymi i swoim talerzem z dala od strefy rażenia – bufetu.

[3 punkty] ••• Wybieraj mądrze

Na każdej imprezie znajdzie się co najmniej 1–2 osoby, które starają się zdrowo odżywiać. Omijaj ciężkie smażone jedzenie, pieczoną wieprzowinę czy boczek. Zamiast tego nałóż sobie na talerz sałatki, warzywa, krewetki, owoce czy coś z potraw na zimno.

> ## MIT: Dieta może spowodować skurczenie się twojego żołądka.
>
> **FAKTY:** Tak jak nie da się wydłużyć mięśni u dorosłego człowieka, tak samo nie można zmniejszyć swojego żołądka. Jedyny możliwy fizyczny sposób na zmniejszenie żołądka to zabieg chirurgiczny, na przykład założenie na żołądek bajpasów. Twój żołądek co prawda powiększa się, dostosowując się do ilości pożywienia, jakie przyjmujesz, ale wraca do swoich normalnych rozmiarów, gdy zmniejszysz ilość jedzenia lub gdy jedzenie z żołądka trafia do jelit.

[2 punkty] •• Wyluzuj

Jeżeli jesteś gospodarzem imprezy, zachowuj się odpowiedzialnie. Wybieraj lżejsze opcje ze swojej listy ulubionych przekąsek. Podaj pieczone chipsy kukurydziane z salsą zamiast nachos z ciężkim serowym lub fasolowym dipem. Podaj pieczone skrzydełka zamiast smażonych. Zamiast ciężkich sosów do świeżych warzyw podaj hummus. Podaj naturalne bakalie zamiast smażonych orzechów z solą. Rozumiesz? Okej, no to miłej zabawy.

[3 punkty] ••• Nie katuj się

Nie musisz bezustannie katować się dietą. Jeżeli masz na coś ochotę, zjedz to. Pamiętaj tylko, że nie znaczy to, że możesz się napychać. Postępuj zgodnie z zasadą 80/20 i zatrzymaj się w odpowiednim momencie. „Napełnij się" zdrowymi przekąskami. Wtedy, podjadając, tych niezdrowych zjesz mniej.

> **Szybkie cięcie**
> Wybieraj zawsze pizze na cienkim, a nie na grubym cieście.
> **Cięcie: 106 kalorii**

[3 punkty] ••• Zasada małych porcji

Użyj małego talerza i próbuj wszystkiego, co chcesz. W ten sposób spróbujesz wszystkiego i będziesz mógł cieszyć się imprezą, ale nie pochłoniesz ton kalorii. Reasumując, zmniejsz porcje, ale próbuj wszystkiego, wtedy będziesz mógł dobrze się bawić i jednocześnie kontrolować swoją dietę.

[1 punkt] • Łyk z kieliszka

Nie da się być na imprezie i nie pić alkoholu. Przez cały czas jak Heidi była w ciąży i chodziliśmy na imprezy, miała przy sobie kieliszek, z którego piła napoje bezalkoholowe. Dzięki temu nie czuła się wyobcowana. Nalej sobie na przykład wody gazowanej z sokiem, powiedzmy żurawinowym. Dzięki temu nikt nie zauważy, że nie pijesz alkoholu.

[1 punkt] • Powrót wody

Jeżeli nie chcesz pić, pamiętaj, że możesz odchudzić swoje drinki, tak jak wspomniałam w rozdziale pierwszym. Każdy koktajl popijaj szklanką wody. W ten sposób wypijesz mniej i nie będziesz się czuł głodny jak wilk.

[2 punkty] •• Planuj imprezy

Jeżeli lubisz imprezować, w ciągu dnia pilnuj swojej rozpiski kalorii, szczególnie przed samym wyjściem. Nie pomijaj posiłków, bo zrobisz się głodny zanim dotrzesz na imprezę. Zamiast tego mądrze wybieraj swoje posiłki i rozplanuj spożycie kalorii na cały dzień. W ciągu dnia zjedz kanapkę z sałatą albo sałatkę z proteinami, aby zaoszczędzić kalorie na wieczór.

PRZETRWAĆ W RESTAURACJI

Najczęstszym sposobem zaburzania diety jest jedzenie posiłków na mieście. Ale nie mówię, abyś zupełnie z tego z rezygnował czy nigdy nie wychodził do restauracji. Ja – kiedy nie miałam jeszcze dzieci – jadłam na mieście codziennie (fatalnie gotuję). Jak zawsze kluczem do sukcesu jest nie to, czy jesz na mieście, ale to, jak jesz. Zaraz przedstawię ci proste i łatwe do przestrzegania zasady, które pozwolą ci zachować idealną sylwetkę.

Szczupłe zamawianie w restauracji

[3 punkty] ••• Omijanie

Odstaw wszystkie sosy oraz dipy. Dzięki temu łatwiej będzie ci kontrolować spożywane kalorie. Niektóre sosy i dodatki do sałatek potrafią mieć nawet ponad 100 kalorii tylko w jednej łyżce. Postaraj się na przykład najpierw maczać widelec w sosie, a dopiero potem nabierać sałatkę. Bądź nałóż sobie na hamburgera cieniutką warstwę sosu tysiąca wysp. Rozumiesz?

> **Szybkie cięcie**
> Zamiast 200 gramów sosu alfredo wybieraj sos marinara w ilości 150 gramów.
> **Cięcie: około 130 kalorii**

[3 punkty] ••• Przystawki na bok

To jest bardzo ważne. Przystawki potrafią być zabójcą diet. Standardowo cheeseburger ma około 500 kalorii, ale jak dodasz frytki i napój, to już będzie prawie 1000 kalorii. Ale powiedzmy, że starasz się utrzymać dietę i wybierzesz filet z halibuta, brawo, ale pieczone ziemniaczki odstaw. Zaczniesz od jednego i nie przestaniesz jeść, dopóki się nie skończą! A twój lekki posiłek zamieni się w bombę powyżej 700 kalorii! Zamiast ziemniaczków zawsze dobieraj warzywa (bez sosów oczywiście).

MIT: Świeże warzywa są zdrowsze od gotowanych.

FAKTY: Fanatycy jedzenia świeżych warzyw w kółko powtarzają, że gotowane warzywa tracę cenne witaminy i mikroelementy. Prawda jest taka, że gotowanie warzyw może przyczynić się do utraty części zawartej w nich witaminy C, ale jednocześnie może mieć odwrotny wpływ na zawartość innych witamin. Na przykład gotowanie pomidorów powoduje wzrost ilości zawartych w nich likopenów (gotuj je z niewielką ilością oliwy z oliwek, a zdolność twojego organizmu do przyswajania likopenów się zwiększy). Według magazynu „Scientific American" gotowana marchew, szpinak, grzyby, szparagi, kapusta, pieprz oraz inne warzywa mają w sobie więcej antyoksydantów, takich jak karotenoidy czy kwas ferulowy, niż ich odpowiedniki w postaci surowej. Przeciwnicy tej teorii mówią, że gotowanie warzyw w temperaturze powyżej 120 stopni zabija wiele enzymów. Tylko że są to enzymy, które są potrzebne do życia roślinom, a niekoniecznie człowiekowi. Tak naprawdę nasz organizm jest bardzo wydajny, jeśli chodzi o produkcję niezbędnych enzymów. Należy też pamiętać, że większość roślinnych enzymów traci swoje właściwości zanim trafi do naszego układu pokarmowego — bez względu na to, czy je zjemy świeże, czy ugotowane.

I jeszcze jedna ważna rzecz. Ostatnimi czasy coraz więcej ludzi ma problem z trawieniem świeżych warzyw, stąd rosnąca popularność leków na wzdęcia i wspomagających trawienie. Jeżeli warzywa lekko podgotujemy, to rozbijemy ich komórki (np. komórki celulozy), powodując, że będą łatwiejsze do strawienia. Jednakże bez względu na to, czy warzywa będziemy jedli świeże, czy gotowane, ważne jest to, abyśmy wszyscy zwiększyli ich ilość w naszej diecie.

[2 punkty] •• Falstart

Nie uprzedzaj kelnera i nie proś o podanie chleba, paluszków chlebowych czy innych przegryzek jeszcze zanim przyjdzie odebrać od ciebie zamówienie. Mówi się, że silna wola jest jak mięsień. Im częściej ją ćwiczysz, tym mocniejsza się staje. To prawda, ale – z drugiej strony – im częściej wystawiasz ją na pokusy, tym słabsza się staje. Nie testuj jej bez potrzeby. Chroń swoje zdrowie i swoją silną wolę poprzez wcześniejsze zapobieganie.

[3 punkty] ••• Bądź czujny

Tak ułóż swoje zamówienie, aby ograniczyć nadmiar kalorii. Poproś, aby ryba była grillowana, a nie smażona, albo poproś, aby podano ci mięso z hamburgera na sałacie, a nie w bułce. Domyślam się, że większość z was może na początku mieć z tym problemy. Wiem, proszenie szefa kuchni, aby jakąś potrawę zaserwował w zupełnie inny niż zwykle sposób, może wyglądać na kwestionowanie jego umiejętności czy wiedzy. A może po prostu nie chcesz fatygować kelnera? Nie możesz tak myśleć. Wydajesz swoje pieniądze, więc wydaj je tak, jak chcesz! Zaufaj mi, w restauracjach raczej nikogo twoje zachcianki nie będą dziwiły i po prostu podadzą ci danie w taki sposób, w jaki sobie zażyczyłeś. Mało tego, będą zadowoleni, że to w ich restauracji jesteś. Pamiętaj, są tysiące innych restauracji, a oni powinni sobie z tego zdawać sprawę. W najgorszym wypadku, jeżeli się mylę (a na pewno nie), powiedzą ci, że nie mogą tego zrobić – i albo wyjdziesz od razu, albo zapamiętasz to sobie, aby więcej tam nie wrócić.

[1 punkt] • Małe kłamstewka

Niechętnie to piszę i nie chcę udzielać takiej wskazówki, ponieważ zależy mi, abyś dalej był przyzwoitym człowiekiem i nie żył w kłamstwie. Ale jeśli mimo tego, co powiedziałam przed chwilą, nadal nie czujesz się komfortowo z mówieniem w restauracji, jak chciałbyś mieć podany posiłek, wymyśl małe, nieszkodliwe kłamstewko. Na przykład powiedz, że jesteś na to czy na tamto uczulony. Wiem, że jest to lekko kontrowersyjna metoda, ale wiem też, że większość kobiet ma problem z postawieniem na swoim czy byciem asertywnym. Więc jeżeli masz ochotę na krem brokułowy bez śmietany, powiedz kelnerowi, że nie tolerujesz laktozy. Możesz tę zasadę zastosować praktycznie do wszystkiego, czego nie chcesz jeść, i do wszystkich składników, których nie chcesz mieć w swoim daniu. Jeżeli nie chcesz grzanek czy bułki do hamburgera, powiedz, że twój organizm nie toleruje glutenu. Wiem, że to może wydać ci się głupie, ale po pierwsze nikogo tym nie krzywdzisz, a po drugie pozytywnie wpłynie to na twoje zdrowie i dietę.

[1 punkt] • Bądź kreatywny

Zamów coś bez patrzenia w menu. Każda restauracja na świecie zawsze ma podstawowe warzywa, ziarna czy proteiny. Jeżeli wiesz, czego chcesz, gwarantuję ci, że to dostaniesz. Nawet w niektórych największych sieciówkach udało mi się trzymać swojej diety i zamówić rybę, kurczaka albo stek. Czy to pod postacią grillowaną, czy gotowaną z sałatką. Albo chociażby warzywa i brązowy ryż gotowany na parze. Cały czas zmierzamy do jednego. Nie bój się powiedzieć, co i jak chcesz jeść! To ty jesteś tu klientem, a oni są dla ciebie i powinni się cieszyć, że wybrałeś akurat ich!

> **Szybkie cięcie**
> Zamów pierś z kurczaka bez skóry.
> **Cięcie: 45 kalorii**

[2 punkty] •• Twoje pole walki

Wybierz parę restauracji, do których będziesz chodził. To trochę tak, jakbyś budował swój arsenał miejsc, gdzie możesz pójść i zjeść zdrowe, dobre jedzenie. Ja mam na przykład pięć miejsc, gdzie na zmianę chodzę na lunch, i może pięć, z których zamawiam na wynos. Wiem, że mogę na nie liczyć i że zawsze dostanę świeże, zdrowe potrawy, które pomagają mi utrzymać moją dietę. Staraj się wybierać miejsca, w których w menu jest podana wartość kaloryczna potraw albo przynajmniej ich waga. Tak będzie ci łatwiej kontrolować dietę. Raczej unikaj sieciówek, ale jak już nie masz wyjścia, trzymaj się w ryzach.

[2 punkty] •• Wybieraj zupy mądrze

Jeżeli jesteś osobą zupolubną, wybieraj zupy z głową. Nie wszystkie są właściwe dla twojej diety. Staraj się wybierać zupy na bazie bulionu, jak zupy purée, minestrone, rosół, zamiast kremów, zup z małży czy opartych na śmietanie. Jeżeli nie jesteś pewien, czy dana zupa jest ze śmietaną, po prostu zapytaj! Większość zup warzywnych może być podana ze śmietaną lub bez. Niektóre to wcześniej wspomniane purée na bazie bulionu, ale inne mogą zawierać śmietanę, olej czy masło.

> **Szybkie cięcie**
> Zjedz miseczkę zupy słodko-kwaśnej zamiast miseczki zupy z jajkiem.
> **Cięcie: 330 kalorii**

[2 punkty] •• Proś o lekkie gotowanie

Zawsze proś, by twoje danie było przygotowane lekko. Chodzi o to, by użyć mniej masła czy oleju albo nie używać go wcale. Jajecznica smażona bez tłuszczu. Tosty, naleśniki, czy placki bez masła na wierzchu. Praktycznie wszystko, co wymaga do przyrządzenia masła czy oleju, można przygotować na minimalnej ilości tłuszczu. Wystarczy poprosić.

[2 punkty] •• Nie przejadaj się

Za każdym razem, kiedy dostajesz wielką porcję jedzenia, masz wrażenie, że pieniądze zostały dobrze wydane, ale tak naprawdę to wszystko wróci w postaci cellulitu, fałdek tłuszczu w talii czy jeszcze gorzej – w postaci zawału serca. Jeżeli jesteś podobny do mnie, to na pewno nie lubisz marnować jedzenia. Zamiast tłumaczyć ci, jakie są tego podstawy psychologiczne, podam ci bardzo prosty sposób, jak sobie z tym radzić: zanim kelner czy kelnerka przyniesie ci jedzenie, poproś, aby połowę porcji spakował ci na wynos. Dzięki temu się nie przejesz, a poza tym będziesz miał drugi posiłek wieczorem – czyli masz dwa posiłki w cenie jednego i o połowę mniej kalorii na posiłek.

[2 punkty] •• Bądź hojny

Kolejnym sposobem jest podzielenie się posiłkiem z twoim towarzyszem czy partnerem. Oszczędzacie w ten sposób pieniądze i kalorie.

[2 punkty] •• Weź przepustkę

Jesteśmy niewolnikami nawyków żywieniowych. Kto powiedział, że zawsze musisz zamówić przystawkę, drugie danie i deser? Kto naprawdę potrzebuje tych wszystkich dań? To jest chore. Opuść przystawki. Znowu oszczędzisz trochę kalorii, pieniędzy i będziesz się lepiej czuł psychicznie. Jeśli już musisz zamówić przystawkę, poproś o sałatkę (ale bez zbędnych dodatków, sosów itp.) albo zjedz po prostu dwie przystawki jako danie główne. Jeżeli czujesz wielką potrzebą zamówienia wielu dań, wybieraj mądrze.

> **Szybkie cięcie**
> Każde 100 gramów smażonych kalmarów zastąp grillowanymi.
> **Cięcie: 812 kalorii**

[3 punkty] ••• Unikaj zagrożeń

Oczywiście można to odnieść do każdej dziedziny życia, ale ja mam tu na myśli to, byś unikał potraw, które są opisane, jak ja to nazywam, „niebezpiecznymi zwrotami". Na przykład: pieczony, faszerowany, smażony w głębokim tłuszczu, kremowy itp. Te zwroty zdają się krzyczeć: „Jestem niewyobrażalnie wielką bombą kaloryczną. Najpierw rozwalę twoją dietę, a potem ciebie, staniesz ociężały i gruby!". Jak tylko zobaczysz te słowa, omijaj taką potrawę szerokim łukiem. Chyba że zastosujesz się do moich rad i poprosisz o lekką wersję tego dania. Wtedy będzie ono dużo zdrowsze. Zagrożenie wyeliminowane.

[2 punkty] •• Wytrzyj

Na pewno nieraz zdarzyło ci się zjeść omlet albo kawałek pizzy, który aż ociekał tłuszczem. Powinieneś unikać takich potraw. Można też zawsze serwetką zgarnąć tłuszcz. Nie uwierzysz, ilu kalorii możesz sobie w ten sposób oszczędzić, od 100 do 200 na kawałku.

MIT: To tłuszcze tuczą.

FAKTY: Sądzę że już na tym etapie książki sam do tego doszedłeś i zapamiętałeś, że to kalorie powodują, że tyjemy, a nie tłuszcze. Tłuszcze, tak samo jak węglowodany czy proteiny, są bardzo ważne dla twojego organizmu. Wspomagają układ sercowo-naczyniowy, rozrodczy, immunologiczny czy chociażby nerwowy. Pomagają także w utrzymaniu prawidłowej wagi ciała i wspomagają spalanie tłuszczu. Tak, to nie przejęzyczenie – tłuszcze wspomagają spalanie tłuszczu! Główną funkcją kwasów tłuszczowych jest wytwarzanie prostaglandyn, które odpowiadają za kontrolę funkcji życiowych takich jak krzepnięcie krwi, płodność, tętno, ciśnienie krwi, a także pomagają w funkcjach układu immunologicznego przez regulację stanu zapalnego, a tym samym pomagają organizmowi zwalczać infekcje. Jedyne tłuszcze, jakich należy unikać, to tłuszcze trans. I należy ich unikać za wszelką cenę.

[3 punkty] ••• Bądź multikulturowy

Jeżeli jesz jedzenie etniczne, wybieraj najzdrowsze, najlżejsze. Oto moje sugestie:

- Kuchnia meksykańska. Wybieraj grillowane tacos w grillowanej tortilli kukurydzianej (ale ogranicz się do jednej tortilli na taco) albo jeszcze lepiej – zastąp taco czy burrito miseczką (z sałatą zamiast ryżu i bez tortilli). Spróbuj carne asada, fajitas (poproś o wersję lżejszą – smażone czy grillowane na niewielkiej ilości tłuszczu) oraz tostadas (ale nie jedz smażonego placka, na którym są podawane). Na przystawkę zamów fasolkę (o ile nie jest odsmażana na smalcu).

> **Szybkie cięcie**
> Lubisz kuchnię meksykańską? Zrezygnuj z jednej tortilli z każdego taco, czasami są podawane nawet z trzema.
> **Cięcie: 100 kalorii na każdym taco**

- Kuchnia grecka. Wybieraj suvlaki, kebaby, grecką sałatkę, taboulii, hummus, jogurt i chlebek pita.
- Kuchnia azjatycka. Wybieraj sashimi, sałatkę z glonami/kapustą morską, kurczaka, wołowinę w sosie satay (ale uważaj z sosem z orzeszków ziemnych), brązowy ryż. Wybieraj potrawy gotowane na parze zamiast smażonych, np.: krewetki czy warzywa, kurczaka owiniętego w papier ryżowy albo moo goo gai pan.
- Kuchnia indyjska. Polub tandoori, zupę z soczewicy, vindaloos czy dania warzywne, takie jak saag przygotowane na odrobinie oleju.
- Kuchnia włoska. Jedz wszystkie wersje grillowanego kurczaka czy owoce morza, wybieraj pastę primavera, ale bez śmietany, no i oczywiście zupę minestrone.

W PRACY

Kolejną niebezpieczną strefą jest praca. To kolejne miejsce, które może zagrażać twojej szczupłej, seksownej sylwetce. Bo jak tu właściwie się odżywiać czy ćwiczyć, gdy musimy ściśle trzymać się służbowego grafiku. Wielu z nas jest niewolnikami przedziału godzin 8–16, 9–17 itp. Najczęściej jesteśmy wtedy przykuci do naszych biurek albo dla odmiany ciągle w biegu. Jest to zabójcze dla naszego zdrowego trybu życia. Znam to, rozumiem, i też z tego powodu cierpię. Dlatego też opracowałam swoją własną strategię, aby uzyskać szczupłą sylwetkę i ją utrzymać, przy jednoczesnym osiągnięciu sukcesu zawodowego. Jeżeli twoja praca jest bardzo absorbująca i przeszkadza ci w odbywaniu treningów czy zachowaniu diety, nie poddawaj się. Poniższe rady pozwolą ci zachować równowagę i być jak najbliżej swoich postanowień.

Jedzenie w pracy

[3 punkty] ••• Prywatny zapas

Informacja dla tych z was, którzy o tym nie wiedzą: też kiedyś miałam pracę siedzącą – przez trzy lata. Brałam udział w wyścigu szczurów od ósmej rano do ósmej wieczorem. Po miesiącach jedzenia przekąsek z automatów, resztek z posiedzeń biurowych czy jedzenia na wynos, przytyłam ponad dwa kilo. Może to nie wydaje się dużo, ale przy mojej figurze to było bardzo dużo. Kupiłam sobie małą używaną lodówkę i schowałam ją w mojej szafce pod biurkiem. W ten sposób uniezależniłam się od pizzy na telefon, chipsów i napojów gazowanych z automatów. Trzymałam tam swoje własne zdrowe posiłki i przekąski. I wiecie co, te ponad dwa kilo zniknęły.

[1 punkt] • Wysyłaj kartki

Nie umiem wam powiedzieć, ile razy w pracy natknęłam się na ciasta, torty, ciasteczka itp. z okazji urodzin współpracowników. W dużym biurze takie imprezy mogą się trafić nawet kilka razy w tygodniu i możesz prze to nieźle przytyć. A przecież nie chcesz być nieuprzejmy, prawda? Nie chcesz też marnować jedzenia? To jest złe myślenie. Wyślij e-mail z kartą z życzeniami urodzinowymi. Wytłumacz przy tym, że chętnie byś przyszedł, ale te wszystkie kuszące słodkości to za duża pokusa dla ciebie, ponieważ jesteś na diecie. Pokaż im, że lubisz ich i zależy ci na nich, ale pokusa jest za duża i życz im udanych urodzin. Prosta piłka. Obiecuję ci, że to zrozumieją. Jeżeli nie, znaczy to, że nie są warci twojej przyjaźni, zapomnij o nich. Nie są twoimi prawdziwymi przyjaciółmi, jeżeli nie potrafią cię wspierać.

Możesz także pokazać im alternatywę i postarać się przestawić całe biuro na zdrowsze jedzenie, na przykład owoce czy mrożone desery jogurtowe. Powodzenia. Sama tego próbowałam... ale nie osiągnęłam za wiele. Po co rujnować czyjeś urodziny, wyślij e-mail albo wpadnij złożyć tylko życzenia tuż przed tortem.

[3 punkty] ••• Przekaz informacji

Staraj się rozmawiać ze swoimi współpracownikami i poinformuj ich, że zdrowo się odżywiasz. Postaraj się ich przekonać do takiego odżywiania. Postaraj się namówić ich na to, aby piątkowe wyjścia na drinka poprzedzić wspólną grą w kosza czy siatkówkę albo wręcz nią zastąpić.

Zainicjuj wspólne spacery przed pracą lub po, może nawet w porze lunchu? Porozmawiaj ze swoim HR na temat zdrowego odżywiania. Opowiedz, jaki ma ono wpływ na energię i produktywność. Zaproponuj krótkie prelekcje na ten temat w pracy, a może spróbuj namówić na zamianę niezdrowych tłustych przekąsek, jakie są dostępne w pracy, na ich zdrowe odpowiedniki. Jeżeli to by było za wiele, zaproponuj kompromis polegający na dodaniu do bufetowego menu zdrowych dań i przekąsek.

[3 punkty] ••• Działaj zgodnie z planem

Czasami pokusy są za silne i ciężko jest im nie ulec, ale jeżeli wiesz, że się zbliżają, możesz opracować strategię obronną. Oto kluczowe sytuacje, w których powinieneś zachować się strategicznie:

1. Jeżeli jesteś w jakiś sposób zmuszony, aby jeść z automatów, wybieraj jogurty, orzechy, batony musli, miniprecle lub paluszki serowe. Unikaj chipsów, ciasteczek, cukierków, batonów czekoladowych czy napojów gazowanych.

2. Na porannych spotkaniach biznesowych, jeśli możesz, wybieraj owoce, jogurty, niskotłuszczowe muffinki, suche tosty, jajka czy dania z owsianki/musli. Unikaj bekonu, słodyczy, bajgli, dżemów, serków topionych i twarożków smakowych. Jeżeli w biurze nie masz dostępu do zdrowych przekąsek, zjedz przed pracą, abyś nie był głodny i nie czuł pokusy, albo zabierz swoje zdrowe śniadanie, abyś mógł je zjeść ze wszystkimi.

3. Jeżeli współpracownicy zamawiają dania przez telefon, zawsze wybieraj jak najzdrowsze. (Cofnij się do momentu, w którym mówiłam, jakie dania wybierać z kuchni etnicznej). Jeżeli będzie to chińszczyzna, wybierz kurczaka w cieście ryżowym, jeżeli jedzenie z kuchni włoskiej, wybierz sałatkę. (Czasami można zamówić nawet pizzę czy inne przekąski i sałatki, ale unikaj tych z mięsem i dużą ilością sera). Jeżeli zamawiacie z knajpki z kanapkami, wybieraj kanapki z grillowanym kurczakiem, sałatą, pomidorem i musztardą. Zgoda?

4. Twoi współpracownicy mają na biurkach mnóstwo słodyczy, ty trzymaj owoce. Będziesz miał coś zdrowego zawsze pod ręką i łatwiej będzie ci nie ulegać pokusom.

[3 punkty] ••• Spakuj się

Tak jak robiła to kiedyś twoja mama, przed wyjściem do pracy spakuj swój lunch. Zabieranie zdrowych przekąsek to jedno, a przynoszenie ze sobą pełnego zdrowego posiłku to drugie. Jeden wieczór w tygodniu poświęć na przygotowanie posiłku. Przełóż go do szklanego pojemnika, zabierz do pracy i schowaj do lodówki. Jeżeli przygotowywanie posiłków jest dla ciebie za trudne albo za bardzo męczące, znajdź gotowe mrożone posiłki, które możesz odgrzać w pracy. Wprawdzie większość takich posiłków to świństwo pełne chemii, ale jak się postarasz, to znajdziesz też zdrowe ich wersje.

MIT: Mikrofalówka zabija wartości odżywcze w jedzeniu.

FAKTY: Wszystko zależy od nastawionej mocy podgrzewania i czasu. Im dłużej podgrzewasz posiłki w wysokiej temperaturze, tym więcej wartości odżywczych zabijasz – na przykład wrażliwą na temperaturę witaminę C albo niektóre z grupy witamin typu B. Kluczem do sukcesu jest lekkie podgrzewanie, a dzięki temu, że mikrofala podgrzewa szybko, można zminimalizować stopień utraty wartości odżywczych.

[1 punkt] • Wyjdź

Pamiętasz jak w filmie *Pretty Woman* Julia Roberts zabiera Richarda Gere na lunch na ławce w parku? Zabierz swój lunch i też tak zrób. Pójdź do parku na ławkę albo usiądź na trawie i delektuj się posiłkiem. Chodzi o to, aby jeść z dala od biurka. Najgorsze co możesz zrobić, to właśnie jeść lunch w biurze, gdzie możesz być ciągle rozpraszany, a do tego jeść w otoczeniu ludzi, którzy spożywają te pyszne, niezdrowe lunche. Pamiętasz wskazówkę z rozdziału pierwszego zatytułowaną „Niech to będzie wydarzenie"? Jedzenie przed komputerem jest jak jedzenie przed telewizorem – złe!

Chociaż możesz uważać, że takie jedzenie jest asocjalne i nie pomaga ci integrować się z ludźmi z pracy, zrób, jak ci mówię. Badania wykazały, że ludzie, którzy podczas posiłku są często rozpraszani, zjadają więcej, niż potrzebują, więc zatrzymaj się i skoncentruj na jedzeniu. Ta wskazówka nie tylko pomoże ci zjeść mniej, ale także cieszyć się jedzeniem. Może nawet będzie to odpowiedni moment do wyciszenia się, poobserwowania natury czy spotkania się na chwilę ze znajomymi, czyli odstresowania się.

[2 punkty] •• Zrób rekonesans

Znajdź restauracje niedaleko twojej pracy, które oferują zdrowe jedzenie. Zrób sobie ich listę w notesie, który masz zawsze pod ręką. Kiedy przyjdzie czas, aby coś zjeść, ty i może także twoi współpracownicy jesteście już o krok bliżej sukcesu. Możecie wybrać miejsce, które znasz i gdzie możesz zjeść zdrowo.

> **Szybkie cięcie**
> Zamień burrito
> z kurczakiem na
> 3 lekkie taco z kurczakiem.
> **Cięcie: 460 kalorii**

Ćwiczenia, które możesz wykonywać w pracy

Nie oczekuję od ciebie, abyś bił swoje rekordy w garniturze, ale jest wiele ćwiczeń, które naprawdę możesz wykonywać w pracy.

BĄDŹ ZARADNY W PRACY

- Parkuj zawsze dalej, tak aby mieć do przejścia tych parę kroków więcej.

- Wychodź na przerwy ze współpracownikami.
- Wysiądź z autobusu przystanek wcześniej.
- Zamiast windy wybierz schody.
- Pójdź i zapytaj albo dostarcz informację, zamiast wysyłać e-mail.
- Sam opróżniaj swój kosz na śmieci.

[1 punkt] • Rywalizacja

Jeżeli chodzi o treningi to największą zachętą i motywacją jest rywalizacja. Nawet sobie nie wyobrażasz, ilu ludzi mówiło mi, że udało im się schudnąć dzięki rywalizacji wewnątrz firmy, że zrzucili „x" kilogramów, podobnie jak inni w ich biurze. Rywalizacja jest świetna, ponieważ sprzyja motywacji i daje wsparcie kolegów w pracy. Zbierz jak najwięcej znajomych do nowej konkurencji, zrzucania zbędnych kilogramów. Jak już ich zbierzesz, możecie wspólnie opracować plany ćwiczeń, podzielić się na drużyny i konkurować między sobą. Na przykład zorganizujcie poranne ćwiczenia, ale pamiętajcie – to nie są zawody, tu chodzi o wasze zdrowie! Macie się wzajemnie wspierać i dzięki temu lepiej przechodzić okres odchudzania, co spowoduje, że będziecie zdrowsi i szczęśliwsi.

[3 punkty] ••• Chodź i rozmawiaj

Nie stój, gdy rozmawiasz przez telefon! Nawet jeżeli masz małe biuro, rób drobne kroczki, skłony itp. Dzięki temu spalisz 2–4 kalorie na każdą minutę rozmowy. Może to dać w sumie nawet 60–120 kalorii na jedną 30-minutową rozmowę.

[2 punkty] •• Możesz wyglądać śmiesznie

Wiem, nie o to ci chodzi i może nie takiej rady się spodziewałeś, ale już tłumaczę, co mam na myśli. Zawsze czułam się głupio, kiedy podążałam za tą radą, ale i tak to robiłam, bo bardziej zależało mi na mojej zgrabnej pupie niż na tym, co inni sobie pomyślą. Idź za moim przykładem: zacznij robić małe ćwiczenia przy biurku. Rób pompki, odpychając się od krawędzi biurka, skłony do podłogi, przysiady (przy każdym powtórzeniu siadaj na krześle), wymachy nogami, wypady itp. Ja robiłam taką serię mniej więcej co godzinę. Zadbaj o siebie – nie ma w tym nic śmiesznego.

[1 punkt] • Zabawy z piłką

Spróbuj zamiast na fotelu siedzieć od czasu do czasu na piłce. Dzięki temu wzmocnisz swoje plecy, brzuch i postawę. Siedzenie na piłce pozytywnie wpływa również na twój kręgosłup. Lekko odbijając się na piłce, poprawiasz krążenie, a to poprawia pracę mózgu. Na koniec dnia pracy, przed powrotem do domu, postaraj się wykonać parę brzuszków, pompek czy skłonów.

[2 punkty] •• Wyposaż się

Wyznacz sobie pomieszczenie albo część stanowiska pracy jako miejsce ćwiczeń. Naprawdę. Trzymaj tam parę butów do biegania, tak abyś mógł wykorzystać przerwy w pracy na krótki bieg czy spacer odprężający. Możesz go nawet wydłużyć, wykorzystując przerwę na lunch. Trzymaj tam małe ciężarki i przyrządy do rozciągania. Zobaczysz, te ćwiczenia się zwrócą.

[3 punkty] ••• Alarm

Ustaw alarm w zegarku czy telefonie lub nawet na komputerze tak, aby ci przypominał o zażyciu odrobiny ruchu co godzinę.

[2 punkty] •• Kawa na wynos

Staraj się być jak najbardziej aktywny w czasie przerwy na kawę. Zmień obuwie i rób krótkie spacerki między ekspresem do kawy a miejscem, gdzie będziesz ją pił. Następnie przejdź jakieś 500–1000 metrów na zewnątrz lub po budynku. Przejście pół kilometra zajmuje 7 minut, całego ok. 15 minut. Uzależnij dystans od długości twojej przerwy. Na koniec zabierz swoją kawę i wracaj do pracy. W ten sposób zażyłeś ćwiczeń i dałeś sobie szybki zastrzyk kofeiny.

SEKRETY PODRÓŻOWANIA

Ta sekcja dotyczy – jak już mogłeś się domyślić po tytule – spraw związanych z podróżowaniem. Nieważne, czy włóczysz się z miejsca na miejsce, czy jesteś w drodze do pracy, czy może w drodze na luksusowe wakacje – jesteś w drodze. Może to spowodować lekką utratę kontroli nad dietą i regularnymi ćwiczeniami. Oto parę wskazówek, które pomogą ci odzyskać tę kontrolę. Wypróbuj je.

Jedzenie w drodze

[2 punkty] •• Zaopatrz się

Wykorzystaj hotelowy minibarek do przechowywania zdrowych snacków czy posiłków, kupionych wcześniej w lokalnym warzywniaku. Ja robię tak zawsze, gdy podróżuję i wiem, że po drodze napotkam same fast foody albo stacje benzynowe. To może nie najprostsze ani specjalnie wygodne, ale może uratować twój tyłek – dosłownie.

[2 punkty] •• Zaopatrz się w niezbędne surowce

Na pewno znasz te hotele i motele, które nie serwują śniadań, a jedyne, co oferują, to soki z automatu, gotowe przekąski, ewentualnie kawę. Nawet nie umiem policzyć, ile razy byłam w takich miejscach i już myślałam, że jestem bez szans, jeżeli chodzi zdrowe jedzenie. Ale któregoś razu wpadłam na pomysł. Zaczęłam wozić ze sobą płatki owsiane. W hotelu przeważnie nietrudno o wrzątek. Jeśli spodziewasz się, że w pokoju nie będzie czajnika, możesz zabrać swój – o małej pojemności. Zalej płatki i masz porządny proteinowy shake. Jeśli pozostawisz je na chwilę, by wchłonęły wodę, spełnią jeszcze jedno zadanie – doskonale cię nawodnią.

[3 punkty] ••• Na wynos

Jak już wspomniałam wcześniej, zawsze zabieraj ze sobą zdrowe przekąski czy płatki owsiane. Oprócz tego ja zawsze zabieram ze sobą batoniki proteinowe, batoniki musli, ciasteczka owsiane, orzechy, suszone mięso czy owoce (ale nie takie jak na kompot, tylko owoce wysuszone bez dodatku cukru). Taki zapas pozwoli ci przetrwać nawet na lotnisku, gdzie wybór zdrowej żywności jest mocno ograniczony. Poza tym przydadzą się w samolocie, bo o posiłkach serwowanych w czasie lotu postaraj się zapomnieć.

[2 punkty] •• Poszukiwania

Na pewno znasz takie miejsca, określane jako „pustynia żywnościowa". Miejsca, gdzie w promieniu 20 kilometrów nie ma żadnego sklepu ze

MIT: Jeśli nie robisz #2 po każdym posiłku, to twój metabolizm nie działa jak trzeba.

FAKTY: Zdrowa, szczupła osoba nie może wypróżniać się po każdym posiłku, a nawet nie 3 razy dziennie. Jeżeli należysz do grupy osób, które mają kłopoty z wypróżnianiem, wzbogać swoją dietę o dużą ilość wody, siemię lniane (dodawaj je do musli, płatków śniadaniowych czy jogurtu), jedz pieczywo pełnoziarniste i dużo warzyw o wysokiej zawartości włókien. No i oczywiście śliwki, które zawsze pomagają. Jedząc te produkty regularnie, przywrócisz pracę swojego układu pokarmowego do normalnego stanu, a przy okazji poczujesz się lepiej.

zdrową żywnością, a wszędzie wokół same fast foody i stacje benzynowe. Czasami jakiś jest, ale trzeba do niego dojechać, a często nie ma ich wcale – tylko stacje benzynowe i sklepiki z podstawowymi artykułami. Jeśli tak się zdarzy, pamiętaj, że i w takich miejscach można znaleźć pożywne produkty, np. jajka, paluszki serowe, batoniki proteinowe czy musli, orzeszki, owoce, zdrowsze wersje płatków śniadaniowych.

[2 punkty] •• Jeśli już musisz – wybierz mniejsze zło

Boże, wybacz mi, że tak piszę. Ale są przypadki, w których musimy udać się do jakiegoś fast foodu z uwagi desperację, błagania i groźby ze strony naszego znajomego (i proszę – poudawajmy chociaż, że nie masz innych powodów, by się tam znaleźć). W takich wypadkach poszukaj Starbucksa, Chipotle, Baja Fresh, El Pollo Loco, Au Bon Pain czy

> **Szybkie cięcie**
> Zastąp plasterek sera pełnotłustego plasterkiem sera o mniejszej zawartości tłuszczu.
> **Cięcie: do 60 kalorii**

Subwaya. To miejsca, gdzie kanapki nie zawierają setek kalorii, można tam trafić też na lżejsze dania, jak taco z grillowaną rybą czy sałatki. (Pamiętaj tylko, żeby zamawiać dania bez sosów). Ja, gdy jestem w takiej sytuacji, zazwyczaj kieruję się do Subwaya i zamawiam kanapkę wegetariańską, bez sera i majonezu, z dodatkowym awokado. Mogę też poprosić o usunięcie części pieczywa z kanapki.

Fitness w biegu

[1 punkt] • Ćwiczenia na lotnisku

Nie chcesz przegapić swojego treningu? Chcesz wykorzystać każdą minutę swojej podróży? Nieważne, czy jesteś pracoholikiem, zawsze w drodze i spędzasz pół życia na lotniskach, czy właśnie lecisz na wakacje i czekasz na przesiadkę, zawsze możesz poćwiczyć, zanim jeszcze wylecisz. Jest taka świetna strona www.airportgyms.com, na której zamieszczona jest lista siłowni i klubów fitness znajdujących się blisko lotnisk we wszystkich większych amerykańskich i kanadyjskich miastach. Możesz też wcześniej poszukać w internecie stron lokalnych siłowni, żeby móc sobie poćwiczyć gdzieś po drodze.

[1 punkt] • Lataj czynnie

Jedną z najgorszych rzeczy, jakie możesz zafundować swojemu organizmowi, jest ośmiogodzinny lot bez ruchu. Nawet podczas krótkich lotów staraj się wykonywać ćwiczenia podobne do tych, które wykonujesz w pracy. Bezruch może doprowadzić do problemów z krążeniem, a nawet do tworzenia się zatorów. Radę tę szczególnie powinni sobie wziąć do serce ci, którzy mają problemy z krążeniem. U takich osób ryzyko powstania zatoru czy zakrzepu jest największe.

Oto parę wskazówek jak poruszać się po samolocie:

- Unikaj trzymania nóg skrzyżowanych przez dłuższy czas. Zamiast tego ruszaj palcami, podnieś jedno kolano jak najbliżej klatki piersiowej, przeciągaj się czy zrób parę obrotów ciałem.
- Maszeruj w miejscu, podnosząc kolana. Wiem, że może to wyglądać dziwnie, ale uwierz mi, poczujesz się sto razy lepiej.
- Jeżeli nie jesteś ściśnięty jak sardynka i masz odrobinę przestrzeni, rozsuń fotel, wyciągnij się i staraj się dotykać swoich palców u nóg.
- Zakładaj ręce nad głowę, złap się za nadgarstki i rozciągaj raz jedną stronę, raz drugą.
- Zaangażuj do pracy jak najwięcej mięśni, używając do tego butelki z wodą. Ściskaj ją, podnoś itp.
- Rozciągaj swoją klatkę piersiową. Chwyć np. lewą ręką prawy podramiennik i naciągnij się. Teraz zrób to samo z drugą stroną i powtórz kilka razy.
- Staraj się wstawać co godzinę i przejdź się. Zanim wrócisz, postaraj się zrobić parę pompek, odpychając się od ściany.
- Rób głębokie wdechy brzuchem. Wdychaj powietrze przez nos i wypuszczaj nosem. Nie tylko jest to dobre na odstresowanie się, ale również pomaga zbalansować pracę lewej i prawej półkuli mó-

zgu oraz dotleni twój organizm. W samolocie jest to o tyle ważne, że twojemu krążeniu zostaje w tych warunkach rzucone niezłe wyzwanie.

[2 punkty] •• Bądź wybredny

Staraj się zatrzymywać w hotelach, w których jest siłownia. Jeżeli nie ma takiej opcji, poszukaj hotelu, w pobliżu którego jest siłownia. Większość dużych sieciowych siłowni oferuje tygodniowy darmowy karnet dla nowych członków – zapisz się przez stronę www i oszczędź na opłatach za wstęp. W domu staraj się zapisywać do sieci siłowni z karnetami otwartymi, ważnymi we wszystkich ich klubach. Ja korzystam z karty do sieci Crunch. W ten sposób mogę ćwiczyć, gdy podróżuję. Ta sieć nie ma klubów w całym kraju, ale jestem zabezpieczona przynajmniej w Kalifornii, na Florydzie i w Nowym Jorku.

[3 punkty] ••• Bądź przygotowany do ćwiczeń

Kup płytę DVD z ćwiczeniami. Odpal ją w pokoju hotelowym i wykonaj ćwiczenia przedstawione na filmie. Zabierz ze sobą taśmę do rozciągania. Są tanie i łatwe w transporcie. Możesz z nią ćwiczyć wyciskanie, motylki, ciągnięcia i ciągi. Możesz też ściągnąć aplikacje treningowe na telefon. Moja aplikacja Slim-Down Solution zawiera mnóstwo ćwiczeń z demonstracjami.

[2 punkty] •• Graj w karty

Zanim przejdziemy dalej muszę się przyznać, że tego nauczył mnie Bob Harper. Kup gdzieś talię kart. Karty nie tylko dadzą ci zajęcie w samolocie, ale pomogą ćwiczyć w pokoju. Do każdego koloru karty przypisz sobie ćwiczenia. Powiedzmy piki to przysiady, trefle to pompki, kiery to skłony, karo to np. rozciąganie. Kartom z postaciami przydziel po 10 punktów, asom po 11. A teraz wyciągnij kartę i już wiesz, co masz robić: 5 karo – pięć razy się rozciągnij, 2 pik – dwa przysiady itp. Staraj się robić jak najmniej przerw. Zobaczysz, że przejdziesz przez intensywny trening małym kosztem i bez potrzeby nie wiadomo jakiej przestrzeni.

[2 punkty] •• Bądź wymagający

Sprawdź, czy w ofercie hotelowej telewizji na zamówienie są darmowe programy do ćwiczeń. Dowiedz się, czy hotel dysponuje podstawowymi przyrządami do ćwiczenia jogi, takimi jak maty, ciężarki itp. Czymkolwiek, co mógłbyś zabrać do pokoju, by spokojnie poćwiczyć.

[2 punkty] •• Poczuj przygodę

Jeżeli jesteś na urlopie, próbuj wszelakich atrakcji. Od zjazdów rowerowych po rafting. Na Hawajach spróbuj paddleboardingu, pojeździj na rowerach górskich w Moab. Wybierz się na rajd po Wielkim Kanionie. Popływaj kajakiem po rzecze Kern. W Aspen koniecznie pojeździj na nartach lub na snowboardzie. Pójdź na fitness, może poznasz jakieś nowe ćwiczenia. Dodając do swoich wakacji ruch, nie tylko je urozmaicisz, ale również możesz zrzucić parę kilo.

MIT: Pocenie się wyrzuca toksyny z organizmu.

FAKTY: Tylko 1% toksyn opuszcza nasz organizm razem z potem. Główna rola pocenia się to regulacja temperatury organizmu, to nasza naturalna klimatyzacja. Tak naprawdę główne narządy odpowiadające za wydalanie toksyn z naszego organizmu to układ pokarmowy, wątroba, nerki, płuca i układ odpornościowy.

[2 punkty] •• Zwiedzaj

Przejdź się po mieście, w którym właśnie jesteś. Nawet jak wyjeżdżam na wakacje, które wydają się najbardziej obfite w jedzenie, czyli z największym prawdopodobieństwem przybrania na wadze (tu gorąco pozdrawiam paryski food fest), wracam chudsza o 0,5 kilograma do kilograma. Dzieje się tak, ponieważ cały dzień spędzam w ruchu i zwiedzam. Wyjdź, spotkaj się z ludźmi, weź ze sobą przewodniki i zwiedzaj!

Czterogodzinne zwiedzanie pomoże ci spalić tony kalorii, no i oczywiście pozwoli ci łyknąć trochę historii i kultury.

[2 punkty] •• Zamocz się

Nawet sobie nie wyobrażasz, jak często wybieram na wakacje takie miejsca, gdzie jest basen, w którym mogę ćwiczyć. A jak masz dzieci, to powinno to być najważniejsze kryterium. Moje dzieci uwielbiają bawić się w basenie, a ja wraz z nimi. Gdy bawią się same poza basenem, ja staram się popływać. To jest chyba najlepszy sprzęt do fitnessu. Jeżeli tylko pogoda pozwala, ciężko ćwicz albo baw się z dziećmi.

[2 punkty] •• Biegaj

Poproś obsługę hotelu, aby ci powiedziała, gdzie jest najbliższy park, ścieżki do biegania czy chociażby las. Oczywiście możesz wziąć sprawy w swoje ręce i sam sprawdzić dostępne trasy w internecie, a nawet zaplanować trasy. Skorzystaj ze strony www.trails.com. Znajdziesz tam informacje o trasach praktycznie w każdym miejscu na świecie.

PODLICZ SIĘ I ZRZUĆ TO

Przyznaj sobie 3 punkty

- [ ] Napełnij swój żołądek
- [ ] Trzymaj się z dala od bufetu
- [ ] Wybicraj mądrze
- [ ] Nie katuj się
- [ ] Zasada małych porcji
- [ ] Omijanie
- [ ] Przystawki na bok
- [ ] Bądź czujny
- [ ] Unikaj zagrożeń
- [ ] Bądź multikulturowy
- [ ] Prywatny zapas
- [ ] Przekaz informacji

- [ ] Działaj zgodnie z planem
- [ ] Spakuj się
- [ ] Chodź i rozmawiaj
- [ ] Alarm
- [ ] Na wynos
- [ ] Bądź przygotowany do ćwiczeń

Przyznaj sobie 2 punkty

- [ ] Bądź uprzejmym gościem
- [ ] Wyluzuj
- [ ] Planuj imprezy
- [ ] Falstart
- [ ] Twoje pole walki
- [ ] Wybieraj zupy mądrze
- [ ] Proś o lekkie gotowanie
- [ ] Nie przejadaj się
- [ ] Bądź hojny
- [ ] Weź przepustkę
- [ ] Wytrzyj
- [ ] Zrób rekonesans
- [ ] Możesz wyglądać śmiesznie
- [ ] Wyposaż się
- [ ] Kawa na wynos
- [ ] Zaopatrz się
- [ ] Zaopatrz się w niezbędne surowce
- [ ] Poszukiwania
- [ ] Jeśli już musisz – wybierz mniejsze zło
- [ ] Bądź wybredny
- [ ] Graj w karty
- [ ] Bądź wymagający
- [ ] Poczuj przygodę
- [ ] Zwiedzaj
- [ ] Zamocz się
- [ ] Biegaj

Przyznaj sobie 1 punkt

- [ ] Łyk z kieliszka
- [ ] Powrót wody
- [ ] Małe kłamstewka
- [ ] Bądź kreatywny
- [ ] Wysyłaj kartki
- [ ] Wyjdź
- [ ] Rywalizacja
- [ ] Zabawy z piłką
- [ ] Ćwiczenia na lotnisku
- [ ] Lataj czynnie

_____ Suma punktów z rozdziału 4

_____ Liczba rad, które wprowadziłem w życie

ROZDZIAŁ 5

BĄDŹ ZMOTYWOWANY

Może się wydawać, że ten rozdział nie jest istotny, ponieważ nie mówi o tym, jak stracić zbędne kilogramy, ale jest bardzo ważny. A oto dlaczego: mogę dać ci wszelkie informacje. Mogę sprawić, aby w łatwy sposób stały się przyswajalne i osiągalne. Mogę, niczym matka dziecko, nakarmić cię nimi i trzymać za rękę, aż je przetrawisz. Jednak jeśli nie jesteś odpowiednio zmotywowany, aby zastosować tę wiedzę w praktyce i sprawić, by stała się ona twoim sposobem na życie, wszystko, co zapisałam w tej książce, traci sens. W zasadzie straciłam czas, pisząc tę książkę, a ty straciłeś czas i pieniądze, kupując i czytając ją. Jeśli ta myśl nie jest wystarczająco irytująca, pomyśl, co jest stawką w tej grze – twoje zdrowie, pewność siebie, jakość życia, związków, popęd seksualny (możesz na tej liście umieścić wszystko, co jest dla ciebie cudowne) – jeśli twoja waga i zdrowie nie są na odpowiednim poziomie, mają one negatywny wpływ na wszystkie sfery twojego życia.

Życie poniżej twojego potencjału, poniżej poziomu, na jaki zasługujesz, to wielki wstyd. Chcę, abyś miał wszystko, czego dla siebie pragniesz. Zasługujesz na to. Wszyscy na to zasługujemy. Ale pozostawanie na właściwym kursie nie przychodzi bez wysiłku, na pewno o tym wiesz. Jednak – możesz mi wierzyć – wskazówki przedstawione w tym rozdziale mogą spowodować, że praca ta stanie się przyjemna i może nawet się w niej rozsmakujesz.

MOTYWUJ, INSPIRUJ, ZACHĘCAJ

Zmiana nastawienia

[3 punkty] ••• Personalizuj

Zanim wykonasz pierwszy krok na tej katorżniczej drodze i ugotujesz swój pierwszy kawałek brokułu, chciałabym, abyś stworzył swoją „Szczupłą listę". Jest to niezwykle proste, a dzięki temu dowiesz się bardzo dużo o samym sobie. Nie przejmuj się – to świetna zabawa. Spisz wszystkie powody, dla których chcesz być zdrowy, i zastanów się, w jaki sposób bycie szczupłym poprawi jakość twojego życia.

Wielu ludzi poszukuje motywacji na zewnątrz. Może to oczywiście pomóc w zainicjowaniu zmiany, ale prawdziwa i stała motywacja pochodzi z wewnątrz. Jak już powiedziałam, prowadzenie „szczupłego trybu życia" nie zawsze jest łatwe. Mimo moich starań, aby spowodować, by było to tak nieskomplikowane i pozbawione stresu, jak to tylko możliwe, zawsze trzeba coś poświęcić. Ale czyż poświęcenie nie jest częścią naszego dorosłego życia? Aby sobie z tym poradzić, musisz znaleźć swoje „dlaczego". Dlaczego to poświęcenie jest opłacalne... dla CIEBIE? Jak głosi cytat z Nietzschego: „Ten, kto wie *dlaczego*, zawsze poradzi sobie z tym, *jak*".

Odnajdź swoje „dlaczego". Dlaczego bycie zmotywowanym jest dla ciebie ważne? Bądź konkretny. Dostosuj swoje „dlaczego" tylko do siebie i postaraj się, aby odpowiedzi były jak najbardziej szczegółowe. Nie zadowalaj się ogólnikami, takimi jak „Chcę być zdrowy". Zastanów się, co to oznacza dla ciebie. Jak to ma wyglądać w twoim życiu? Czy chcesz grać w piłkę ze swoimi dziećmi? Wyglądać powalająco latem? Nosić najmodniejsze ubrania? Żyć sto lat? Sprawić, aby twoja ukochana żałowała, że zostawiła cię dla młodszego i przystojniejszego? Kochać się przy zapalonym świetle? Cokolwiek jest twoją motywacją, spisz to i umieść listę wszędzie, gdzie tylko możesz. Niech twoje zachcianki i potrzeby zaczną cię motywować do działania!

[3 punkty] ••• Ustal plan działania

Jeśli już udało ci się stwierdzić, dlaczego chcesz być zdrowy, czas przejść do kolejnego etapu – do ustalenia, jak to osiągnąć. I tu wchodzi do gry ustalanie celów. Wiele razy słyszymy, jak bardzo ważne jest mieć jakiś cel i go zapisać. Ta sugestia jest tak szeroka i niejasna, że prawdopodobnie dlatego większości ludzi nie udaje się osiągnąć zamierzonych celów. Aby nasze zamierzenia były osiągalne, należy je ustalać zgodnie z kilkoma ważnymi wskazówkami:

• **Twoje cele muszą być realistyczne.** Twój ostateczny cel musi być naprawdę możliwy do zrealizowania. Jeśli non stop pracujesz i masz na utrzymaniu rodzinę, nie uda ci się zrzucić 45 kilogramów w ciągu trzech miesięcy. Ba! Nawet 9 kilogramów w ciągu jednego miesiąca może okazać się zbyt ambitnym celem. Jest to niewykonalne, biorąc pod uwagę wszystkie twoje zobowiązania. Nie przejmuj się

MIT: Jeśli zbyt szybko stracisz na wadze, nie będziesz w stanie jej utrzymać.

FAKTY: Absurd! W ciągu 6 tygodni mężczyzna zrzucił 50 kilogramów i po 3 latach nadal udowadnia moją tezę. To nie szybkość tracenia kilogramów ma znaczenie, ale metoda, jaką się to osiąga. Mój punkt widzenia został udowodniony badaniami przeprowadzonymi przez University of Florida, które wykazały, że szybka utrata wagi na pierwszym etapie leczenia otyłości może przynieść więcej długotrwałych korzyści zarówno jeśli chodzi o samą utratę wagi, jak i utrzymanie jej niskiego poziomu. Naukowcy wykazali, że osoby, którym w początkowej fazie udało się szybko schudnąć, mają szansę osiągnąć lepsze rezultaty w perspektywie 18-miesięcznego leczenia. Jeśli jest to osiągane na drodze ćwiczeń i odpowiedniej diety, a nie głodówki, nie ma żadnych powodów, dla których waga mogłaby powrócić, chyba że będzie to skutkiem nierozwiązanych problemów emocjonalnych.

jednak, bo i tak możesz schudnąć. Spójrz na swoje życie i spróbuj ocenić, ile czasu jesteś w stanie poświęcić na ćwiczenia, a następnie uderz w osiągalny cel. Przy takim scenariuszu zrzucenie 9 kilogramów w ciągu trzech miesięcy jest dla ciebie osiągalnym celem, który nie spowoduje, że poczujesz się przytłoczony i zniechęcony do dalszego działania.

- **Twoje cele muszą być mierzalne.** Nie posługuj się hasłami typu „Chcę być szczupły i zdrowy". Uczestnicy programu *The Biggest Loser* ciągle je powtarzają, ale zapytani, co konkretnie mają na myśli – milczą. Jeśli nie masz jasnego obrazu swojej przyszłości – w jaki sposób chcesz ją zrealizować? Zamiast tego spróbuj postawić sobie za cel osiągnięcie ciśnienia na poziomie 120/80 albo powiedz sobie: „Chcę przebiec półmaraton". Albo: „Chcę stracić 27 kilogramów".

[3 punkty] ••• Ujrzyj moc piramidy

Po ustaleniu długoterminowych celów można poczuć się nieco przytłoczonym i dla wielu ludzi trwanie przy celach widzianych z tak odległej perspektywy może być prawdziwym wyzwaniem. Wizja wszystkiego, co musisz zrobić, aby znaleźć się tam, gdzie chcesz się znaleźć, może okazać się onieśmielająca. Musisz więc zdać sobie sprawę z faktu, że długoterminowy cel stanie się osiągalny tylko dzięki serii mniejszych, krótkoterminowych celów, które nie dotyczą bezpośrednio końcowego rezultatu, lecz tylko drogi (procesu), która do niego prowadzi. Musisz zaplanować ciąg poszczególnych wykonalnych dla ciebie etapów, które doprowadzą do ostatecznego wyniku. Najlepszym na to sposobem jest stworzenie piramidy, która rozłoży ten wielki cel na mniejsze, łatwiejsze do osiągnięcia cele. Wszystkie etapy połączą się w wieloetapowy plan działania. Czynności, które robisz teraz, doprowadzą cię do tego, co chcesz osiągnąć w przyszłości. Twój ostateczny cel znajdzie się na szczycie piramidy, do którego dojdziesz, realizując konsekwentnie miesięczne, tygodniowe, dzienne i natychmiastowe plany. Oto przykład:

- **Ostateczny cel:** Chcę zrzucić 10 kilogramów w ciągu trzech miesięcy.

- **Miesięczny cel:** Każdego miesiąca stracę 3 kilogramy.
- **Tygodniowy cel:** W każdym tygodniu schudnę 1 kilogram. Będę chodził na siłownię 4 razy w tygodniu i każdego dnia spalę 1000 kalorii.
- **Cel na każdy dzień:** Ustalę z przyjacielem dni wspólnych przejazdów, tak aby uczestniczyć w zajęciach bootcampu w każdą środę i piątek. Na cały tydzień przygotuję porcje zdrowego jedzenia, aby zmniejszyć ilość spożywanych kalorii. Przyjrzę się wszystkim restauracjom w mojej okolicy, aby ustalić, które z nich serwują dietetyczne jedzenie. Kupię sobie opaskę kontrolującą tryb życia, aby monitorować ilość spalanych kalorii.

Jak widzisz, dzięki takiemu systemowi jesteś w stanie rozbić swój długoterminowy cel na mniejsze działania, które doprowadzą cię najprostszą drogą do wymarzonego celu.

[3 punkty] ••• Namaluj obraz

Nie przejmuj się, jeśli nie umiesz rysować, ponieważ mam tu na myśli obraz wykreowany przez twoją wyobraźnię. Wyobraź sobie siebie nad przepaścią, za którą znajduje się twój cel, a następnie osiąganie przez ciebie tego celu. Takie kreatywne myślenie ma w sobie niezwykłą moc inspirowania nas i tworzenia tego, co chcemy osiągnąć. Wizja naszych osiągnięć pomaga uwierzyć w drzemiący w nas potencjał, aby zrealizować nasze marzenia. Myślenie o tym, czego chcesz i jak chcesz to osiągnąć, jest solidną podstawą procesu realizowania twoich pragnień.

Jest kilka elementów, które należy zastosować, aby użycie powyższego schematu było efektywne:

- **Bądź konkretny.** Jeśli chcesz być zdrowy, stwórz wizję tego, jak *dokładnie* wygląda zdrowie. Jakie wkładasz ubrania? Jakie ćwiczenia wykonujesz z użyciem swojego silnego i smukłego ciała? Czy przebiegasz dystans 5 km, bawisz się z dziećmi, tańczysz ze swoją drugą połówką, albo może prowadzisz córkę do ołtarza? Im więcej szczegółów zawierasz w swojej wizji samego siebie osiągającego sukces, tym bardziej intensywny i żywy staje się obraz w twojej wyobraźni i – co naturalne – tym łatwiej będzie tę wizję zrealizować.

- **Odczuj to.** Musisz skojarzyć emocje ze swoimi wyobrażeniami. Dzięki temu staną się bardziej realne.
- **Poczuj to zmysłami.** Zaangażuj swoją fizjologię. Poczuj fizyczne doznania w swojej wizji. Poczuj drogę pod stopami przy mijaniu linii mety maratonu. Poczuj moc w swoich ramionach, kiedy podnosisz swoje dziecko po zabawie na podwórku. Dodając fizyczne działania do swoich rozważań, sprawiasz, że stają się one bliższe tobie i bardziej realne. Dzięki temu też łatwiej skupisz się na codziennych czynnościach.
- **Przelej to na papier.** Ten punkt pojawia się już od jakiegoś czasu i zapewniam cię, że warto poświęcić trochę energii, aby to zrobić. Dlaczego? Bo to działa! Tchnij życie w wizję, którą stworzyłeś w swojej głowie. Niektórzy mogą nazwać to „wizualizacją marzeń". Stwórz kolaż z rzeczy, których pragniesz najbardziej. Możesz nawet umieścić go w formie plakatu na ścianie w swoim biurze lub w postaci wygaszacza ekranu w komputerze. To ćwiczenie może przynieść wiele radości. A wniosek, który powinieneś z niego zapamiętać, brzmi: im bardziej wyeksponujesz swoje pragnienia, tym większą masz szansę na ich osiągnięcie.

[2 punkty] •• Wyjdź ze schematu

Słowa mają w sobie niezwykłą siłę. Wierzysz w to, co mówisz. Robisz to, w co wierzysz. A to, co robisz, kreuje twoją rzeczywistość. Z tego powodu język, którego używasz, musi być pełen pozytywnego myślenia i nastawienia na osiągnięcie sukcesu. USUŃ słowo „nie" ze swojego słownika. Twój język nie może wskazywać na możliwość porażki. Bardzo uważaj na wybór przymiotników. Zamiast mówić, że coś jest trudne, powiedz, że nie jest łatwe. Zamiast mówić, że coś jest niemożliwe, powiedz, że stanowi wyzwanie. Nie mów, że próbujesz (to słowo niesie ze sobą możliwość niepowodzenia); zamiast tego powiedz, że to robisz. Nie sugeruj, że nie jesteś w czymś dobry, powiedz raczej, że pracujesz nad tym albo się uczysz. Zaufaj mi, taka niewielka zmiana robi ogromną różnicę w tym, jak zaczniesz odbierać świat.

[3 punkty] ••• Nie bądź perfekcjonistą

Dlaczego? Bo nikt nim nie jest! Jeśli uwierzysz, że możesz lub musisz być perfekcyjny, jest wielce prawdopodobne, że ci się nie uda. Odrzuć założenie, że będziesz miał wszystko albo nic. Jeśli w pewnym momencie wypadniesz z pędzącego pociągu, po prostu odpuść. Obierz dobry kierunek i idź przed siebie.

Zawsze zdumiewało mnie, kiedy ludzie przez kilka tygodni z rzędu trzymali się właściwej diety i z zapałem wykonywali ćwiczenia, aż nagle w wyniku stresu sięgnęli po kawałek pizzy lub innego śmieciowego jedzenia, którego byli tak spragnieni. Całe ich poświęcenie – dieta, ćwiczenia, nastawienie – wszystko wylądowało w koszu. Ten jeden mały punkcik staje się nieproporcjonalnie duży i wywołuje falę zniechęcenia i obżarstwa. Odrobinę dystansu!

Gdyby zdarzyła ci się podobna do opisanej przeze mnie historia, mam pewną analogię, której używam, i chciałabym, abyś ją zapamiętał. Jeśli złapiesz gumę, czy wysiądziesz z samochodu, żeby przedziurawić trzy pozostałe opony? Oczywiście, że nie! Wysiądziesz, zmienisz koło i pojedziesz dalej. To samo dotyczy twojego życia. Pozbieraj się, otrzep z kurzu, wróć do tego pociągu i jedź dalej. Pamiętaj o dystansie i zostaw perfekcjonizm za sobą.

[1 punkt] • Obnażenie

Jeśli trudno jest ci znaleźć motywację, zrzuć ubranie i spójrz w lustro. Pozbądź się tych wszystkich niemodnych fatałaszków, którym pozwalasz ukryć swoje ciało. Pozbądź się ich na zawsze, aby się za nimi nie chować. Spójrz prawdzie w oczy, nie zaprzeczaj rzeczywistości, weź odpowiedzialność i zdecyduj się na zmianę. Nie proszę cię, abyś patrzył na swoje nagie ciało i krytykował każdą – prawdziwą czy wymyśloną – fałdkę. Chodzi tylko o to, żebyś stwierdził, w jakim momencie znajdujesz się teraz, ocenił się obiektywnie i powiedział: „Nie, nie chcę pakować w ten brzuch kolejnego pączka. Tak, powinienem teraz trochę poćwiczyć". Akceptacja może cię wyzwolić od braku pewności siebie, który może powstrzymać cię od działania, ale tylko wtedy, kiedy mu na to pozwolisz. Nie możesz patrzeć na siebie obiektywnie, jeśli ukrywasz się pod swoimi szatami.

[1 punkt] • Przeżyj czyjąś historię

Poczytaj, obejrzyj film lub posłuchaj czyjejś historii o tym, jak udało mu się wyleczyć z nadwagi. To bardzo inspirujące. Znajdź w sieci zdjęcia osób przed odchudzaniem i po odchudzaniu (mam ich setki na stronie www.jillianmichaels.com) lub obejrzyj program *The Biggest Loser* (edycja polska: *Co masz do stracenia?*). Nie ma większego znaczenia, z czyją historią się zapoznasz, gdzie ją znajdziesz i w jaki sposób ją odbierzesz. Najważniejsze jest to, abyś poznał i doświadczył drogi, jaką przeszedł ktoś inny – zapoznał się z jej/jego walką i sukcesem. My, ludzie, całkiem nieźle radzimy sobie z identyfikowaniem się z innymi. Jeśli ktoś osiąga zamierzone cele, działa to na nas motywująco, poprawia naszą wiarę w siebie, w to, że my też możemy osiągnąć swoje cele.

[1 punkt] • Znajdź swoją mantrę

Zazwyczaj myślę, że mantra to zwykły frazes, który ledwie styka się z poczuciem naszej wartości. Jest jednak sposób, aby zrobić z niej bardzo wartościowe i magiczne narzędzie. Mianowicie stwórz krótkie, proste i zorientowane na działanie sformułowanie, które stanie się zasadą rządzącą twoim życiem. Nie jest łatwo znaleźć głęboki sens w jednym zdaniu, niemniej jest to możliwe. Nie zadowalaj się jednak mantrą, co do której wydaje ci się, że powinieneś sobie ją powtarzać, np. „Kocham siebie" albo „Uśmiechnij się", czy też „Szklanka jest zawsze do połowy pełna". To nie będą mądre wybory, ponieważ te rzeczy powinieneś już znać. A jeśli je znasz, nie potrzebujesz ich w formie mantry. Zamiast tego znajdź sformułowanie, które usłyszałeś i które mocno wiąże się z tobą. Znajdź swoją zasadę, zgodnie z którą będziesz żył, a twoje życie stanie się lepsze.

Jedną z moich ostatnich mantr było zdanie: „Cel bez planu jest tylko marzeniem". Przypominam sobie o tym zawsze, kiedy staję się impulsywna lub brak mi cierpliwości. Dzięki temu zwalniam i przypominam sobie, że rzeczy, których pragniemy w życiu najbardziej, wymagają czasu. Ta reguła podtrzymuje moją koncentrację i skupienie.

Nie chodzi o to, abyś zmuszał się do wymyślania czegoś spektakularnego. Jeśli usłyszysz zwrot lub sformułowanie, które w jakiś sposób na ciebie zadziała, zrób z niego swoją mantrę. Powtarzaj je sobie, kiedy tylko masz wątpliwości lub kiedy będziesz potrzebował przypomnienia, jak lub dlaczego powinieneś robić to, co jest dla ciebie ważne. Dzięki temu twoja inspiracja nie zgaśnie.

[3 punkty] ••• Scenografia

Czy kiedykolwiek usłyszałeś, że jesteś wytworem swojego otoczenia? Cóż, taka jest prawda. Do pewnego stopnia wszyscy nim jesteśmy. Nasze otoczenie może silnie wpływać na nasz sposób myślenia, wybory, jakich dokonujemy, oraz działania, które podejmujemy w życiu. W związku z tym, że cała nasza współczesna kultura jest zaprogramowana jako „zespół środowiskowy", stworzenie naszego osobistego środowiska sprzyjającego osiągnięciu sukcesu, bez sabotażu, ma znaczenie kluczowe.

Rozejrzyj się dookoła, przyjrzyj się środowisku, w którym pracujesz i żyjesz, jakim samochodem jeździsz i jak wyglądają wszystkie inne miejsca, w których bywasz. Zwróć uwagę na wszystko, cokolwiek może podkopać twój nowy, szczupły styl życia. Może to być sklep Bliklego po drodze do pracy, któremu zawsze udaje się zwabić cię do środka. A może to kanapki sprzedawane w kantynie pracowniczej lub miseczka z cukierkami stojąca na biurku współpracownika. Gdziekolwiek zidentyfikujesz tych małych sabotażystów, zlikwiduj ich, zastąp czymś innym lub zwyczajnie ich omijaj. Znajdź inną trasę do pracy i omijaj cukiernię szerokim łukiem. Do pracy przynoś przygotowane przez siebie jedzenie, aby unikać firmowego bufetu jak ognia. Z kolegą, który trzyma na swoim biurku różne tuczące przekąski, rozmawiaj przez telefon lub e-mail. Trzymaj się z daleka od jego biura. Jeśli zmienisz przyzwyczajenia i otoczenie, masz duże szanse na to, że zmiany utrzymają się na stałe. Przyzwyczajenia mają moc!

Zacznij się otaczać inspirującymi obrazami (takimi jak na przykład omawiany już wcześniej kolaż). Oglądaj w telewizji programy, które podnoszą cię na duchu. Czytaj książki i czasopisma, które przepełnione są silnymi przekazami wzmacniającymi twoje siły (np. „Men's Health", „Shape"). Buty do biegania ustaw rano tuż przy drzwiach wejściowych do mieszkania, aby zachęcały do ćwiczeń w porze obiadowej. Tworząc nowe przyzwyczajenia, polegaj na swojej przestrzeni fizycznej. To jedna z najprostszych metod przeprowadzania głębokich zmian w twoim trybie życia. Pójdź na to!

Budowanie wsparcia

[3 punkty] ••• Ogłoś to

Ostatnie badania Medi-Weightloss Clinics pokazały, że aż 53% kobiet twierdzi, że były namawiane przez otoczenie do jedzenia rzeczy, które nie były uwzględnione w ich diecie. 56% z tych kobiet nie odmówiło, bo nie chciały nikogo urazić. 41% powiedziało, że z obawy, że ich dieta przyciągnie zbyt dużą uwagę – również nie odmówiło. 35% z kolei przyznało, że ich dieta była przedmiotem żartów, więc też nie odmówiły. Chcesz wiedzieć, co o tym wszystkim myślę? To tylko wymówki dla tego, że nie przejęły kontroli nad swoim życiem i zdrowiem. Wymówki NIE DO ZAAKCEPTOWANIA. Pokaż swój charakter! Mów głośno za siebie. Kto to zrobi, jeśli nie ty? Nie ukrywaj przed innymi swoich planów na schudnięcie. Dzięki temu będziesz miał dla nich wytłumaczenie (zarówno dla tych, którzy cię popierają, jak i dla innych) i zyskasz zachętę i wsparcie od najbliższych. Ponadto ci, którzy cię sabotują, zastanowią się nad swoimi przyzwyczajeniami i być może – ze wstydu – zmienią je.

[3 punkty] ••• Mów o swoich potrzebach

Ludzie nie czytają w twoich myślach. Często może być tak, że ludzie sabotują twój zdrowy tryb życia, nie zdając sobie nawet z tego sprawy.

Nie zakładaj, że twoi bliscy wiedzą, czego ci potrzeba i w jaki sposób ci to dać. Wywoła to niepotrzebne rozczarowanie. Więc powiedz im. Niezależnie od tego, czy są to znajomi z pracy, którzy wyciągają cię po pracy na piwo, czy dziewczyna, która chce zamówić wieczorem pizzę, czy też mama, która wiecznie piecze dla ciebie pyszne ciasteczka – *możesz* spowodować, żeby byli twoim wsparciem, a nie wrogami twojej diety. Zacznij od uświadomienia im, jak ważne jest dla ciebie, abyś był zdrowy i szczupły. Powiedz im następnie, jak mogą ci pomóc. Chcę, żebyś dosłownie dał im narzędzia i wskazówki, w jaki dokładnie sposób chcesz, aby ci pomagali i cię wspierali.

Powiedz mamie, żeby wymyśliła przepisy na dietetyczne potrawy zamiast tych tuczących. Powiedz swojej ukochanej, że chciałbyś, żeby z tobą poćwiczyła, a później skoczycie razem na sushi. Powiedz kolegom z pracy, że teraz nie czas dla ciebie na piwko, ale chętnie obejrzysz z nimi film albo skoczysz na siłownię. Jeśli podzielisz się z bliskimi swoją strategią i powiesz o swoich potrzebach, zadziwiające okaże się to, jak wielką odczujesz różnicę w umiejętności trzymania się swojego nowego trybu życia i podążania wprost do wyznaczonego celu.

[3 punkty] ••• Wsparcie jest dwukierunkowe

To bardzo ważne. Jedną z najczęstszych przyczyn porzucania przez ludzi obranej drogi do bycia szczupłym jest fakt, że ich druga połowa nie szła w tym samym kierunku, nie miała tych samych wartości i celów. Zauważyłam, że ten problem często wykracza poza związek z drugim człowiekiem, a nawet poza relację z rodzicami czy przyjaciółmi. Problem ten jest bardzo zbliżony do omówionego przed chwilą i to jest właśnie to, co się z tobą dzieje, gdy powyższe rady nie zadziałają. Zazwyczaj kryje się za tym jedna przyczyna – twoja partnerka obawia się, że na pewnym etapie, kiedy już będziesz zdrowy, przytłoczysz ją, nie będziesz jej już potrzebował. Być może też obawia się, że twój nowy tryb życia wywoła u niej pytania co do jej własnego życia i zdrowych nawyków, a właściwie ich braku. Może się to wydawać nierozsądne, ale takie obawy mogą się pojawić.

Najlepsze, co możesz w tej sytuacji zrobić, to – znów – porozmawiać z bliską ci osobą i powiedzieć raz jeszcze, czego potrzebujesz i dlaczego jest to dla ciebie tak ważne. Nie zapominaj zapewnić jej o tym, jak bardzo ją kochasz i jak ważna jest dla ciebie. Z czasem, kiedy już poczuje się bezpieczna z „nowym tobą", myślę, że dołączy do ciebie i wkroczy na twoją zdrową ścieżkę.

[3 punkty] ••• Oczyść swój dom – nienawistni muszą odejść

Najważniejsza zasada podczas budowania wsparcia wokół siebie brzmi: każdy, kto pojawia się w twoim życiu, powinien zmieniać cię na lepsze. Dobierając swoją świtę – ludzi, z którymi będziesz spędzał większość czasu – pamiętaj o tej zasadzie. Otaczaj się tylko takimi ludźmi, dla których twój sukces również będzie sukcesem. Ludzie w twoim otoczeniu powinni wspierać cię w walce o lepszego siebie – w przeciwnym razie pozbądź się ich. To czas na przewartościowanie twojego życia i zrobienie remanentu w twojej drużynie. Usuń ze swojego życia wszystkich toksycznych ludzi, którzy nie są dla ciebie wsparciem. Zazdrośnicy, którzy tylko patrzą, jak cię zniechęcić do walki, powinni odejść. Ostatecznie to my jesteśmy firmą, którą utrzymujemy. Nie ma tu więc miejsca na nienawistnych.

[3 punkty] ••• Ustal granice

Ten punkt jest czwartym krokiem w serii listy rzeczy do zrobienia na drodze do samopomocy. Pierwszym krokiem (1) było komunikowanie twoich potrzeb, drugim (2) próba przewartościowania i wsparcia twoich najbliższych, a trzecim (3) oczyszczanie otoczenia, jeśli dwa pierwsze kroki się nie powiodły.

Ale jeśli toksycznej osoby nie uda się usunąć z twojego otoczenia (bo jest to na przykład członek rodziny), musimy ustawić żelazne granice nie do przekroczenia. Jeśli na przykład twoja mama walczy z tobą, bo wydaje jej się, że twoja dieta jest głupstwem, nie jadaj z nią. Jeśli siostra żartuje z faktu, że wykorzystujesz swój urlop, spędzając czas na siłowni, nie mów jej, dokąd się wybierasz. Unikaj punktów zapalnych w swoim związku. Mogą to być tematy, które wywołują dyskusje, walkę i powodują u was kiepskie samopoczucie. Powinniście ich unikać za wszelką cenę. Skieruj swój związek na drogę rozmów na tematy bardziej optymistyczne i neutralne, takie, które nie powodują kłótni i nie wywołują zaniku pewności siebie – twojej lub partnerki.

Możesz, a nawet powinieneś być z bliskimi bardzo szczery i bezpośredni, jeśli chodzi o twoje potrzeby i ograniczenia. Daj im do zrozumienia, że nie chcesz poruszać tych tematów w rozmowach z nimi. Jeśli nie są w stanie zaakceptować postawionych przez ciebie granic, zapewnij ich o swojej miłości, niemniej musisz poczekać, aż zdecydują się uszanować twoje stanowisko. Nie opuszczasz ich, ale chcesz zminimalizować ilość negatywnych emocji w waszym związku. Gwarantuję, że po kilku takich komunikatach zrozumieją twoje przesłanie, a ty zyskasz przestrzeń na oddech.

[3 punkty] ••• Zaopiekuj się sobą

Stań się swoim najlepszym przyjacielem. Zastanawiasz się, jak możesz stać się dla siebie jeszcze lepszy? Musisz nauczyć się postawić w najlepszym możliwym położeniu, z którego droga zaprowadzi cię do sukcesu. Wielcy przywódcy robią to, tworząc warunki dla tych, którzy za nimi podążają, co przyczynia się do ich sukcesu. Podobnie jest z byciem swoim najlepszym przyjacielem. Oznacza to nastawienie się na sukces, na umiejętności podjęcia wyzwania w grze o bycie kimś wspaniałym (i szczupłym). Wszystko zaczyna się od samoakceptacji. Jeśli uwierzysz, że jesteś wart tego, do czego chcesz dążyć, i będziesz darzył siebie takim samym szacunkiem i miłością, jakimi darzyłbyś innych, dojdziesz tam, gdzie musisz dojść.

Oto, co mam na myśli. Pamiętam, kiedy lata temu, podczas jednej z sesji terapeutycznych skarżyłam się na to, jak wiele robiłam dla wszystkich wokół, a dla mnie nikt nie robił nic. W połowie moich wywodów terapeuta przerwał mi i powiedział, że to nie inni ludzie mnie rozczarowują, tylko ja sama siebie zawodzę. Oczywiście nazwałam go szaleńcem, jednak on z uporem udowadniał swoją tezę. Wymienił wszystko, co dobrego zrobiłam dla innych, ale żadnej z tych rzeczy nie robiłam dla siebie. Wniosek jest dosyć jasny – jeśli zaczęłabym dawać sobie to, co daję innym, moje życie stałoby się nieskończenie bogatsze. Uwaga i pomoc, jakie otrzymałabym z zewnątrz, stałyby się swego rodzaju bonusem. Wzięłam sobie tę radę do serca. Kupiłam sobie kwiaty do sypialni. Poszłam na masaż. Wypożyczyłam film, który zawsze chciałam obejrzeć. Zaopiekowałam się samą sobą. Znalazłam dla siebie czas. Zaczęłam odnosić się do siebie z szacunkiem i miłością. I wiesz co? Moje życie zmieniło się nie do poznania i zmieniło się na zawsze. To nie przypadek, że od tego momentu zaczęłam przyciągać do siebie ludzi kochających i wspierających. Stałam się szczęśliwsza. Poczułam się silniejsza. Zyskałam pewność siebie i siłę do podejmowania ryzyka i sięgania do gwiazd. Wiem, że może to brzmieć nieco głupio, niczym satyra *Dzięki Bogu już weekend*, ale to działa.

Zastanów się, jak dużo robisz dla swoich rodziców, dzieci, swojej partnerki lub najlepszego przyjaciela. Założę się, że swoim sąsiadom i współpracownikom pomagasz częściej niż samemu sobie. Chcę, abyś od teraz zaczął traktować siebie w dokładnie ten sam hojny i pełen miłości sposób. Zaobserwuj, jak bardzo zmieni się twoje podejście, motywacja i wygląd. Na korzyść oczywiście.

[2 punkty] •• Podkreślaj zło

Najmądrzejsza porada, jaką mogę ci dać, to: ignoruj nienawistnych. Któregoś razu Suze Orman powiedziała do mnie: „Psy szczekają, karawana idzie dalej". Nie pozwól więc, aby ludzie o ciasnych umysłach i zazdrośnicy powstrzymywali cię przed dążeniem do celu. Być może spotkałeś się też z powiedzeniem, że „sukces jest najlepszą zemstą"? Istnieją osoby, które czerpią wielką motywację z krytykantów i które podkręca możliwość udowodnienia, że ci, którzy mówią „nie, nie uda ci się" są w wielkim błędzie. Czy słuchałeś kiedykolwiek, jak Lady Gaga lub Katie Perry opowiadały o tym, jak bardzo często słyszały, że nie uda im się osiągnąć sukcesu? Teraz obie trafiły na same szczyty światowej kariery i sławy. Zarabiają tyle pieniędzy, że najpewniej nie mają pomysłu, na co je wydawać. Mogą teraz patrzeć z góry na tych, którzy nie pokładali w nich żadnej wiary.

Mój wspólnik również należy do tych, którzy nie dają sobie wmówić porażki. Uwielbia wręcz słyszeć, że coś się nie uda w jego życiu lub w firmie i traktuje to jako okazję do udowodnienia im, że nie mają racji. Jeśli nie jesteś w stanie uniknąć czyjejś krytyki i pesymizmu, wykorzystaj je. Zamiast pozwalać, aby cię deprymowały, pozwól im cię zmotywować do działań prowadzących do twojego sukcesu.

[2 punkty] •• Poproś o opinie

Jednym z najlepszych narzędzi, które można zastosować podczas udoskonalania któregokolwiek z obszarów naszego życia, jest „zatrudnienie" w swoim zespole mentora. To osoba, która nie tylko będzie cię wspierała w twoich działaniach, ale także dzieliła się z tobą wiedzą, której potrzebujesz, aby osiągnąć sukces. Ktoś, kto pokaże ci, w którym miejscu popełniasz błędy i w jaki sposób działać, aby je naprawić. Przez wiele lat byłam coachem dla wielu ludzi i jestem w stanie naprostować wieloletnie błędy w ciągu kilku sekund, ponieważ mam za sobą doświadczenie i wiedzę w zakresie zdrowego trybu życia.

Nie ma sensu w niepotrzebnym cierpieniu. Jeśli nie masz możliwości zatrudnienia kogoś do pomocy na stałe, warto pomyśleć o odbyciu sesji lub dwóch z trenerem osobistym lub dietetykiem. Niech profesjonalista oceni i przeanalizuje twoje dokonania. Zaproponują ci kilka niezbędnych poprawek i pomogą wykonać wielki krok do przodu, jeśli będzie to potrzebne. Mam oczywiście nadzieję, że znajdziesz w mojej książce wszystko, co jest ci potrzebne, jednak czasami mała osobista porada w specyficznej kwestii może wskazać ci dalszą właściwą drogę.

[1 punkt] • Bloguj

Zacznij pisać bloga, w którym będziesz opisywał swoje dokonania. Czytaj również blogi, które mogą cię zainspirować. Tak jak już wcześniej napisałam, czytanie historii sukcesów innych ludzi jest bardzo motywujące. Jeśli podzielisz się z innymi swoją historią, może to być swego rodzaju spłatą długu, jak również sposobem na otrzymanie wsparcia od osób przeżywających podobne doświadczenia i próbujących sprostać podobnym wyzwaniom.

MIT: Wysokofruktozowy syrop kukurydziany nie jest dla ciebie bardziej szkodliwy niż cukier stołowy.

FAKTY: BZDURA! Ludzie zajmujący się produkcją wysokofruktozowego syropu kukurydzianego (HFCS) próbują udowodnić, że jest on taki sam jak cukier. Chemicznie są one podobne, to prawda, jednak nasz organizm nie przetwarza ich tak samo. HFCS przetwarzany jest tylko przez wątrobę, podczas gdy cukier metabolizowany jest przez każdą komórkę naszego ciała. Dlatego też HFCS przyczynia się do otyłości, zwiększenia poziomu trójglicerydów, rozwoju cukrzycy, stłuszczenia wątroby i temu podobnych. Nie zrozum mnie źle, nie daję ci licencji na objadanie się cukrem – musisz stosować go z umiarem, jednak za wszelką cenę unikaj HFCS.

[1 punkt] • Bądź częścią zespołu

To niesamowite, jak wielkim wsparciem na twojej nowej drodze po szczupłą sylwetkę mogą być dla ciebie fora dyskusyjne i portale społecznościowe. Moja strona www.jillianmichaels.com ma wielu obserwatorów, którzy zakończyli już swoją walkę z otyłością, ale w dalszym ciągu subskrybują informacje znajdujące się w sieci – po to tylko, aby być w kontakcie z innymi, którzy wciąż są na drodze do wymarzonej figury. Środowisko internetowe ma tę przewagę, że możesz w nim pozostać anonimowy. Nie musisz się obawiać, że ktoś cię rozpozna i będzie oceniał twoje poczynania, a – co najważniejsze – osoby, które walczą o to samo, mogą się wzajemnie wspierać. To swego rodzaju krąg wsparcia koleżeńskiego, w którym możesz mieć swój istotny udział. Jak rozpocząć? To zależy tylko od ciebie. Przeszukaj sieć i znajdź swoje miejsce – w którym będziesz się czuł komfortowo – i poszukaj tam przyjaciół.

Jedz zdrowo i wpadnij w rytm

[3 punkty] ••• Posłuchaj specjalisty

Nic nie przeraża mnie bardziej niż rozmowa z lekarzem. Nie zapomnę chwili, kiedy dowiedziałam się, że znajduję się w grupie podwyższonego ryzyka zachorowania na raka piersi i że spożywanie alkoholu znacząco zwiększa to ryzyko. Moją reakcją było natychmiastowe niemalże całkowite odstawienie alkoholu.

Kiedy myślimy o lepszej figurze, nie mamy na myśli tylko wciskania się w świetne ubrania, prężenia muskułów na plaży i kochania się przy zapalonym świetle, bo przecież nie mamy żadnych mankamentów, które chcemy ukryć. Chodzi o coś znacznie ważniejszego, mającego wpływ na jakość naszego zdrowia, a co za tym idzie – życia. Spotkaj się z lekarzem i zaplanuj badania najważniejszych parametrów, które mogą mieć na to wpływ, takich jak poziom cholesterolu, cukru we krwi, ciśnienie, tętno spoczynkowe. Pozwól lekarzowi uświadomić ci niebezpieczeństwo wynikające ze złych wyników badań i korzyści, jakie mogą płynąć z utrzymania odpowiedniej wagi ciała.

[1 punkt] • To może być pyszne!

Czyż nie byłoby pięknie, gdyby zdrowe jedzenie, które pomoże nam zrzucić zbędne kilogramy, było smaczne? Jakże większa byłaby wtedy nasza motywacja… Ale czy ktoś kiedykolwiek powiedział, że tak nie może być? Istnieje całe mnóstwo pyszności, które pomogą zbudować smukłe i zdrowe ciało i wpłynąć korzystnie na nasz umysł (wskazówki do ich przyrządzania możesz znaleźć w rozdziale 3 tej książki). Bądź kreatywny. Pieczona brukselka może być tak samo pyszna jak purée ziemniaczane. Wszystko zależy od sposobu przyrządzania potraw. Zadaję ci zatem pracę domową – zacznij eksperymentować z przepisami, aż znajdziesz swoje perfekcyjne danie, i rozkoszuj się nim! Na dobry początek możesz wypróbować mój przepis:

Lodowa kanapka-odchudzanka – wartość energetyczna jednej sztuki – 120 kalorii

¾ filiżanki sera ricotta
1½ łyżki zmiksowanych malin (lub innych zmiksowanych owoców, które lubisz)
1 łyżka brązowego cukru
1 łyżka ciemnej czekolady (groszki)
16 czekoladowych krakersów grahamek

W niewielkiej misce wymieszaj ricottę, zmiksowane owoce i cukier. Następnie dodaj groszki czekoladowe. Osiem krakersów rozłóż na blasze do pieczenia i rozłóż na każdym z nich przygotowaną masę. Przykryj pozostałymi krakersami tak, aby stworzyć kanapki. Wstaw swoje dzieło do zamrażalnika minimum na cztery godziny. Po zamrożeniu zawiń każdą kanapkę w folię. Tak przygotowane możesz przechowywać w zamrażalniku przez tydzień.

[2 punkty] •• Osaczony!

Zacznij się otaczać obrazkami, które będą cię inspirowały do odchudzania. Przyklej je na lodówce, ustaw na ekranie monitora, połóż na desce rozdzielczej samochodu. Niech znajdują się w takich miejscach, które oglądasz zanim zdecydujesz się coś zjeść. Pamiętam, że gdy byłam nastolatką desperacko pragnącą wyglądać pięknie, przyglądałam się zdjęciu Lindy Hamilton z *Terminatora 2*. (Pamiętasz tę figurę? Jej ramiona przeszły do historii!) Za każdym razem, kiedy miałam ochotę sięgnąć po kawałek pizzy, spoglądałam na jej zdjęcie i szybko zmieniałam zdanie. Dziś patrzę na cudowne ciało 50-letniej Madonny, za które niejedna kobieta dałaby się pokroić. Efekt? Odkładam to dodatkowe ciasteczko czy kieliszek wina. Nie chcę, abyś przyzwyczaił się do czerpania motywacji z zewnątrz, jednak jest coś w tych historiach i zdjęciach, co może inspirować i pobudzać do określonych zachowań. Wyszukaj więc sobie osoby czy wizerunki, które mogą być ci pomocne w dotrzymywaniu „szczupłych" postanowień, i się nimi otaczaj.

[2 punkty] •• Ubierz się w sukces

Kup ubranie, w którym nigdy nawet nie próbowałeś sobie siebie wyobrazić. Takie rzeczy robiliśmy w programie *The Biggest Loser* i za żadne skarby nie mogę zrozumieć, dlaczego przestaliśmy. Uczestnicy wybierali sobie ubranie, które chcieliby kiedyś założyć, i umieszczaliśmy je dla nich w specjalnych gablotkach. Nie sugeruję, żebyś stworzył sobie świątynię w sypialni, ale możesz po prostu powiesić to ubranie na drzwiach tak, żeby co jakiś czas na nie spoglądać. Jeśli będziesz miał jakieś wątpliwości, czy poddać się temu wysiłkowi, spójrz na wymarzone ubranie i wyobraź sobie, jak możesz w nim wyglądać. Założę się, że od razu rzucisz się do walki z tłuszczykiem.

[2 punkty] •• Bądź znów jak dziecko

Kiedy myśl o zaplanowanym treningu staje się torturą, staram się znaleźć taki sposób na aktywność, jaki będzie dla mnie przyjemnością. Jedną z metod jest zabawa w dziecko. Kupuję sobie lekcję jazdy na snowboardzie, lekcję surfingu lub idę powiosłować. Tobie też to polecam. Przyjedź do pracy na deskorolce lub wsiądź na rower i jedź do miasta załatwiać swoje sprawy. Wybierz się z kumplami na kręgle. Wymyśl coś, co sprawi ci dziecięcą radość. Taka forma zabawy będzie świetna zarówno dla twojego ciała, jak i umysłu.

[2 punkty] •• Podziel się tym!

Jeśli chce ci się marudzić na samą myśl o wyjściu na trening, zrób z tego wydarzenie. Jak mawiają, nieszczęścia chodzą parami! Żartuję. Ale nie do końca. Partner w treningach potrafi przyspieszyć postępy. A jeśli naprawdę nie lubisz ćwiczyć, współodczuwanie jest lepsze niż walka w pojedynkę.

Jak to osiągnać:

- **Znajdź kumpla.** Może to być kolega z pracy lub rodzic, który – tak jak ty – odprowadza syna do szkoły. Może sąsiad, członek rodziny lub partnerka. Po prostu daj im znać, że biegniesz poszukać zdrowia, może ktoś będzie chciał poszukać go z tobą.
- **Dołącz do grupy biegaczy lub rowerzystów.** To świetny sposób na poznanie nowych ludzi, naukę nowych umiejętności i pozostanie fit.
- **Zainteresuj się sportami drużynowymi** – w twoim mieście lub w okolicy. Mogą to być zajęcia gry w kosza lub inne sporty drużynowe. Sprawdź w internecie, ile możliwości na ciebie czeka. Możesz być zaskoczony, jak wielu dorosłych ludzi uprawia sporty, które mogą cię zainteresować, i jak łatwo stworzyć drużynę, z którą będziesz trenował. Możesz założyć własną drużynę, jeśli żadna z aktywności dostępnych lokalnie nie przypadnie ci do gustu.
- **Idź na zorganizowane zajęcia.** Taka aktywność może się stać dla ciebie wydarzeniem kulturalnym i społecznym. Spójrz na przykład na zajęcia crossfitowe. Jeśli nawet nie wciągnie cię to całkowicie, to nadal jest to świetny sposób na motywację i spędzenie czasu z ludźmi.

[2 punkty] •• Daj się wciągnąć

Zacznij korzystać z gadżetów fitnessowych takich jak pulsometr, krokomierz czy wodoodporne słuchawki. Istnieje mnóstwo urządzeń, które będą cię na bieżąco informowały o postępach, motywowały, wspomagały treningi.

Możesz też pobrać na swoje urządzenie wszelkiego rodzaju aplikacje fitnessowe (na przykład aplikacja Slim-Down Solution do znalezienia na iTunes), które proponują ćwiczenia, przepisy, liczniki kalorii, itp. Uwielbiam aplikację Strava, która świetnie sprawdza się podczas jazdy na rowerze, albo Running Coach's Clipboard. Aplikacje to temat rzeka, jest ich nieskończenie wiele – do trenowania jogi, pilatesu, do tańca, gimnastyki i wielu, wielu innych. O czymkolwiek pomyślisz –

jest do tego aplikacja. Zaletą nie do przecenienia, jeśli chodzi o takie gadżety, jest fakt, że masz się czym bawić, a to z kolei cię ekscytuje, dzięki czemu z przyjemnością zaczynasz trenować. W bardzo wielu tego typu programach masz możliwość wprowadzania i monitorowania postępów na podstawie twoich danych, co jest dodatkową zachętą do ćwiczeń. Aplikacja Strava, której używam, informuje mnie, jaki dystans przejechałam rowerem, na jakim wzniesieniu i jak dużo czasu mi to zajęło. Podczas mojej następnej przejażdżki będę więc próbowała pobić swój własny rekord. Gadżety takie jak bransoletki monitorujące parametry twojego ciała informują cię, jak dużo kalorii spaliłeś w ciągu każdej minuty dnia. Ustalanie sobie celów z tego typu narzędziami przychodzi więc naturalnie. Jeśli wczoraj spaliłeś 1800 kalorii, z pewnością będziesz chciał spalić jutro 2000. To samonapędzająca się machina.

[2 punkty] •• Wczuj się w rytm

Stwórz sobie listę utworów, które będą towarzyszyć ci podczas treningów. Mówię bardzo poważnie. Badania pokazują, że osoby trenujące do swojej ulubionej muzyki mają lepsze wyniki sportowe (wkładają w sport o 10% więcej wysiłku i są w stanie trenować do 15% dłużej). W jednym z badań wzięło udział 2000 ankietowanych w USA i okazało się, że 94% przebadanych ćwiczących z muzyką nie wyobraża sobie treningów bez niej. Badanie wykazało również, że uczestnicy chętniej ćwiczą nawet wtedy, kiedy nie mają na to nastroju, ale mają świadomość, że będzie im towarzyszyć muzyka. Muzyka powoduje blokowanie wysyłania przez organizm sygnałów o zmęczeniu i zmniejszenie odczuwanego podczas ćwiczeń wysiłku.

Inne badanie, ukierunkowane na pomiar zbitej tkanki tłuszczowej, wykazało z kolei, że kobiety, które ćwiczyły z towarzyszeniem muzyki, straciły więcej kilogramów niż te ćwiczące bez niej. Ponadto kobiety korzystające ze wsparcia muzyki z większą konsekwencją trzymały się planu treningowego i rzadziej rezygnowały z ćwiczeń. Sama z własnego doświadczenia wiem, że muzyka zawsze mobilizuje mnie do szybszego i dłuższego treningu biegowego. Podczas ćwiczeń możesz oczywiście słuchać muzyki, która tobie daje największą motywację, jednak znów istnieje pogląd, że pewien określony rytm wpływa pozytywnie na nasze wyniki. Jest to tempo 140–160 uderzeń na minutę. Jeśli nie wiesz, co dokładnie to oznacza, możesz zapoznać się z taką muzyką na stronie runningplaylist.net. Znajdziesz tam ponad 100 list odtwarzania, z każdego gatunku. W każdym przypadku podane jest tempo muzyki. Dodatkowo każdego miesiąca umieszczam na mojej stronie internetowej nowe propozycje list, a mój partner biznesowy, Giancarlo, który pracuje również jako DJ, udostępnia dla moich fanów na Facebooku listy z możliwością ich pobrania. Sprawdź je i załaduj przed treningiem do swojego iPoda.

[1 punkt] • Podążaj za modą

Moda na pewne dyscypliny zmienia się bardzo dynamicznie, więc korzystaj z niej, aby nie popaść w rutynę. Spróbuj na przykład tańca towarzyskiego albo gry na bębnach. Dzięki temu twoje treningi będą nie tylko satysfakcjonujące, ale również pomogą uniknąć znudzenia. Ćwicz te same partie mięśni z wykorzystaniem różnych ćwiczeń i szukaj coraz to nowych inspiracji w czynnościach, które mogą stać się twoją pasją. Spraw, żeby każdy trening był dla ciebie nową przygodą.

MIT: Określone ćwiczenia mogą spowodować wydłużenie twoich mięśni.

FAKTY: Wydłużenie mięśni dorosłego człowieka jest fizycznie niemożliwe. Mięśnie mają swoje stałe punkty początkowego i końcowego przyczepu. Nawet jeśli czujesz się wyższy i szczuplejszy po zajęciach jogi lub pilatesu, wynika to najprawdopodobniej z faktu, że jesteś szczuplejszy i bardziej rozciągnięty. Jesteś sprawniejszy, co daje wrażenie, że mięśnie się wydłużyły.

[2 punkty] •• Bądź liderem

Nie chowaj się na zajęciach w tylnych rzędach. Zajmij miejsce na froncie. Będziesz musiał być przykładem, ponieważ inni będą ci się przyglądać i dzięki temu będziesz dodatkowo zmotywowany do wykonywania ćwiczeń. Magia tej zasady polega na tym, że nigdy się nie poddasz, mając świadomość, że jesteś obserwowany przez uczestników będących za tobą.

[1 punkt] • Uwieczniaj

Przed przystąpieniem do planu treningowego sfotografuj się (lub nakręć film). Rób to również w każdym miesiącu treningu i po jego zakończeniu. Dzięki temu sam będziesz mógł zauważyć swoje postępy i cieszyć się z osiągniętego sukcesu. To coś naprawdę istotnego. Jeśli miałeś okazję zapoznać się z moimi wcześniejszymi programami, na pewno zauważyłeś, że w każdym z nich nalegałam, aby uczestnicy uwieczniali swoje poczynania (było tak zarówno w 90-dniowym programie DVD Body Revolution, jak i w mojej książce *Making the Cut*). Dlaczego warto to robić? Zdjęcie sprzed rozpoczęcia twojej przygody może co prawda nie pasować do twojej tablicy z inspiracjami, ale z pewnością uświadomi ci, jak daleko zaszedłeś. Bardzo łatwo jest zapomnieć o tym, jak dużo dla siebie zrobiłeś. Może pojawić się tydzień, podczas którego twoja waga będzie stała w miejscu, dlatego bardzo ważne jest, abyś miał się do czego odnieść. Dzięki zdjęciu „starego siebie" przypomnisz sobie, z jakiego miejsca startowałeś, i to na pewno podniesie cię na duchu. To bardzo dobry sposób weryfikowania twoich postępów i przypomnienia sobie, dlaczego postanowiłeś przejść na zdrową ścieżkę życia.

[3 punkty] ••• Zastosuj metodę kija i marchewki

Każdy etap możesz zakończyć nagrodzeniem siebie za swoje wysiłki. Znajdź coś, na co będziesz czekał z niecierpliwością, dzięki czemu twoja motywacja zdecydowanie wzrośnie. To może być konkretna nagroda, na przykład wyjazd na letnie wakacje, lub coś małego, jak nowa gra komputerowa. Niech nagroda, którą sobie przyznasz, będzie adekwatna do wyznaczonego celu, który osiągniesz. Jeśli na przykład zrzucisz ostatnie zaplanowane 9 kilogramów, zafunduj sobie letnie wakacje, o których od zawsze marzyłeś.

[1 punkt] • Zrób przy okazji coś dobrego dla innych

Wielu moich przyjaciół zadeklarowało chęć udziału w biegu charytatywnym. Ja również zrobiłam coś dobrego – wzięłam udział w Stand Up to Cancer Malibu Triathlon. Jeden z moich przyjaciół jeździł w AIDS Ride. Jeszcze inny przejechał na rowerze 160 km w Livestrong, aby przyczynić się do zwiększenia funduszy na walkę z rakiem. Nieważna jest forma – najważniejsze jest to, że zapisując się na tego typu imprezę, czujesz się zobligowany i dodatkowo zmotywowany, bo robisz to dla tak zwanej „sprawy".

[1 punkt] • Wyjdź na prostą

Jednym z najgorętszych trendów w ostatnim czasie w fitnessie jest możliwość wzięcia udziału w wydarzeniu, podczas którego możesz sprawdzić swoją formę i wytrzymałość fizyczną. Być może słyszałeś o The Warrior Dash (www.warriordash.com), The Spartan Race (wwww.spartanrace.com) lub Tough Mudder (www.toughmudder.com). To tylko kilka przykładów. Pomyśl, czy nie chciałbyś wziąć udziału w tego typu wydarzeniu. Założeniem takich imprez jest wyznaczenie sobie celu, który zmotywuje cię do osiągnięcia najlepszego wyniku i przekroczenia własnych granic. Takie wyzwania nie są przeznaczone dla wszystkich, jednak jeśli jesteś nastawiony na cel i kochasz wyzwania, znajdź zawody odpowiednie dla siebie i zacznij się do nich przygotowywać. Upewnij się jednak, że wybierzesz zawody, w których możesz dać z siebie dużo i masz odpowiednio dużo czasu, aby się do nich dobrze przygotować i zakończyć je z dobrym wynikiem.

[1 punkt] • Zadedykuj swój wysiłek

Ta dewiza całkiem dobrze sprawdza się w przypadku uczestników programu *The Biggest Loser*. Pomagałam im budować motywację poprzez zadedykowanie swojego treningu czemuś lub komuś bardzo dla nich ważnemu. Ty też tego spróbuj. Możesz na przykład zadedykować kilometr biegu swojemu synowi lub zrobić serię ćwiczeń w hołdzie swojej partnerce. Oczywiście ty sam powinieneś być dla siebie największą motywacją, pamiętaj jednak, że im szczuplejszy i zdrowszy będziesz, tym lepszym ojcem, mężem, przyjacielem, synem i współpracownikiem będziesz dla ludzi, którzy odgrywają ważne role w twoim życiu.

[2 punkty] •• Pozwól, aby kierowała tobą miłość

Zbierz inspirujące zdania od ludzi, których kochasz, i umieść je na wyświetlaczu bieżni. Zrób zdjęcie swojej ukochanej i umieść je w telefonie, z którego korzystasz podczas treningów. Ja zawsze spoglądam na zdjęcia moich dzieci. Robię im zdjęcia, a następnie biorę swojego iPhone'a i idę na trening. Widzę ich słodkie buźki i zdaję sobie sprawę, że muszę żyć dla nich jak najdłużej.

[2 punkty] •• Małe kroczki

Pamiętasz film *Co z tym Bobem?* (do diabła, jesteś za młody, by go pamiętać!). Jeśli zdarzy ci się gorszy dzień, kiedy nie będziesz nawet potrafił sobie wyobrazić pójścia na siłownię, spróbuj przeprowadzić dialog z samym sobą. Ustalcie z twoim drugim „ja", że dziś przebiegniesz tylko 1,5 kilometra na bieżni lub tylko przez 20 minut będziesz robił trening obwodowy na siłowni. Wstań i idź! A kiedy już tam dotrzesz i poczujesz, jak krew szybciej płynie w twoich żyłach, a endorfiny uwalniają się w twoim organizmie, na pewno zechcesz dać z siebie więcej i poćwiczyć jeszcze 15 minut zanim skończysz. Byłam tego świadkiem wielokrotnie. Odpuść sobie i pozwól zrobić mniej, a przekonasz się, że zrobisz więcej, niż się spodziewałeś.

PODLICZ SIĘ I ZRZUĆ TO

Przyznaj sobie 3 punkty

☐ Personalizuj
☐ Ustal plan działania
☐ Ujrzyj moc piramidy
☐ Namaluj obraz
☐ Nie bądź perfekcjonistą
☐ Scenografia
☐ Ogłoś to
☐ Mów o swoich potrzebach
☐ Wsparcie jest dwukierunkowe
☐ Oczyść swój dom – nienawistni muszą odejść
☐ Ustal granice
☐ Zaopiekuj się sobą
☐ Posłuchaj specjalisty
☐ Zastosuj metodę kija i marchewki

Przyznaj sobie 2 punkty

☐ Wyjdź ze schematu
☐ Podkreślaj zło
☐ Poproś o opinie
☐ Osaczony!
☐ Ubierz się w sukces
☐ Bądź znów jak dziecko
☐ Podziel się tym!
☐ Daj się wciągnąć
☐ Wczuj się w rytm
☐ Bądź liderem
☐ Pozwól, aby kierowała tobą miłość
☐ Małe kroczki

Przyznaj sobie 1 punkt

☐ Obnażenie
☐ Przeżyj czyjąś historię
☐ Znajdź swoją mantrę
☐ Bloguj
☐ Bądź częścią zespołu
☐ To może być pyszne!
☐ Podążaj za modą
☐ Uwieczniaj
☐ Zrób przy okazji coś dobrego dla innych
☐ Wyjdź na prostą
☐ Zadedykuj swój wysiłek

_____ **Suma punktów z rozdziału 5**

_____ **Liczba rad, które wprowadziłem w życie**

ROZDZIAŁ 6

OMIJAJ PRZESZKODY

Nie masz czasami wrażenia, że wszystkie przeciwności losu sprzysięgły się przeciwko tobie? Nie chciałabym cię zniechęcać ani wpędzać w paranoję, jednak muszę cię przestrzec, że czasami rzeczywiście tak jest, szczególnie kiedy walczymy z nadwagą. Znalezienie czasu, ustalenie grafiku, który często jest sprzeczny z naszym standardowym planem dnia, zorganizowanie funduszy, które przeznaczysz na to przedsięwzięcie – wszystko to może stanowić pewne utrudnienie dla chcących zrzucić kilka zbędnych kilogramów. Jeśli jednak obierzesz odpowiednią strategię i wykorzystasz do tego właściwe narzędzia, możesz uniknąć wszystkich tych przeszkód.

Zanim przejdę do rzeczy, muszę cię uświadomić, że walka jest czymś naturalnym. Często nas zawstydza i powoduje, że w pewnym sensie czujemy się gorsi. Nachodzą nas myśli, że gdybyśmy byli silniejsi, to droga do celu nie byłaby takim problemem, lub gdybyśmy byli bardziej zdyscyplinowani, to walka nie byłaby dla nas tak wykańczająca. Bzdura! Walka jest wpisana w nasze życie. Najważniejsze jest to, w jaki sposób do niej podejdziesz. I nie załamuj się – siła i dyscyplina są świetne, ale jeśli nie masz odpowiedniego podkładu teoretycznego i wiedzy, jak się za to zabrać – tak czy owak masz przerąbane. Mam nadzieję, że po przeczytaniu tego rozdziału będziesz uzbrojony w kompletną wiedzę, żeby walczyć ze wszystkimi demonami w najbardziej efektywny sposób.

Rozpocznijmy tę część książki od największych pułapek w walce o sylwetkę – głodu i łakomstwa. Uzbroję cię we wszystkie możliwe porady i propozycje działań, jakie możesz podjąć, żeby odsunąć od siebie wszystkie demony czyhające na ciebie w walce z nadwagą (inne niż operacje i medykamenty, bo te akurat nie są dobrym sposobem walki).

RADZENIE SOBIE Z GŁODEM

[3 punkty] ••• Przemyśl to

Wśród Anonimowych Alkoholików funkcjonuje zasada „Pomyśl zanim wypijesz". Zanim sięgniesz po kieliszek, zastanów się, co się może wydarzyć, jeśli rzeczywiście się napijesz, nawet odrobinkę. Taka zasada działa równie doskonale w przypadku obżarstwa. Zanim zaczniesz szaleć z jedzeniem, przemyśl to bardzo dokładnie z szerszej perspektywy. Jak będziesz się czuł kilka minut po zjedzeniu? A jak będziesz się czuł następnego dnia rano? Zastanów się też, jak to będzie wyglądało za rok, kiedy będziesz musiał poradzić sobie ze świadomością, że spalenie ogromnej ilości nadmiernych kalorii poszło na marne, bo w efekcie przytyłeś jeszcze więcej? Takie podejście zawsze zniechęca mnie do sięgnięcia po niepotrzebną przekąskę.

[3 punkty] ••• Zrób rachunek sumienia

Bardzo często ludziom wydaje się, że są głodni, podczas gdy w rzeczywistości tak nie jest. Jeśli nie jesteś pewien, co wywołuje u ciebie chęć zjedzenia czegokolwiek, zadaj sobie poniższe pytania:

1. Kiedy ostatnio coś zjadłem?
2. Czy odczuwam fizyczne objawy głodu, takie jak zamroczenie, wahania nastroju, burczenie w brzuchu?
3. Czy mam problemy z podejmowaniem decyzji? Zwariowałem?

Jeśli w ciągu minionych trzech godzin zjadłeś treściwy posiłek i nie odczuwasz żadnych fizycznych objawów głodu, może to oznaczać, że... nie jesteś głodny! Idąc dalej, zastanów się, co innego może być przyczyną takiego stanu. Może jesteś zestresowany, znudzony, czujesz się samotny lub po prostu jesteś zły? Spisz na kartce wszystkie swoje odczucia i dopisz do nich ich możliwe przyczyny. Spróbuj następnie rozwiązać te problemy w bardziej adekwatny sposób. Jedzenie nie jest sposobem na wszystkie problemy.

[3 punkty] ••• A może jestem spragniony?

Mylenie odwodnienia z głodem nie jest rzadkością. Jeśli poczujesz głód, wypij szklankę wody, aby się upewnić, że nie jesteś odwodniony. Jeśli po 15–20 minutach nadal będziesz odczuwał głód – zjedz coś. Pamiętaj o podstawowej zasadzie: najpierw wypij, później zjedz. Dzięki temu unikniesz nadmiernych kilogramów.

[3 punkty] ••• Wykrzycz to

Jeśli masz ochotę zjeść coś, czego zjedzenia będziesz później żałował, to zanim bezmyślnie sięgniesz po wielką paczkę chipsów, zrób stopklatkę, zatrzymaj się i krzyknij: „Zjem całą tę paczkę chipsów z nudów, bo jestem smutny i zły (wstaw tu wszystkie emocje, które przychodzą ci do głowy), ale nawet nie odczuwam głodu. Wiem, że będę pluł sobie za to w brodę. Świadomie podejmuję decyzje, które tylko pogarszają stan mojego zdrowia i niweczą moje aspiracje". Jeśli skorzystasz z tej porady, jest bardzo duża szansa, że lepiej przemyślisz swoje decyzje. Czasami otwarte stawianie sprawy wyrywa cię z nieświadomości i chroni przed impulsywnymi odruchami, które nie mają nic wspólnego z logiką.

[2 punkty] •• Spuść z tonu

Badania przeprowadzone przez „American Journal of Clinical Nutrition" dowodzą, że jeśli dokładnie i powoli przeżuwasz podczas jedzenia, twój organizm pochłania około 12% mniej kalorii, niż gdy łapczywie przełykasz każdy kęs. Twoje ciało dostaje sygnał o sytości dopiero po około dwudziestu minutach od zjedzenia. Na pewno o tym wiedziałeś, ale być może nie zastanawiałeś się, jak bardzo korzystnie może wpływać na ciebie wolniejsze jedzenie. Dzięki temu szybciej poczujesz się najedzony – zanim zdążysz pochłonąć całą pizzę. Mam dla ciebie kilka trików na zwolnienie tempa jedzenia i uniknięcie rosnącego brzuszka:

• Jedz lewą ręką (jeśli jesteś praworęczny).
• Przeżuwaj każdy kęs do momentu, aż jedzenie będzie konsystencją przypominało mus jabłkowy.
• Między kęsami wypij mały łyk wody.

- Jedz rzeczy, które wymagają czasu, np. pistacje albo krewetki, które będziesz musiał najpierw obrać.
- Pokrój porcję na małe kawałeczki.

Część z tych sposobów może ci się wydać śmieszna lub wręcz kompromitująca, ale jakież to ma znaczenie w obliczu wyjścia na piątkową imprezę w wymarzonym, ukazującym muskulaturę podkoszulku.

[3 punkty] ••• Gratisowe wartości odżywcze

Zastanawiałeś się kiedyś nad jednym jedynym marzeniem, które chciałbyś, aby się spełniło. Ja zawsze marzyłam o tym, żeby móc zjeść cokolwiek zapragnę i nie przytyć przy tym ani kilograma. Niestety do tej pory nie udało mi się spełnić tego marzenia. Są jednak rzeczy, które można nazwać gratisowym jedzeniem. Przynajmniej jeśli chodzi o twoją wagę. Mam tu na myśli produkty o wysokiej zawartości błonnika, wody, napakowane wartościami odżywczymi, a jednocześnie bardzo niskokaloryczne – do których strawienia twoje ciało zużywa niemalże tyle kalorii, ile ich one zawierają. Jestem ich wielką fanką, ponieważ można po nie sięgnąć zawsze, kiedy jesteś głodny, i jeść je dosłownie w takich ilościach, w jakich tylko chcesz (oczywiście zakładając, że nie dodasz do nich żadnych tłustych sosów, tłuszczów i dressingów), nie przybierając przy tym na wadze.

Jakie produkty mam na myśli:

Warzywa liściaste	Zielony groszek
Papryka	Jicama
Brokuły	Kapusta włoska
Brukselka	Sałata
Kapusta	Grzyby
Kalafior	Groch
Seler	Cukinia
Świeże ogórki	

Jesteś pewnie rozczarowany, bo spodziewałeś się, że piszę tu o nowym odkryciu ciasta bez ani jednej kalorii lub czegoś podobnego, a nagle podaję ci listę produktów godnych najwyżej królika. Jednak dzięki takim produktom udało mi się przetrwać niejedną noc, kiedy odczuwałam głód. Kiedy przestaję panować nad swoim apetytem, będąc na obiedzie, zamawiam na przykład szpinak z cytryną, zieloną fasolę lub brukselkę gotowaną na parze (zanurzoną w gorącym sosie) i oto mam fantastyczną kompozycję obiadową. Na koniec tylko odrobina deseru i w ten właśnie sposób udało mi się pokonać wielki głód bez pakowania w siebie kosmicznej ilości kalorii.

MIT: Niektóre produkty zawierają „złe kalorie".

FAKTY: Przed chwilą mówiłam o tak zwanych gratisowych produktach, które są idealnym sposobem na ograniczenie apetytu. Jednak teoria, z którą się tu rozprawiam, mówi, że twój organizm zużywa do ich strawienia więcej kalorii, niż ilość faktycznie znajdująca się w tych produktach, tak więc dzięki temu, że je spożywasz, spalasz dodatkowe kalorie. To nieprawda. Te produkty naprawdę mają niezwykle niską wartość kaloryczną i *de facto* możesz ich zjeść tak dużo, jak tylko chcesz, nie przybierając ani kilograma, jednak trawienie ich nie powoduje ubytku nagromadzonych przez ciebie kalorii.

[3 punkty] ••• Zapamiętaj te zasady

Wybacz mi, że znów do tego wracam, ale to należy powtarzać w nieskończoność, ponieważ nieprzestrzeganie tej zasady może spowodować wielkie potknięcie. NIE POMIJAJ POSIŁKÓW, a w szczególności śniadania! Wspominałam już o tym w rozdziale 1, kiedy mówiłam o zasadzie 4×4. Pomijając posiłki, zaburzasz poziom cukru we krwi, co prowadzi do utraty sił, a z fizjologicznego punktu widzenia sprawia, że każde jedzenie smakuje dużo lepiej. To oczywiście prowadzi do zjedzenia zbyt dużej ilości złych produktów. Nie bądź kretynem. Nie pomijaj posiłków.

[1 punkt] • Rozchmurz się

Badania sugerują, że gdy jesteś szczęśliwszy, masz mniejszą tendencję do przejadania się. Studia nad wpływem nastroju na wybory dotyczące jedzenia wykazały, że uczucie złości może zwiększyć nawyk łapczywego jedzenia. Inne badania, w których obserwowano reakcje emocjonalne uczestników podczas oglądania smutnych i wesołych filmów, dowiodły, że oglądanie smutnego filmu zwiększało wśród uczestników chęć jedzenia niezdrowych produktów, takich jak na przykład maślany popcorn. Dla porównania osoby oglądające wesoły film jadły po pierwsze mniej, a po drugie wybierały zdrowe produkty. Kolejne badanie, przeprowa-

MIT: Treningi sprawiają, że jesz więcej.

FAKTY: Wiele badań wykazuje, że jest wprost przeciwnie: ćwicząc, hamujesz chęć spożywania. W 2012 roku naukowcy wpadli na pewien trop, badając wpływ treningów na nasze hormony odpowiedzialne za głód. Zdaje się, że związek między tymi hormonami i odpowiedziami mózgu jest uzależniony od RODZAJU wykonywanych ćwiczeń. Badania przeprowadzone w Wielkiej Brytanii pokazały, że treningi cardio są bardziej efektywne niż te oporowe, jeśli brać pod uwagę powstrzymanie głodu w ciągu dwóch godzin po zakończonych ćwiczeniach. Ma to związek ze zmianami hormonalnymi podczas wydzielania się greliny i peptydu YY. Grelina jest hormonem stymulującym głód i jej wydzielanie zmniejsza się podczas wykonywania obu rodzajów ćwiczeń, jednak wydzielanie peptydu YY jest zmniejszone tylko podczas treningu cardio. Badania z 2012 roku opublikowane w „Journal of Applied Physiology" mówią, że organizm znacznie słabiej reaguje na bodźce w postaci jedzenia po wykonaniu ćwiczeń. Udowodniono, że ćwiczenia mogą zmniejszyć ochotę na jedzenie, zmieniając reakcje poszczególnych części mózgu na widok jedzenia. Podsumowując, nie obawiaj się treningów! Dzięki nim będziesz jadł mniej i spalał nadmiar kalorii.

dzone w 2010 roku na University of Southampton w Wielkiej Brytanii, ujawniły, że zły nastrój zwiększa ochotę na jedzenie, jak również chęć wynagrodzenia sobie złego nastroju jedzeniem właśnie. Jestem pewna, że każdy z nas tego doświadczył.

Tak, tak, wiem, łatwiej powiedzieć, niż zrobić – bądź wesoły. Każdy z nas miewa gorsze dni, ale włożenie odrobiny wysiłku w poprawienie sobie nastroju, wywołanie uśmiechu, zrobienie czegoś, co kochasz, może pomóc w ograniczeniu apetytu. Pozytywne usposobienie nie tylko pomoże w walce z nadprogramowymi kilogramami, ale również pomoże utrzymać odpowiednią wagę. Nawet w najgorszym dniu jesteś w stanie znaleźć coś dobrego, co ci się przytrafiło. Przed sięgnięciem po tego batonika skup się na wszystkim, co ci się tego dnia udało. To nie musi być nic wielkiego, ale i tak zadziała i poprawi ci nastrój.

[2 punkty] •• Rusz w drogę

Artykuł opublikowany w czasopiśmie „Appetite" wskazuje, że 15-minutowy spacer może powstrzymać cię przed sięgnięciem po przekąskę. Tak więc kiedy następnym razem będziesz miał ochotę na lody, skocz na spacer zamiast pakować w siebie tony kalorii, których z pewnością będziesz później żałował. Nieważne jaką formę wybierzesz. Po prostu to zrób. Ja sama długo nie mogłam się do tego przekonać, ale postanowiłam spróbować i w większości przypadków ten system zadziałał. Jeśli będziesz chciał ograniczyć głód – zacznij się ruszać. Tylko nie idź do najbliższego fast fooda czy marketu!

[1 punkt] • Orzechowy zawrót głowy

Przed posiłkiem zjedz pięć orzechów włoskich lub migdałów (około 65 kalorii), aby pobudzić produkcję cholecystokininy – hormonu spowalniającego proces czyszczenia się twojego brzucha. Dzięki takiej sztuczce będziesz odczuwał sytość przez dłuższy czas po posiłku. Pamiętaj jednak, że orzech włoski ma około 15 kalorii, a migdał około 8, więc rozdziel to odpowiednio do swojego dziennego planu kalorycznego.

[1 punkt] • Chłodno, chłodniej, szczuplej

Istnieją dowody na to, że chłodne kolory zmniejszają apetyt, a ciepłe go zwiększają. Dlatego właśnie wszystkie lokale oferujące fast foody pomalowane są na kolor żółty, pomarańczowy i czerwony. Witajcie, „złote" łuki. Firmy wykorzystują te chwyty, aby zrujnować twoją dietę i zgarnąć trochę twoich pieniędzy. Ty możesz posłużyć się tą samą bronią, aby osiągnąć odwrotny skutek. Używaj niebieskich talerzy. Pij z fioletowych kubków. Pomaluj kuchnię na zielono... no dobrze, może to zbyt duże szaleństwo (mogłoby cię przytłoczyć), ale możesz na przykład przy następnym posiłku skorzystać z zielonych podkładek pod talerze i skomponować je z niebieskimi talerzami i sztućcami. To będzie zdecydowanie łatwiejsze.

[3 punkty] ••• Czego oczy nie widzą, tego sercu nie żal

Usuń jedzenie ze swojego pola widzenia. Głód ma tu mniejsze znaczenie niż siła woli. To naturalne, że sięgamy po jedzenie, które stoi tuż pod naszym nosem. To niesamowite, jak wiele razy podczas spotkania z przyjaciółmi utrzymywałam, że nie jestem głodna, ale gdy zobaczyłam ich jedzących, natychmiast miałam ochotę coś zjeść. Dobrze obrazuje to również przykład ciasteczek, które trzymamy z Bobem w naszej garderobie. Jeśli leżą na stole, zjadamy je w ciągu tygodnia. Jeśli jednak schowamy je w szafce, mogą tam leżeć miesiąc i nawet ich nie otworzymy.

Pamiętaj: Czego oczy nie widzą, tego sercu nie żal... i ustom też.

[3 punkty] ••• Ustal plan awaryjny

Nie wiem co prawda, w jakiej części świata się znajdujesz, ale tu w Kalifornii każdy z nas posiada „plan awaryjny na wypadek trzęsienia ziemi". W razie takiego zdarzenia każdy z nas wie, co robić, gdzie się udać, jak dużo wody, pieniędzy i jedzenia w puszkach przygotować. Podobnie chciałabym, żebyś wytropił wszelkie niebezpieczeństwa czyhające na ciebie w twoim planie odchudzającym i przygotował się na ich nadejście.

Chciałabym, żebyś poczynił następujące działania:

1. Przyjrzyj się swojemu życiu i ustal, gdzie rodzą się trudności i w jaki sposób ty sam sabotujesz swoje plany odchudzające.
2. Spisz to wszystko.
3. Dla każdego zagrożenia przygotuj plan awaryjny, który zastosujesz, jeśli którekolwiek z tych zagrożeń się pojawi. Dzięki temu, zamiast uciekać do jedzenia, będziesz miał gotowy spis czynności, które musisz wykonać, aby pokonać problem.

Jeśli na przykład jesz zawsze wtedy, gdy jesteś zestresowany, spisz listę sposobów na uspokojenie się, które nie są powiązane z jedzeniem (weź kąpiel, znajdź nowe utwory do swojej listy odtwarzania podczas treningów, zajmij się swoją pasją). Jeśli wakacyjny wyjazd do rodziny zawsze wprowadza cię w zły nastrój i sięgasz po jedzenie, postaraj się, aby jeden z twoich przyjaciół czuwał zawsze pod telefonem na wypadek, gdybyś potrzebował „przegadać" ten temat. Jeśli jesz, gdy dokucza ci samotność, staraj się spotykać z przyjaciółmi jak najczęściej, aby unikać siedzenia w pustym domu, w którym jedynym twoim przyjacielem jest lodówka. Na pewno słyszałeś powiedzenie „Kto nie planuje, ten planuje porażkę". Obierz więc strategię.

[1 punkt] • Przewiń to

Przewijaj reklamy telewizyjne promujące jedzenie. Reklama pizzy Papa John cholernie na mnie działa za każdym razem. Najlepszą obroną jest po prostu ich nie oglądać, albo – co najlepsze – wykorzystać czas reklam na ćwiczenia. Obecnie każda przerwa reklamowa podczas twojego ulubionego programu telewizyjnego trwa około 4 minut. Rób więc brzuszki przez czas trwania pierwszej reklamy, podczas drugiej zrób wypady, później pajacyki, a na końcu pompki. Teraz trochę matematyki. Twój ulubiony program trwa godzinę, a więc ćwiczyłeś przez jakieś 20 minut – całkiem niezły wynik w porównaniu z leniwym siedzeniem na kanapie.

[1 punkt] • Podgrzej to

Pikantne jedzenie może zmniejszyć twój apetyt poprzez podniesienie poziomu noradrenaliny i adrenaliny we krwi. Kanadyjscy uczeni dowiedli, że osoby, które zjadły przystawkę z pikantnym sosem, przyjęły o 200 kalorii mniej od osób, które nie spożyły niczego pikantnego przed posiłkiem. Inne badania, przeprowadzone przez „British

MIT: Im więcej się pocisz, tym więcej kalorii spalasz.

FAKTY: Pocenie się jest sposobem na obniżenie temperatury ciała. To wszystko. Spalisz więcej kalorii, jeśli będziesz trenował intensywniej, ponieważ twoje mięśnie będą wykazywały wtedy większy wysiłek, a twoje serce będzie biło szybciej. Jeśli będziesz się intensywniej pocił, możesz odnieść wrażenie, że ćwiczysz z większym wysiłkiem, jednak niekoniecznie w tym rzecz. W niektórych przypadkach jest wprost przeciwnie. Przykładem może być hot joga. Zgodnie z zaleceniami szkoły Bikram's Yoga College w sali, w której ćwiczymy jogę, powinna być utrzymywana temperatura 40 stopni. To całkiem gorąco, a mimo to wielu instruktorów podkręca temperaturę jeszcze bardziej, bo do 45 stopni. Hot joga zyskała sławę już jakiś czas temu i jej miłośnicy zaświadczają o jej korzyściach, jednak wykonywanie ćwiczeń w tak ekstremalnych warunkach może osłabić twój organizm, odwodnić go, spowodować zawroty głowy i zmęczenie... ale cóż, przecież się pocisz! Dla porównania, jeśli ćwiczysz jogę w sali, w której temperatura utrzymana jest na bardziej naturalnym poziomie, jesteś w stanie wkładać w ćwiczenia zdecydowanie więcej wysiłku i mimo że nie pocisz się tak bardzo, spalasz dużo więcej kalorii niż na zajęciach w szkole Bikram. Podobnie rzecz ma się w przypadku trenowania w stroju „sauna suit" lub w upalną pogodę. Aby rzeczywiście spalać tłuszcz, powinieneś trenować w optymalnych dla siebie warunkach, abyś był w stanie ćwiczyć na najwyższym poziomie intensywności odpowiednim dla ciebie.

Journal of Nutrition", pokazały, że kobiety, które dodawały do swojego jedzenia dwie łyżeczki ostrej papryki, przyjmowały w ciągu całego dnia mniej kalorii. Zamawiając jedzenie w hinduskiej czy chińskiej restauracji, poproś, aby dania były pikantne. Dodaj trochę ognia do swojego talerza na co dzień, a zobaczysz, jaką przyniesie to korzyść.

[1 punkt] • Trenuj jogę

Joga jako sposób walki z otyłością? Tak! Regularne treningi mogą doprowadzić do zmniejszenia apetytu, a więc do utraty wagi. Zgodnie z wynikami badań opublikowanymi w „Journal of the American Dietetic Association" osoby regularnie trenujące jogę mają większą świadomość swoich nawyków żywieniowych. Naukowcom nie udało się znaleźć takiej zależności w przypadku innych form aktywności fizycznej, jak marsze czy bieganie. Takie obserwacje mogą doprowadzić do wniosku, że uczenie się siebie i obserwacja własnego organizmu podczas zajęć jogi prowadzi do większej samoświadomości, do świadomych wyborów żywieniowych, co z kolei ma swoje odzwierciedlenie w walce z nadwagą – i dzieje się to niezależnie od wszelkich aktywności fizycznych. Jeśli więc chcesz zapanować nad swoim bezmyślnym obżarstwem, do swojego harmonogramu treningowego dodaj zajęcia jogi.

[2 punkty] •• Zacznij od zupy

Powstrzymaj głód, rozpoczynając posiłek od filiżanki zupy – rosołu lub bulionu z warzyw. Możesz dzięki temu położyć kres tendencji do przejadania się. Po wypiciu zupy odczekaj 10–15 minut zanim zaczniesz jeść główny posiłek, a przekonasz się, że zjesz mniej. Jeśli przygotowujesz własny bulion warzywny bogaty w potas i niskosodowy, używaj ekologicznych warzyw: szparagów, cukinii, fasoli szparagowej, selera – szczególnie naciowego. Stosuj wszelkiej maści zieleninę, koniecznie pietruszkę, która działa moczopędnie. Nie używaj soli. Pamiętaj o naturalnych przyprawach, takich jak pieprz czarny czy cayenne, kurkuma, musztarda w proszku, sok z cytryny. To będzie świetny początek posiłku w postaci sycącego i ograniczającego apetyt startera.

MIT: Dzięki ćwiczeniom pozbędę się złych nawyków żywieniowych.

FAKTY: Możesz jeść, co tylko zechcesz, niezależnie od ilości wykonywanych ćwiczeń, ale musisz to przemyśleć. Spędzając godzinę na bieżni, możesz spalić 500 kalorii. To spory kawałek pizzy. Aby zobaczyć jakiekolwiek efekty, musisz połączyć ćwiczenia z odpowiednią dietą. Jeśli robisz tylko jedną z tych rzeczy, są szanse, że nie przytyjesz, ale raczej nie spodziewaj się, że stracisz na wadze. Aby mieć pewność, że odniesiesz sukces, stwórz solidne podstawy. A te oznaczają odpowiednią dietę połączoną z treningami.

POKONAĆ ŁAKNIENIE

Nie myl głodu z łaknieniem. To dwie zupełnie różne rzeczy. Nawet jeśli nie czujesz głodu, możesz czuć łaknienie – najczęściej jest to pragnienie zjedzenia czegoś słonego lub słodkiego. Jeśli będziesz traktował łaknienie jak głód, będziesz jadł i jadł bez końca, mając nadzieję, że głód zniknie – ale to na nic. Poniższa część książki nakierowana jest na pokonanie łaknienia, tak abyś nie zaprzepaścił całej swojej ciężkiej pracy.

Unikanie obżarstwa

[3 punkty] ••• Zagraj w grę o sumie zerowej

Pomyśl o tej pyszności, którą chciałbyś zjeść, i zastanów się, ile godzin ćwiczeń będziesz musiał poświęcić, aby to spalić. Pomocna może okazać się w tej sytuacji aplikacja obliczająca ilość kalorii. Wyobraź sobie teraz, że przy INTENSYWNYM wysiłku będziesz spalał około 10 kalorii w ciągu minuty. Pozwól, że posłużę się przykładem: na przystawkę zjesz „kwitnącą cebulę", która ma około 1800 kalorii. Musiałbyś zatem biec z prędkością około 11 km/h przez jakieś 3 godziny, aby spalić tę pyszną cebulkę. To prawie jak maraton. Zawsze gram w tę grę. To zadziwiające, z jaką łatwością można pozbyć się chęci jedzenia w fast foodach. Półtorej godziny intensywnego treningu obwodowego za jednego niewinnego Big Maca? Nie, dziękuję.

[1 punkt] • Czas na herbatkę

Ta sztuczka została zapoczątkowana przez modelkę Naomi Campbell. Powiada ona, że jej metodą na pozbycie się głodu i pragnienia jest sączenie herbaty. Istnieje wiele argumentów, które wyjaśniają, dlaczego to działa. Po pierwsze, wiele herbat zawiera kofeinę, która jest naturalnym supresantem apetytu. Weźmy na przykład zieloną herbatę. Badania wykazały, że nie tylko zmniejsza apetyt, ale również dodaje energii, pomaga spalić do 4% więcej kalorii, przyspiesza utlenianie tłuszczu (a więc jego spalanie). Herbaty ziołowe (bezkofeinowe) również mogą okazać się pomocne w walce z otyłością, ponieważ niektóre zioła wykazują właściwości metaboliczne.

Oto kilka moich propozycji:

PROPOZYCJE ZIOŁOWE
1. **Mniszek lekarski (mlecz).** Hamuje apetyt na słodycze i wzmaga metabolizm, przepłukuje nerki i pomaga w leczeniu dolegliwości trawiennych. Herbatę z mniszka lekarskiego możesz dostać w osiedlowym sklepie lub zrobić ją samodzielnie z korzenia rośliny.
2. **Żeń-szeń syberyjski.** Pomaga ustabilizować poziom cukru we krwi, co z kolei korzystnie wpływa na pohamowanie łaknienia i ograniczenie apetytu. Osoby mające w przeszłości problemy z ciśnieniem powinny ograniczyć ilość spożywanego żeń-szenia syberyjskiego. Ten produkt znajdziesz w sklepach z żywnością azjatycką lub w zielarniach.
3. **Lukrecja.** Ten słodki korzeń herbaciany pomaga utrzymać prawidłowy poziom cukru we krwi, zmniejszając ochotę na słodycze i wspomagając radzenie sobie z głodem.

4. **Borówka.** Pomaga ograniczyć łaknienie, szczególnie polecana jest na wieczór, ponieważ nie zawiera kofeiny. Borówka ma ponadto właściwości regulowania poziomu cukru we krwi, dzięki czemu zdecydowanie rzadziej będziesz zakradał się nocami do kuchni w poszukiwaniu jakieś przekąski.

NAPOJE ZAWIERAJĄCE KOFEINĘ

1. **Zielona herbata.** Jak już wspominałam wcześniej, ten cudowny napój stymuluje metabolizm i spalanie tkanki tłuszczowej, jednocześnie regulując łaknienie i odczucie głodu. Dodatkowo udowodniono, że zielona herbata zmniejsza poziom cholesterolu, zapobiega cukrzycy i zawałowi oraz demencji.
2. **Yerba mate.** Ten rodzaj herbaty również wspomaga metabolizm, ogranicza głód i niweluje objawy zmęczenia.
3. **Czarna herbata.** Badania, na które powołuje się „Journal of American College of Nutrition" wskazują, że czarna herbata zmniejsza poziom cukru we krwi o 10% w ciągu 2,5 godziny. Wniosek – szybciej poczujesz się najedzony i nie będziesz odczuwał głodu tak szybko jak dotychczas.

[1 punkt] • Zaatakuj kubki smakowe cynamonem

Używaj cynamonu dosłownie do wszystkiego. Ma on bardzo dużo właściwości zdrowotnych. Kojarzy nam się w większości z cukrem, przez co wydaje nam się, że jemy słodycze (a więc coś tuczącego), podczas gdy w rzeczywistości tak nie jest. Dodaję go do musu jabłkowego lub do brzoskwiń. Uczestnikom programu *The Biggest Loser* proponowałam przekąskę w postaci jogurtu greckiego z pokruszonymi migdałami i cynamonem właśnie. Możesz też dodać go do kawy.

[2 punkty] •• Test smaku

Na co masz zazwyczaj największą chrapkę – na coś słonego, słodkiego, chrupiącego, czy może kwaśnego? Jeśli potrafisz wskazać, czego twój organizm potrzebuje najbardziej, zapewne łatwiej ci będzie z tym walczyć lub oszukać ciało zamiennikami zawierającymi mniejsze ilości kalorii. Jeśli na przykład masz ochotę na coś słodkiego, zjedz kawałek arbuza. Jeśli z kolei zjadłbyś coś chrupiącego, zjedz jabłko posmarowane cienką warstwą masła migdałowego. Jeśli ciągnie cię do słonego, zjedz „zdrowe chipsy" (paczka ma zaledwie 100 kalorii), prażone wodorosty, chipsy z kapusty albo selera z niskotłuszczową ricottą. Popcorn również jest zdrową przekąską, ale pod warunkiem, że nie dodajesz do niego masła i soli.

Jeśli takie zamienniki nie powstrzymują twojej ochoty na pizzę lub pyszne brownie, pamiętaj, że możesz po nie sięgać, ale kluczowe znaczenie ma tutaj wielkość porcji. Na twoje szczęście łaknienie ma to do siebie, że można je ugasić niewielkimi ilościami jedzenia. Przeczytaj kolejną wskazówkę, aby zobaczyć, co mam na myśli.

[3 punkty] ••• Do trzech razy sztuka

Jak zapewne zauważyłeś, nie mam skłonności do popadania w skrajności. Chcę, żebyśmy spotkali się w połowie drogi. Mogę śmiało powiedzieć, że swoją strategię zarządzania łaknieniem doprowadziłam do perfekcji. Jest ona banalnie prosta, a brzmi: *weź trzy gryzy*.

Mówię całkiem poważnie. Weź trzy gryzy czegokolwiek, na co akurat masz ochotę, odejdź od jedzenia, a następnie zajmij swój umysł czymś zupełnie innym, na przykład swoimi zwykłymi obowiązkami albo swoją pasją (zob. kolejna wskazówka). Odczekaj 10–15 minut, a przekonasz się, że łaknienie zniknie. Przy trzecim gryzie będziesz miał wrażenie, że najchętniej zjadłbyś wszystko i że zapewne jestem (tak, ja, nie ty) kretynką. Ale zapewniam cię, jeśli znajdziesz w sobie trochę siły woli i odczekasz kwadrans przed powrotem po więcej, to prawdopodobieństwo, że będziesz chciał to zrobić, zmaleje niesłychanie.

Podobnie jak z odczuwaniem sytości, twój organizm zarejestruje spożycie cukru już po pierwszym ugryzieniu i będzie usatysfakcjonowany. Mózg przekaże informacje do ciała, a ono z kolei nie będzie od ciebie wymagało zjedzenia całego opakowania ciasteczek czy lodów, żeby zaspokoić zapotrzebowanie na cukier.

[2 punkty] •• Zajmij się czymś

Jeśli chcesz przekierować myśli, postaraj się czymś zająć. Niezwykłe jest to, jak rzadko myślę o głodzie podczas pracy z uczestnikami programu *The Biggest Loser*. Kiedy z kolei pracuję w domu, co godzinę mam ochotę coś zjeść i wydaje mi się, że jestem potwornie głodna. Gdy jesteś czymś zajęty, twój umysł nie szuka bez końca sposobów na rozrywkę czy przyjemności. Staraj się cały czas czymś zajmować (dla niektórych z nas nie jest to wcale takie trudne). Jeśli nie pracujesz, zajmij się wolontariatem lub znajdź sobie hobby. Nie robi mi żadnej różnicy, co będziesz robił, po prostu zajmij się tym. Pamiętaj o zasadzie: „Wolne ręce są zabawką diabła".

[1 punkt] • Nos

Aromaterapia od dawna stosowana jest jako sposób niwelowania głodu. Wylej 1–3 krople olejku zapachowego i wdychaj go. Ja sama stosuję je jak perfumy – wcieram w przeguby dłoni i za uchem. Specjaliści od aromaterapii do walki z łakomstwem polecają szczególnie olejki: grejpfrutowy, cynamonowy, imbirowy i o zapachu kolendry.

[1 punkt] • Ależ to wspaniale pachnie!

A oto kolejna ciekawostka, jak twój węch może ci pomóc, jeśli chodzi o ograniczenie jedzenia. Dr Alan R. Hirsch z Smell & Taste Treatment and Research Foundation w Chicago poprosił 3000 ochotników o powąchanie jabłek i bananów. Odkrył, że im częściej wąchamy jedzenie, tym mniejsze jest nasze odczucie głodu i tym więcej kilogramów udaje nam się zrzucić. Jego teoria głosi, że wąchając jedzenie, oszukujemy nasz mózg, któremu wydaje się, że jemy, i dzięki temu łatwiej jest nam chudnąć. Ja osobiście eksperymentowałam z innymi nęcącymi pysznościami, ponieważ jabłka i banany nie zawsze pomagały. Co prawda nie mogę powiedzieć, że teoria sprawdziła się w stu procentach, jednak kilka razy udało mi się powstrzymać chęć zjedzenia brownie przez powąchanie innej słodkiej potrawy.

[2 punkty] •• Kto nie myje zębów, ten się objada

Zawsze słyszysz od dentysty, żeby myć zęby po jedzeniu, czyż nie? Następnym razem gdy będziesz głodny lub gdy poczujesz, że za chwilę zaczniesz się objadać bez pamięci – idź do łazienki i umyj zęby. To bardzo szybki, tani i prosty środek powstrzymujący przed zasianiem spustoszenia w twojej diecie. Naprawdę warto o tym pomyśleć. Zastanów się, jak będzie smakował cukier zaraz po umyciu zębów. Nieszczególnie, prawda? Stale mam przy sobie odświeżacze jamy ustnej, żeby zawsze być uzbrojoną w sytuacji, gdy zabraknie mi szczoteczki i pasty do zębów.

[3 punkty] ••• Wyeliminuj ukrytych winowajców

Czy zastanawiałeś się kiedyś, dlaczego w reklamach zawsze słyszysz: „Nie możesz skończyć na jednym"? To dlatego, że producenci dodają do jedzenia soli i glutaminianu sodu, przez co ciągle masz ochotę na więcej. Te dwa składniki są w przypadku większości potraw źródłem dalszego głodu. Unikaj ich. Zamiast nich możesz użyć cytryny, limonki, octu, cebuli, czosnku, pieprzu, chilli, imbiru lub jakiejkolwiek innej naturalnej przyprawy, która nie będzie zachęcała cię do jedzenia bez końca. Po pewnym czasie zmniejszy się twoje upodobanie do soli, twoje łaknienie zmaleje, znikną wzdęcia, a ciśnienie krwi się unormuje.

RADZENIE SOBIE ZE STRESEM

Nadmierny stres jest   dosłownie – zabójcą. Jeśli go zbagatelizujesz, może to skutkować problemami zdrowotnymi, takimi jak otyłość, nadciśnienie, choroby serca i cukrzyca typu 2. Stres potrafi być zdradliwy, szczególnie jeśli chodzi o walkę o szczupłą sylwetkę. Dlaczego? Bo sieje spustoszenie w twojej gospodarce hormonalnej – twój organizm jest zmuszony do stałego pozostawania w trybie gotowości, co powoduje wzrost tkanki tłuszczowej i zżeranie mięśni. Fatalnie oddziałuje również na twój nastrój. Można zapanować nad stresem i go zminimalizować, ale żeby to osiągnąć, musisz działać świadomie.

Podejrzewam, że będziesz chciał zignorować tę część książki, bo jesteś zbyt zajęty walką w wyścigu szczurów. Lepiej tego nie rób. W dłuższej perspektywie twoja walka ze stresem okaże się jednym z głównych czynników odgrywających ważną rolę w odchudzaniu, a dalej w utrzymaniu zdrowia i pokonywaniu wszelkich chorób.

Wyluzuj

[3 punkty] ••• Zdrzemnij się

Sen odgrywa podczas odchudzania się rolę kluczową. Zapewnienie sobie 7–8-godzinnego snu zrobi dla twojego ciała tak samo dużo jak trening. Często gdy mam do wyboru tylko 6 godzin snu w zamian za trening na siłowni lub 8-godzinny sen, wybieram sen. Czy to brzmi jak szaleństwo? Być może, ale nim nie jest. Pozwól mi wyjaśnić dlaczego. Zapewniam, że nie będę zanudzała cię lekcjami biochemii – to będzie krótkie i jasne wyjaśnienie. Sen ma niezwykle duży wpływ na twoją równowagę hormonalną. Podczas snu uwalnia się większość hormonów wspomagających odchudzanie. Jest to na przykład hormon wzrostu (który spala tkankę tłuszczową i utrzymuje odpowiednią masę mięśniową) i leptyna (pomaga kontrolować i regulować apetyt). Dla porównania, jeśli nie śpimy, uwalniamy takie hormony jak kortyzol (odpowiedzialny za magazynowanie tłuszczu) i grelina (stymulująca apetyt). Doświadczyłeś kiedyś, po nieprzespanej nocy, wrażenia, że twój żołądek jest studnią bez dna? Tak myślałam. Badania przeprowadzone przez Mayo Clinic pokazują, że skracanie snu o 80 minut dziennie prowadzi do zwiększenia ilości przyjętych w kolejnym dniu kalorii o 549. Doceń istotę snu.
Kilka wskazówek:

- Połóż się wcześniej.
- Nie pracuj w łóżku. Taki nawyk jest stresujący i część naukowców twierdzi, że światło z ekranu komputera stymuluje nasz mózg, co uniemożliwia nam odpoczynek. To z kolei jest związane z moją kolejną wskazówką.

- Upewnij się, że w twojej sypialni jest ciemno. Wyłącz telefon lub zostaw go w innym pokoju. Nie śpij przy włączonym telewizorze. Kup sobie ciemne zasłony. To wszystko pomoże utrzymać odpowiednie otoczenie i zapewni spokojny sen.
- Jeśli masz problem z zasypianiem lub nieprzerwanym snem, pomyśl o stosowaniu suplementów, takich jak melatonina, która pomaga kontrolować naturalny cykl snu. Możesz też spróbować środka Calm, który jest mieszanką wapnia i magnezu. Taki zestaw zawsze proponuję uczestnikom programu *The Biggest Loser*, jeśli są niespokojni i nie potrafią się zrelaksować.
- Rozładuj napięcie. Jeśli twój organizm jest przeładowany, bo jesteś w wiecznym biegu, sporządź listę wszystkich rzeczy, które musisz zrobić następnego dnia. To zawsze pomaga mi w zniwelowaniu stresu i rozproszenia – mam plan gry i jestem w stanie opanować każdą sytuację. Dzięki temu idę do łóżka ze świadomością, że jestem zorganizowana i przygotowana do działania następnego dnia.

[3 punkty] ••• Zafunduj sobie wakacje

Zrób sobie przerwę. Nie padnij ofiarą przeświadczenia, że nie możesz się wyłączyć i zdystansować od pracy. Odpoczynek od codziennej rutyny pomaga naładować akumulatory. The Mind Body Center z University of Pittsburgh przebadało za pomocą ankiety 1399 osób zwerbowanych do udziału w badaniach nad chorobami układu krążenia, rakiem piersi i innymi przypadłościami. Wyniki ankiety doprowadziły do wniosku, że korzystanie z różnych form wypoczynku, w tym z wyjazdów urlopowych, przyczynia się do polepszenia stanu emocjonalnego i zmniejszenia skłonnności do depresji. Inne korzyści wynikające z takiego odpoczynku to zmniejszenie ciśnienia krwi i obwodu w talii. Szczególnymi beneficjentami okazały się w tym przypadku kobiety. Zgodnie z badaniami przeprowadzonymi w 2005 roku przez Marshfield Clinic w Wisconsin, kobiety, które nie wyjeżdżały na urlop przynajmniej co dwa lata, miały większą tendencję do popadania w depresję i cierpienia z powodu narastającego stresu niż te, które odpoczywały dwa razy do roku. Skorzystaj więc z urlopu. Cóż więcej mogę powiedzieć…

[2 punkty] •• Jedzenie rozgromi stres

Możesz mi wierzyć lub nie, ale istnieje żywność, której jedzenie może ukoić nerwy i pozwoli trzymać hormony stresu w ryzach. Postaraj się włączyć takie składniki do swojej diety:

- **Produkty bogate w witaminę C.** Spowalniają produkcję kortyzolu (przyczyniający się do powstawania „brzuszka" hormon powodujący stres). Pij wodę z sokiem z cytryny, do sałatki dorzuć cząstki mandarynki, na śniadanie oprócz jajek zjedz również grejpfruta, zrób sobie jagodowe smoothie, do owsianki dodaj trochę borówek. Ponadto pomidory, melon, guana, papryka, kiwi, wiśnie.
- **Kwas foliowy i witaminy z grupy B.** Są kluczowe w produkcji serotoniny – „hormonu szczęścia". Pamiętaj, aby jak najczęściej spożywać produkty bogate w te składniki.

  Kwas foliowy możesz znaleźć w: ciemnolistnej zieleninie, szparagach, brokułach, fasoli i soczewicy, nasionach słonecznika, okrze i brukselce.

  Produkty bogate w witaminę B3, B6 i B12: białe ryby, małże, skorupiaki, wołowina, kraby, drób, jajka.
- **Magnez.** Niedobór magnezu powoduje złe samopoczucie i obniżoną odporność na stres.

  Magnez zawierają: migdały, kabaczek, pestki dyni.

[1 punkt] • Homeopatia

Dla osób, które jeszcze tego nie wiedzą: homeopatia jest formą medycyny niekonwencjonalnej, opierającą się na doktrynie, że podobne leczy się podobnym. Zwolennicy tej metody twierdzą, że substancje powodujące pewne symptomy u osób zdrowych mogą uleczyć osoby chore poprzez stymulację sił obronnych organizmu. Wielu przedstawicieli współczesnej medycyny określa to jako szarlatanerię, jednak wielu w dalszym ciągu da się za tę teorię pokroić. Moje założenie jest takie: jeśli są badania, które potwierdzają tę teorię (a są), to dlaczego jej nie wypróbować? Badania przeprowadzone przez Duke University w Durham dowodzą, że homeopatia pomaga załagodzić objawy stresu i zaburzeń lękowych.

Poszukaj homeopatycznych preparatów na stres w najbliższej aptece. Pamiętaj, aby dokładnie zapoznać się ze wskazówkami dotyczącymi ich stosowania – w przypadku homeopatii ma to bardzo duże znaczenie. Możesz również zapytać farmaceuty w aptece, w jaki sposób korzystać z takich środków. Bardzo dobrze jest również zasięgnąć informacji bezpośrednio u specjalisty zajmującego się homeopatią.

[1 punkt] • Powiedz „ser"

Uśmiech działa w dwóch kierunkach. Uśmiechamy się, gdy jesteśmy szczęśliwi i zrelaksowani. Jednak uśmiech może też spowodować, że się tak poczujemy. To coś jak scenariusz z kurą i jajkiem. Uśmiech przekazuje impulsy nerwowe z mięśni twarzy do układu limbicznego, który jest głównym ośrodkiem mózgu odpowiedzialnym za emocje, powodując w ten sposób uspokojenie. To bardzo ciekawe zagadnienie naukowe. Więc uśmiechaj się, rób to tak często, jak to możliwe. Nie chcę oczywiście, abyś ukrywał swoje emocje czy okłamywał się w kwestii własnych odczuć. Jeśli jednak jesteś w neutralnym nastroju, nie odczuwasz złości czy wyjątkowego szczęścia i radości, spróbuj poprawić swój nastrój zwykłym uśmiechem. To nie tylko zmieni twoje nastawienie, ale wpłynie również pozytywnie na ludzi wokół ciebie.

[2 punkty] •• Śmiej się ze swojego tyłka – dosłownie!

Z pewnością wielokrotnie słyszałeś, że śmiech jest najlepszym lekiem. Biorąc pod uwagę wszystkie aspekty śmiechu, które wpływają pozytywnie na nasze ciała, trudno nie wierzyć w prawdziwość tego stwierdzenia. Śmiech jest najlepszym antidotum na stres. W krótkim czasie może doprowadzić do fizycznych zmian w twoim ciele, które stymulują pracę krwiobiegu, płuc i mięśni, a także rozluźniają mięśnie, co prowadzi do odstresowania. Innym skutkiem śmiechu jest redukcja poziomu hormonów odpowiedzialnych za przybieranie na wadze, takich jak kortyzol czy adrenalina, przy jednoczesnym podnoszeniu poziomu hormonów odpowiedzialnych za łagodzenie stresu (endorfiny, neuro-przekaźniki). Śmiech pozytywnie wpływa na krążenie krwi, redukując ryzyko zachorowania na choroby układu sercowo-naczyniowego. Istnieją badania wskazujące, że 15 minut serdecznego śmiechu dziennie ma podobne działanie jak 30-minutowy trening odbyty trzy razy w tygodniu. W dłuższej perspektywie codzienny śmiech wspomaga pracę układu odpornościowego, zmniejsza poziom cukru we krwi i wspomaga właściwy sen.

Dodatkowym bonusem jest spalanie kalorii. Pomyśl o śmiechu jak o spontanicznym treningu. Uczony z Vanderbilt University, Maciej Buchowski, wykazał w swoim eksperymencie, że podczas 10–15-minutowego śmiechu spalamy 50 kalorii. Śmiech pozytywnie wpływa na naszą wagę i nasze zdrowie, a także na nasze samopoczucie. Inne badania wykazują, że u osób oglądających komedie, podczas których się śmieją, wzrasta szybkość przepływu krwi i wydzielania endorfin.

Wybierz się więc do kina na komedię albo obejrzyj powtórnie taką, którą już znasz i która zawsze dobrze na ciebie wpływa. Ja mogę polecić *Sposób na blondynkę*, *Kłamca, kłamca* lub *Kiedy Harry poznał Sally*. Możesz też obejrzeć swój ulubiony kabaret lub komika. Eddie Izzard i Ellen Degeneres zawsze poprawiają mi nastrój. Pamiętaj też o swoich przyjaciołach, którzy potrafią cię rozbawić. A jeśli nic z tego nie pomaga, możesz udać się na zajęcia jogi śmiechu. Dr Madan Kataria, lekarz z Mumbaju, stworzył nowatorską metodę łączącą bezwarunkowy śmiech z oddychaniem jogicznym. Poczujesz się tak dziwnie, że nic nie będzie w stanie powstrzymać twojego uśmiechu. Do tej pory powstało ponad 6000 klubów zrzeszających osoby śmiejące się wspólnie. Istnieją w ponad 60 krajach. Uczestnictwo w nich jest darmowe i są one prowadzone przez wolontariuszy. Możesz je znaleźć po zalogowaniu się na stronie www.laughteryoga.org.

[1 punkt] • Afirmacja

Przechodziliśmy już przez mantrę, zmianę przyzwyczajeń, oszukiwanie schematów. Najwyższa pora na najlepsze. Tak, będę namawiała cię teraz do afirmacji. Jakkolwiek tandetnie może to zabrzmieć, afirmacja jest bardzo dobrą metodą na uciszenie twojej autokrytyki. Na pewno często słyszysz w swojej głowie te głosy, które ciągle złorzeczą, wypuszczają na wolność najgorsze myśli i przez to wykańczają ciebie nerwowo. Takie wewnętrzne monologi mogą mieć bardzo zły wpływ na twoje życie. Możesz rzucić im rękawicę, tworząc pozytywne myśli, pełne optymizmu i wiary w twój sukces. Więc następnym razem, zanim pomyślisz, że twoje życie to pasmo katastrof, powtórz sobie 10 razy zdanie: „Wszystko będzie w porządku. Dam sobie z tym radę". Pamiętaj – myśli mają wielką moc. Wykorzystaj je więc na swoją korzyść.

[3 punkty] ••• Naucz się odmawiać

Nie możesz uszczęśliwić wszystkich. To prosta droga do poczucia, że wszystko cię przerasta. A to z kolei prowadzi do stresu. Każdy ma swoje ograniczenia i musimy zdać sobie z tego sprawę. Nie musisz być superbohaterem, aby inni dostrzegali twoją prawdziwą wartość. Wszyscy uczestnicy programu *The Biggest Loser*, z którymi miałam do czynienia, opiekują się swoimi rodzinami od dziecka po dorosłość, kiedy to nadal chcą im matkować. Jak możesz się zapewne domyślać, nie wyszło im to na dobre, bo zaniedbywali samych siebie. Naucz się więc odmawiać. Na początku możesz czuć się z tym źle, może ci się wydawać, że to w zasadzie niemożliwe. Jeśli jednak tylko spróbujesz i spojrzysz na to z dystansu, przekonasz się, że świat się wcale nie kończy. Przeciwnie, poczujesz wielką radość, że udało ci się ukraść trochę czasu dla siebie. Zawsze czuję żal, gdy poświęcam swoje zajęcia czy sen tylko dlatego, że mam przeładowany kalendarz. Chrzanić to! Przedstawię ci przykłady, które mogą pomóc przełamać się w kwestii odmawiania:

1. Współczuj, ale bądź stanowczy. Dzięki temu dasz jasno do zrozumienia, że przejmujesz się problemem, ale nie pozwolisz wywierać na siebie presji. Pokazujesz, że nie zmieniasz zdania. Powiedz po prostu: „Przykro mi, bardzo chciałbym pomóc, ale jestem teraz zbyt zajęty".
2. Nie jesteś nikomu winien wyjaśnień. Im mniej, tym lepiej. Jesteś potwornie zajęty, chcesz, ale nie możesz. Niech to będzie krótki

i jasny komunikat. Zbyt wiele stwarzamy sobie barier powstrzymujących nas przed mówieniem „nie".

Pamiętaj, że mówiąc „nie", nie okazujesz braku uprzejmości, nie prowadzisz do konfliktu, nie palisz za sobą mostów. To nie oznacza nic więcej poza faktem, że nie masz czasu na to, o co jesteś proszony. Bądź miły i pełen zrozumienia, a wszystko będzie tak, jak należy.

[1 punkt] • Znów wracamy do nosa

I oto kolejna propozycja aromaterapii. Jednak tym razem będziemy jej używać dla celów relaksacyjnych. Jakie olejki mogą działać na nas wyciszająco? Na przykład anyż, bazylia, laur, rumianek, eukaliptus, lawenda, róża i tymianek. Wybierz swój ulubiony zapach i ustaw go przy łóżku, na biurku, a nawet wsmaruj odrobinę w skroń, żeby efekt był szybszy.

[3 punkty] ••• Pójdźcie do łóżka

Jeśli do tej pory seks był na samym końcu twojej listy rzeczy do zrobienia, przesuń go na samą górę. Seks korzystnie wpływa na każdy aspekt twojego życia – emocjonalny, umysłowy, a także fizyczny.

Baraszkowanie zwiększy twoją pewność siebie, zacieśni więzi między wami i podniesie poziom endorfin – tak, tych, które tak dobrze wpływają na twój nastrój. Działa oczyszczająco i niezwykle relaksuje. Nastaw serce na poziom aerobiku i spalaj 200 kalorii w ciągu 30-minutowej „sesji". Po 18 „razach" spalisz pół kilograma. Nie tak tragicznie. Badania pokazują, że seks zmniejsza łaknienie i stymuluje związki chemiczne w organizmie do kontrolowania apetytu, jednocześnie zwiększając umiejętność redukowania przyjmowanych kalorii. Dodatkowo, w zależności od pozycji i częstotliwości „zażywania" tego środka, możesz zbudować tkankę mięśniową. Może rysowanie pozycji i odpowiadających im grup mięśni byłoby lekką przesadą (chociaż poważnie to rozważałam), więc liczę na twoją wyobraźnię i kreatywność i jestem przekonana, że oprócz przyjemności, jaką będziesz z tego czerpał, stworzysz trening z prawdziwego zdarzenia. Więc na co czekasz? Do roboty!

[2 punkty] •• Znajdź sobie nowego przyjaciela

Nie chcę, żebyś odstawiał na bok swoich obecnych przyjaciół, ale badania pokazują, że posiadanie zwierzęcia może pomóc w utracie wagi, zmniejszyć ciśnienie krwi, a także zredukować stres. To nie są nic nieznaczące efekty uboczne, ale bardzo poważne zmiany. W każdym z tych przypadków zwierzę okaże się lepszym antidotum niż wszelkie lekarstwa. (Być może to właśnie dlatego jestem szczęśliwą posiadaczką trzech psów, dwóch koni i jednej papugi). W badaniach przeprowadzonych na University of Buffalo porównano dwie grupy maklerów z Nowego Jorku, cierpiących na nadciśnienie, którzy nie posiadali w ciągu ostatnich pięciu lat żadnego zwierzęcia. Maklerzy z jednej grupy stali się właścicielami psa lub kota. Okazało się, że ich ciśnienie oraz tętno było niższe niż u osób z grupy nieposiadającej zwierzęcia. Okazało się również, że leki na nadciśnienie nie dawały tak dobrych efektów jak zwierzęta (a najlepsze jest to, że wiele osób, które usłyszały o takich efektach, poczuło chęć posiadania zwierzęcia).

Inne badania, przeprowadzone na University of Missouri, Columbia pokazały, że osoby otyłe, prowadzące siedzący tryb życia, które wyprowadzały na 20-minutowy spacer psa (własnego lub pożyczonego) przez pięć dni w tygodniu, zrzuciły więcej kilogramów niż te, które chodziły na spacer samotnie. Różnica, którą zaobserwowano, wyniosła ponad 6 kg na przestrzeni jednego roku, podczas którego nie stosowano dodatkowo żadnej diety. Ponadto badania przeprowadzone na University of Victoria, Kolumbia Brytyjska, wskazują, że spośród 351 uczestników badania ci, którzy chodzili na spacery z psem, chodzili średnio 300 minut tygodniowo, natomiast osoby chodzące same – tylko 168 minut.

Rozumiem, że moje wywody zawierają więcej informacji naukowych, niż chciałeś kiedykolwiek usłyszeć, i naprawdę bardzo mi przykro, że muszę ciebie tak nimi bombardować, ale to mnie naprawdę pasjonuje. Jeśli jesteś już posiadaczem jakiegokolwiek pupila, na pewno nie wyobrażasz sobie życia bez niego. Jeśli jednak nie, pomyśl o adopcji. Nie tylko uratujesz życie takiej istocie, ale również swoje zdrowie, stan umysłu oraz brzuszek!

[1 punkt] • Powiedz „ommmmm"

Wszelkiego rodzaju techniki medytacyjne mają bardzo dobry wpływ na nasze zdrowie, mogą również wyciszyć umysł i obniżyć poziom stresu. Medytacja wymaga uruchomienia w mózgu systemu samoregulacji i monitorującego – w którym uczestniczy kora przedczołowa pomagająca podejmować właściwe decyzje i przednia część zakrętu obręczy, która uświadamia nam, kiedy podejmujemy te decyzje, a kiedy nie. Im bardziej aktywne będą te mechanizmy, tym silniejsze się stają, a ty jesteś coraz spokojniejszy. Regularna medytacja pozwala dosłownie wzmacniać twoją siłę woli.

Możesz wypróbować takie oto proste ćwiczenie: medytuj przez pięć minut każdego dnia w tym tygodniu. Co dokładnie to oznacza? Usiądź w ciszy, zamknij oczy, skup się na swoim oddechu, oddychaj przez nos tak głęboko, jak to możliwe. Niech twój wdech wypełni płuca i rozciągnie brzuch. Następnie wypuść powietrze niczym balon. Początkowo taka trwająca pięć minut sesja może wydawać się wiecznością, ale spróbuj przez to przebrnąć. Twój mózg będzie chciał udać się na wędrówkę. To normalne. Skieruj go w takiej sytuacji z powrotem na oddech. Po zakończeniu będziesz zaskoczony tym, jak bardzo zrelaksowany się poczujesz. Z każdą sesją będzie to dla ciebie łatwiejsze.

[3 punkty] ••• Nie bój się poprosić o pomoc!

Amerykanie szczycą się faktem bycia niezależnymi i wolnymi. Jednak takie podejście nie zawsze wychodziło nam na dobre. Z badań wynika, że do 2030 roku 75% Amerykanów będzie cierpiało na otyłość, raka oraz że będzie wzrastała liczba zachorowań na serce. Dlatego dobrze by było, gdyby Amerykanie jako naród skupili się wokół wspólnego celu, aby zrobić dla siebie coś dobrego. Jedno jest pewne, samo proszenie o pomoc nie przyniesie rozwiązania problemów. Ale wspólna praca nad nimi z pewnością pomoże je zminimalizować. Człowiek jest istotą stadną, która najlepiej radzi sobie i pracuje w grupie, w której ludzie ze sobą współpracują i jednocześnie doceniają unikalność, wiedzę i siłę poszczególnych jednostek. KAŻDY z nas potrzebuje czasami pomocy.

Tylko ten, kto czuje się wartościowy i na tyle bezpieczny, aby o nią poprosić, ma szanse upolować zwierzynę.

Jeśli denerwujesz się i stresujesz, poszukując pracy, poproś w swoim środowisku, aby ludzie pomogli ci wejść na rynek. Jeśli walczysz ze swoją dietą czy obowiązkami związanymi z treningami, po których nie dostrzegasz żadnych efektów, poproś o pomoc kogoś, kto jest w tej kwestii specjalistą lub sam przeszedł już tę drogę. Być może uda mu się wskazać ci odpowiedni kierunek, w którym powinieneś pójść. Jeśli pójście na siłownię budzi w tobie grozę, poproś swoją drugą połowę lub przyjaciela, aby poszedł z tobą, tak abyś nie czuł się z tym niekomfortowo.

Pomoc jest na wyciągnięcie ręki. Oczywiście nie każdy będzie w stanie pomóc, jednak jeśli o nią nie poprosisz, z pewnością jej nie dostaniesz. Nawet jeśli dostajesz tylko w części to, o co poprosiłeś, może to spowodować wielkie zmiany w twoim życiu.

„TEGO NIE UWZGLĘDNIA MÓJ BUDŻET"

Ludzie bardzo lubią posługiwać się wymówką w postaci braku pieniędzy. Również w przypadku swojego zdrowia i walki z otyłością. Mimo że jestem zdania, że kupowanie taniej żywności będzie w przyszłości skutkowało koniecznością wydania fortuny na zdrowie (tak, opieka medyczna to jedna z głównych przyczyn bankructwa w Ameryce), nie jestem obojętna na kwestie przystępności cen pewnych produktów i możliwości ich zakupienia przez wszystkich. Mam dla ciebie kilka wskazówek, w jaki sposób możesz zasilić swój portfel, zrzucając jednocześnie zbędne kilogramy. Nie mają one bezpośredniego wpływu na twoją sylwetkę, może z wyjątkiem projektu Fitness Frugal, który wpływa na twoje możliwości treningowe bez konieczności wydawania dużych ilości pieniędzy. Nie musisz kolekcjonować kuponów rabatowych, żeby stać się szczuplejszym, jednak jeśli ograniczenia budżetowe są dla ciebie przeszkodą, powinieneś dokładnie przejść przez tę część książki.

Oszczędnie z jedzeniem

Zimno i zdrowo

Oczywiście najlepiej zawsze kupować świeże produkty, ale jest od tego jeden wyjątek. Możesz kupić owoce i warzywa, które zostały świeżo zamrożone. Będzie to nie tylko tańsze, ale również lepsze dla ciebie, ponieważ świeżo zamrożone produkty mogą mieć więcej substancji odżywczych (ponieważ przy szybkim zamrażaniu substancje te nie zdążą się utlenić). Warzywa i owoce – tak jak my – nie są odporne na czynnik czasu, więc im dłużej leżą, tym więcej substancji tracą.

„Luz" jest tańszy

Kupuj tańsze wersje ziaren, fasoli, orzechów, przypraw i płatków na wagę. W wielu supermarketach znajdziesz produkty sprzedawane na wagę. Ich ceny są niższe, ponieważ nie płacisz ich producentom za pakowanie towaru. (Dodatkowo przyczynia się to do ochrony środowiska). Największą popularnością wśród produktów sprzedawanych na wagę cieszą się warzywa i ziarna. Mogą być znacznie tańsze od produktów w opakowaniach sygnowanych marką producenta. Dodatkowym atutem jest fakt, że masz pełną kontrolę nad ilością, którą kupujesz, ponieważ nie musisz ograniczać się do ilości sprzedawanej w opakowaniach.

Zyskuj na objętości

W sklepach takich jak Makro Cash and Carry możesz kupić wszelkiego rodzaju produkty w dużo niższych cenach, ponieważ są sprzedawane hurtowo. Jedynym problemem mogą być produkty z krótkim terminem ważności – jeśli nie planujesz zjeść 20 piersi z kurczaka w krótkim czasie, mogą się po prostu zmarnować. Ale jakiż to problem, skoro masz zamrażalnik? Zamroź je zatem zanim stracą wszelkie wartości odżywcze i korzystaj z nich wtedy, gdy będziesz chciał. Warzywa możesz też kupować na spółkę ze znajomymi. To świetny sposób na oszczędzanie.

Marka własna

Nie daj się złapać chwytom reklamowym stosowanym przez specjalistów od marketingu w znanych markach. Przede wszystkim produkty markowe są bardzo drogie. A możesz znaleźć zamienniki takiej samej jakości (czasami również wyprodukowane przez tę samą firmę), które są sygnowane marką sklepu, w którym robisz zakupy. Z czego wynika niższa cena? Z faktu, że producenci nie dostają od ciebie pieniędzy za reklamę swojej marki.

Kombinuj, aby oszczędzić

Zbieraj kupony. Coraz częściej można spotkać się z kuponami obejmującymi zakup zdrowej żywności organicznej. Część sklepów wprowadza również własną markę tego typu produktów.

Taniej u rolnika

Dlaczego? Rolnik nie płaci za transport, pakowanie, reklamę. To wszystko ma wpływ na ostateczną cenę kupowanych produktów. Jedzenie trafia na twój stół praktycznie prosto z pola. Oczywiście bardzo często okazuje się, że organiczne produkty od rolników okazują się droższe od tych zwykłych sprzedawanych w supermarketach, ale ich ceny są zdecydowanie niższe od sklepowych cen innych produktów organicznych.

> ### MIT: Sałata lodowa jest tak samo zdrowa jak wszystkie inne zielone warzywa.
>
> **FAKTY:** Sałata lodowa składa się w 95% z wody i zawiera bardzo niewiele błonnika, witamin i minerałów w porównaniu z ciemniejszą sałatą. Zamiast sałaty lodowej możesz spróbować rukoli, szpinaku, kapusty lub sałaty rzymskiej. To będzie dla ciebie prawdziwa dawka wartości odżywczych. Im ciemniejsze są liście, tym bogatsza w wartości odżywcze jest sałata.

Zacznij hodować

To dość oczywisty pomysł. W ogródku wielkości 2×2 m możesz wyprodukować rocznie około 45 kg jedzenia. Sama robię to u siebie, więc moje wyliczenia nie biorą się z sufitu. Produkty są naturalne i dostępne niemal za darmo. Jeśli taka perspektywa cię zniechęca, zapewniam, że nie jest to takie trudne. Jest mnóstwo porad w internecie, które mogą okazać się bardzo pomocne.

Jeśli chcesz wieszać na mnie psy, ponieważ pogoda w miejscu, w którym mieszkasz, jest niesprzyjająca, zawsze możesz hodować sezonowo i wekować swoje plony, tak abyś mógł z nich korzystać w okresach niekorzystnej pogody.

W sieci

Poszukaj sklepów internetowych zajmujących się sprzedażą zdrowej żywności. Bardzo często mają niższe ceny, ponieważ nie płacą za magazynowanie towaru na półkach sklepowych. Jest to więc dobry sposób na rozpoczęcie przygody ze zdrowym odżywianiem.

Płać gotówką

Badania pokazują, że kiedy za nasze zakupy (szczególnie za „śmieciowe" jedzenie) płacimy gotówką, mamy tendencję do wydawania mniejszej ilości pieniędzy. Cornell University opublikował w „Journal of Consumer Research" wyniki badań, które wskazują, że kupując zdrową żywność, płacimy podobne sumy bez względu na to, czy dokonujemy transakcji gotówką, czy też kartą kredytową. Jeśli jednak spojrzeć na wyniki dotyczące niezdrowego jedzenia, okazuje się, że płacąc za nie kartą płatniczą, wydajemy o 42% więcej pieniędzy. Żegnajcie więc karty kredytowe! Czy to dla ciebie za trudne? Jeśli tak, możesz spróbować zabiegu, który stosowałam w młodości: zamrażałam je w miseczce z wodą. Jeśli sytuacja stawała się podbramkowa, miałam do nich dostęp, ale – Boże broń! – nigdy ich nie nadużywałam i moje wydatki zmalały nie do porównania, gdy miałam świadomość, że wydaję swoje ciężko zarobione pieniądze.

Wykup udziały w Rolnictwie Wspieranym Społecznie

Rolnictwo Wspierane Społecznie (Community-Supported Agriculture program – CSA) jest to system powstały w Stanach Zjednoczonych polegający na płaceniu „składek" mających na celu dzielenie kosztów, które rolnicy ponoszą podczas realizowania swojej działalności. Wspierająca osoba otrzymuje w zamian pakiet świeżych owoców i warzyw – raz w tygodniu przez okres 24–26 tygodni w sezonie zbiorów. Wpłaty są uzależnione od możliwości wspierającego. Czasami też wspieranie rolnictwa odbywa się na zasadzie pomocy w pracach fizycznych.

Dołącz do kooperatywy spożywczej

Jest to coś w rodzaju firmy zarządzanej przez jej członków, którzy dostarczają produkty spożywcze do odbiorców po niższych cenach. Większość produktów to żywność organiczna pochodząca z upraw rodzinnych. Członkostwo polega na wnoszeniu pewnej opłaty, w zamian za co otrzymujemy dodatkowy upust od cen podstawowych. Jeśli jednak w twojej okolicy nie ma takiej organizacji, ale masz zapał i chęć, aby uczestniczyć w takim przedsięwzięciu, możesz założyć własną kooperatywę.

Dołącz do klubu

Istnieją kluby, które umożliwiają hurtowy zakup produktów, za które można otrzymać nawet 40% zniżki. Produkty możesz następnie odsprzedawać swoim odbiorcom. Zbadaj potrzeby w swojej społeczności lokalnej i dowiedz się, czy ktoś jest zainteresowany takiego rodzaju współpracą.

Porównywarka ofert

Zanim dokonasz zakupu zdrowej żywności, możesz przeszukać internet i porównać ceny produktów. Są one dostępne w bardzo wielu sklepach i ich ceny mogą się znacznie różnić. Odrób więc pracę domową i sprawdź, gdzie najlepiej robić zakupy.

Koniec z tymi bzdurami!

Jestem gotowa się założyć, że wydajesz tygodniowo bardzo dużo pieniędzy na rzeczy zupełnie ci niepotrzebne. Te pieniądze powinieneś zdecydowanie przeznaczyć na zdrowe i dietetyczne jedzenie. Nadeszła chwila na zweryfikowanie twoich regularnych wydatków i pozbycie się tych nieistotnych. Na przykład:

1. Ile pieniędzy wydajesz na brukowce i niepotrzebne czasopisma? Zapewne kilka złotych na tym tracisz. Skoro już musisz je czytać, znajdź wydania internetowe. Są darmowe.
2. Jak często wpadasz do kawiarni? Kawa kosztuje około 6–10 złotych (a często nawet więcej). Jeśli codziennie wypijasz kawę za 8 złotych, będzie cię to kosztowało około 2000 złotych rocznie. To około 40 złotych tygodniowo, które mógłbyś przeznaczyć na zdrowe odżywianie. Zacznij przygotowywać sobie kawę w domu lub w pracy. Zaoszczędzone pieniądze możesz przeznaczyć na swoje nowe, zdrowe życie.
3. Pamiętasz moją radę dotyczącą spożywania zdrowych napojów? Przestań marnować pieniądze na butelkowaną wodę, soki czy napoje gazowane. Nie są ci do niczego potrzebne, a ich spożywanie może wręcz prowadzić do chorób i otyłości.
4. Nie bądź leniwy. Gdziekolwiek się wybierasz, zrób sobie spacer lub przejedź się na rowerze. Zaoszczędzisz dzięki temu na paliwie, dojazdach autobusami, opłatach parkingowych. Właściciele samochodów wydają przeciętnie tysiące złotych rocznie na parkowanie. Zostaw więc samochód i przejdź się. Każdy dodatkowy kilometr będzie kolejnym krokiem do osiągnięcia twojej wymarzonej wagi.
5. Opłaty bankomatowe to kolejna rzecz, która może niepotrzebnie uszczuplić twój budżet. Mogą sięgać nawet kilkunastu złotych. Sprawdź, w których bankomatach możesz wypłacać darmowo lub udaj się raz w tygodniu do placówki banku. Dzięki temu zaoszczędzisz zbędnie wydawane pieniądze.

Mogłabym tu wymieniać bez końca obszary, w których zupełnie bez kontroli i niepotrzebnie tracisz pieniądze, ale to na ciebie spada teraz obowiązek przejrzenia wszystkich swoich wydatków i znalezienia takich, które możesz ograniczyć i zacząć przeznaczać je na swoje zdrowie. Jak już pisałam, twoje choroby i otyłość są dosyć kosztowne. Osoby szczupłe wydają zdecydowanie mniej pieniędzy (o ile w ogóle) na leczenie. Zdecydowanie rzadziej wymagają opieki medycznej innej niż regularne kontrole lekarskie. Nie są osłabione, nic nie zagraża ich życiu, nie zapadają na choroby serca. Po prostu są poza grupą ryzyka w porównaniu z osobami cierpiącymi na otyłość.

Oszczędzaj na sporcie

[1 punkt] • Nie obawiaj się towarów z drugiej ręki

Kupuj używane płyty DVD czy sprzęt sportowy. Portale zakupowe, takie jak Amazon czy Allegro, są świetnym miejscem na dokonywanie tańszych zakupów.

[1 punkt] • Profesjonalista od czasu do czasu nie zaszkodzi

Otarliśmy się już o ten temat w poprzednim rozdziale. Jednak w tym wypadku mam na myśli coś nieco innego. Teraz naszym celem jest oszczędzanie. Jedna sesja ze specjalnym trenerem może zdecydowanie zmienić kierunek twojego życia i wskazać odpowiednią drogę. Poświęcenie środków na poradę specjalisty pomoże ci zaoszczędzić pieniądze w innych obszarach.

[1 punkt] • Rusz się!

Ten temat poruszałam już w rozdziale 2. Używanie ciężaru własnego ciała podczas ćwiczeń jest nie tylko wygodne i zdrowe, ale przede wszystkim darmowe! Wróć na chwilę do rozdziału 2, aby znaleźć moje porady dotyczące wykorzystywania masy ciała podczas tworzenia zabójczego darmowego zestawu ćwiczeń. Oprócz tego pamiętaj, że zawsze możesz udać się na pieszą wycieczkę, pobiegać po schodach lub wybrać się na jogging.

ORGANIZOWANIE TRENINGÓW Z DZIEĆMI

Kocham swoje dzieci ponad wszystko na świecie, ale... spójrzmy prawdzie w oczy: utrzymanie niskiej wagi, kiedy ma się małe dzieci, może czasami być trudne. Przedstawię ci kilka porad, które sama musiałam wprowadzić w życie, odkąd pojawiły się moje maleństwa.

Razem

[2 punkty] •• Trenowanie wspólnoty

Jeśli masz dzieci, ćwicz razem z nimi. Jeśli są jeszcze bardzo małe, możesz posadzić je w wózku biegowym i wybrać się na jogging, zapakować w wózek rowerowy i pojechać wspólnie na wycieczkę lub po prostu pójść z nimi na spacer. Któregoś razu zabrałam nawet moją córkę na paddleboarding (oczywiście zachowując wszelkie zasady bezpieczeństwa). Twoje dzieci będą zachwycone taką formą spędzania czasu z rodzicem, dasz im tym samym dobry przykład i jednocześnie spalisz parę zbędnych kalorii.

[1 punkt] • Bawcie się

Czy kiedykolwiek bawiłeś się ze swoimi pociechami w chowanego lub wybrałeś się z nimi na plac zabaw? To świetny sposób na zdrowe zmęczenie i zrzucenie kilku kilogramów. Jeśli twoje dzieci są już starsze, pograj z nimi. Koszykówka, łapanie piłki baseballowej, wspólne wycieczki rowerowe, rolki. Zaangażuj swoją rodzinę. Będą zachwyceni, a ty zadziwiony, jak bardzo relaksujące się to dla ciebie okaże.

[3 punkty] ••• Wszędzie dobrze, ale w domu najlepiej

Pisałam już o tym, jak dobrze mieć kolekcję płyt DVD z ćwiczeniami fitness. Ale dopóki nie zaczniesz z nich korzystać, będą bezużyteczne. Wiem, że dla niektórych może się to okazać wyzwaniem, ale warto spróbować. Może twoje dzieci będą chciały do ciebie dołączyć. Dostałam całe mnóstwo wspaniałych zdjęć osób, które ćwicząc z moimi płytami, były atakowane przez swoje pociechy, które wciąż wydawały im polecenia. Dla dzieci to świetna zabawa, a dla ciebie motywacja do dania z siebie jeszcze więcej – w tej grze nie ma przegranych. Włącz więc płytę i ciesz się czasem spędzonym w domu. Jeśli chcesz, prześlij mi nagranie ze swoimi ćwiczeniami!

[3 punkty] ••• Zabierz mnie ze sobą

Znajdź w swojej okolicy siłownię, w której jest również opiekunka do dzieci. Dzięki temu zapewnisz im rozrywkę w czasie, kiedy sam będziesz pakował na siłowni. Wypróbuj to.

MIT: Gorąca kąpiel zmniejszy ból mięśni.

FAKTY: Dobrym sposobem na zminimalizowanie bólu mięśni jest lód lub zimna woda. Podczas ćwiczeń naczynia krwionośne rozszerzają się i pozostają w takim stanie przez godzinę po wysiłku. Ból pojawia się w momencie, gdy produkty przemiany materii, takie jak kwas mlekowy, osiadają na mięśniach przez rozszerzone naczynia krwionośne. Niższa temperatura zwęża naczynia, ograniczając w ten sposób ilość zbierających się produktów przemiany materii.

Osobno

[1 punkt] • Wielozadaniowość

Odpowiadaj ma e-maile, ćwicząc na steperze, połączenia odbieraj na maszynie eliptycznej, czytaj dokumenty służbowe na rowerze stacjonarnym. Znajdź zajęcia, które możesz połączyć. Jest to co prawda ostatnia rzecz, jakiej chciałabym dla ciebie, ponieważ zdecydowanie lepiej jest wykonywać ćwiczenia o wysokiej intensywności i skupiać się na nich całkowicie, jednak czasami zwyczajnie nie mamy wyboru, jeśli mamy bardzo wiele zadań do wykonania. Tu zawsze kłania się truizm mówiący, że robienie czegokolwiek jest lepsze od nicnierobienia.

[3 punkty] ••• Pójdź na kompromis

Jeśli jesteście razem, poproś swoją wybrankę, abyście mogli wymieniać się w opiece nad dziećmi. W moim przypadku taki układ sprawdza się bardzo dobrze. Dodatkowym bonusem tego rozwiązania jest możliwość zyskania kilku minut tylko dla siebie i swojego zdrowia psychicznego. Twoja wybranka może wybrać się na jogę, a ty w tym czasie zajmiesz się dziećmi. Wieczorem z kolei lub następnego dnia ty wybierzesz się na rower, a dzieci zostaną z mamą. Jeśli nie masz tyle szczęścia i sam zajmujesz się dziećmi, poproś o pomoc przyjaciela. Wymieniajcie się i dbajcie o swoje zdrowie.

[3 punkty] ••• Zadzwoń do babci

Któż kocha twoje dzieci tak jak ty, jeśli nie twoi rodzice? Oto dlaczego istnieje instytucja dziadków. Poważnie. Jeśli twoi rodzice lub inni członkowie rodziny mieszkają niedaleko, poproś ich, aby zaopiekowali się twoimi pociechami, podczas gdy ty wybierzesz się na zajęcia sportowe. Oni spędzają wspólnie czas, a ty możesz skupić się na wyrabianiu mięśni. I tym sposobem wszyscy są szczęśliwi. Dzięki Bogu moja mama zawsze znajdzie wolną chwilę w niedzielne popołudnie.

[3 punkty] ••• Sprytnie!

Wstań wcześnie rano i zacznij ćwiczyć, kiedy twoje dzieciaki jeszcze śpią. Ta metoda niestety u mnie nie działa, ale jeśli jesteś rannym ptaszkiem, dla ciebie jest idealna. Uruchom płytę i zacznij swój trening. Jeśli poranki nie są dla ciebie najlepszym czasem, możesz równie dobrze wykorzystać czas po ułożeniu swoich pociech do snu. Sama tego próbowałam i muszę przyznać, że ten system się całkiem nieźle sprawdza. Kładę dzieci spać około godziny 19, zaczynam intensywny trening, a po nim zjadam posiłek. To nie jest moje ulubione rozwiązanie, ale w dniach, gdy nie jestem w stanie znaleźć innego, to całkiem dobrze pomaga w utrzymaniu mojego kilkutygodniowego planu treningowego.

TIK-TAK: POKONYWANIE OGRANICZEŃ CZASOWYCH

Ludzie bardzo często wymawiają się brakiem czasu na zdrowe odżywianie się i wykonywanie ćwiczeń. Na to również przedstawiłam ci już odpowiedź w tej książce. Nie chciałabym się za bardzo powtarzać, ale pozwól, że przypomnę, dlaczego takie wymówki zupełnie mnie nie przekonują.

Spalanie w biegu

1. Biegaj podczas przerwy obiadowej.
2. Zbuduj domową siłownię lub kup płytę zawierającą krótkie, 30-minutowe sesje treningowe, które możesz wykonywać przed pracą lub po pracy.
3. Użyj wskazówek „Bądź zaradny" ze stron 115 i 144.
4. Ćwicz w biurze. Wstawaj, kiedy odbierasz telefon, i spaceruj, kiedy rozmawiasz.
5. Jeśli masz dzieci, ćwicz razem z nimi lub poproś znajomych czy rodzinę o pomoc w opiece nad nimi, kiedy ty wybierasz się na siłownię.

6. Planuj treningi w sposób najwygodniejszy dla siebie – dzienny planer, alarm w telefonie.

7. Ćwicz podczas przerw na reklamy w twoich ulubionych programach telewizyjnych. (Prawdę mówiąc, jeśli masz czas na oglądanie telewizji, to z pewnością masz czas na treningi).

8. Bądź weekendowym siłaczem i trenuj w soboty i niedziele.

Zdrowe jedzenie w biegu

1. Przygotuj sobie lunch do wzięcia do pracy.

2. Zawsze noś ze sobą zdrowe przekąski. (Możesz nawet zainwestować w małą chłodziarkę lub wkładki chłodzące – na to nie znajdziesz wymówki!)

3. Stwórz listę restauracji podających zdrowe i dietetyczne jedzenie, które znajdują się w twojej okolicy, i miej telefony do nich zawsze pod ręką. Jeśli rzeczywiście nie masz za dużo czasu, zadzwoń i zamów sobie jedzenie lub kup je na wynos.

4. Dostosuj zamówienie do swoich potrzeb, aby twój posiłek poza domem był dla ciebie jak najzdrowszy.

ODMOWA DOSTĘPU?

Podobnie jak ograniczenia czasowe, kwestia dostępności była już przeze mnie omawiana w poprzednich rozdziałach, jednak jeśli nie zapamiętałeś wszystkich wskazówek, pozwól, że szybko ci je przypomnę. Jeśli jednak wydaje ci się, że za te porady dostaniesz dodatkowe punkty, to nic z tego. To by był dubel. Podobnie jak w przypadku przeszkód czasowych, wszystkie punkty były przypisane w poprzednich rozdziałach.

Fitness

1. Zbuduj domową siłownię.
2. Wykorzystaj swoje otoczenie – biegaj, chodź na spacery i wycieczki, wbiegaj po schodach do swojego mieszkania, pracy czy hotelu.
3. Miej zawsze ze sobą płyty z ćwiczeniami, aby móc trzymać się planu treningowego nawet jeśli w miejscu, do którego się wybierasz, nie ma siłowni.
4. Nie pozwól, aby kiepska pogoda zniechęciła cię do ćwiczeń. Ta wymówka nie ma żadnego sensu. Jeśli jesteś zapaleńcem uwielbiającym trening na zewnątrz, możesz znaleźć ciekawe możliwości, które pozwolą ci utrzymać formę podczas zimowych miesięcy i uniknąć dzięki temu zimowego przybierania na wadze.

- Kup karnet na siłownię, aby utrzymać formę do czasu, kiedy będziesz znów mógł trenować na zewnątrz.

MIT: Ćwicząc z pustym żołądkiem, spalam więcej tłuszczu.

FAKTY: Pod żadnym pozorem nie ćwicz z pustym żołądkiem. Jeśli to zrobisz, będziesz miał zdecydowanie mniej siły na wykonywanie ćwiczeń i stworzysz ryzyko pochłaniania swojej tkanki mięśniowej. Twoje ciało potrzebuje odpowiedniej dawki cukrów, które są swego rodzaju paliwem podczas ćwiczeń. Jeśli zawartość cukru we krwi nie będzie utrzymana na odpowiednim poziomic, twoje ciało zacznie zamieniać tkankę mięśniową w energię. Ponadto im bardziej intensywny jest twój trening, tym więcej kalorii spalisz. Jeśli jednak nic nie zjadłeś, z pewnością twój trening nie będzie odpowiednio intensywny. Zjedz coś niewielkiego na godzinę przed wysiłkiem – niech to będzie coś zawierającego węglowodany i białka, na przykład serwatka lub jabłko z masłem migdałowym.

- Wybierz się na kryty basen. Zainwestuj w kamizelkę lub pasy wypornościowe. Taki trening będzie dla ciebie prawdziwym wyzwaniem.
- Przywdziej raki lub biegówki, które są świetne do treningu cardio, podczas którego spalisz przeciętnie 263 kalorie w 30 minut (badania przeprowadzone na kobietach ważących około 72 kg).

Jedzenie

1. Zdrową żywność kupuj przez internet.
2. Jeśli jedyną możliwością jest jedzenie poza domem, pamiętaj o paluszkach serowych, jajkach na twardo, zdrowym batonie energetycznym i produktach orzechowych.
3. W restauracjach wybieraj najzdrowsze jedzenie i tak modyfikuj składniki, aby sprostały twoim dietetycznym potrzebom.
4. Jeśli nie wiesz, gdzie się wybrać, skorzystaj z aplikacji (dostępnej dla iPhone'a i większości urządzeń z Androidem), która wskaże restauracje i kawiarnie w twojej okolicy. Dzięki temu możesz znaleźć miejsca oferujące zdrowe jedzenie. To bardzo sprytne narzędzie – wymówka, że nie masz pojęcia, gdzie możesz zdrowo zjeść, przestanie istnieć.

> Szybkie cięcie
> Zamiast lodów w wafelku zjedz porcję w kubku.
> **Cięcie: 121 kalorii**

FAZA ZWĄTPIENIA

Jestem przekonana, że tylko czekałeś, aż pojawi się ten wątek. A więc jest. Szczerze powiedziawszy, nie wierzę w ideę istnienia fazy plateau. Dlaczego? To proste. Z mojego doświadczenia wynika, że w niemal dziewięćdziesięciu procentach przypadków ta faza dopada osoby, które zwyczajnie jedzą za dużo lub nie kontrolują ilości spożywanych kalorii.

Może to być również spowodowane zmniejszeniem intensywności lub częstotliwości (albo i jednego, i drugiego) wykonywanych ćwiczeń. Jest jeden bardzo rzadki przypadek, który mógłby wytłumaczyć zaistnienie fazy plateau. Po zarejestrowaniu przez twoje ciało faktu, że zaczynasz tracić na wadze i zmniejszać ilość dostarczanej energii, którą z kolei cały czas wkładasz w wykonywanie ćwiczeń fizycznych (a przynajmniej taką mam nadzieję), organizm zaczyna panikować i gwałtownie hamuje. Z biologicznego punktu widzenia twoje ciało zaczyna myśleć, że zbliża się faza głodówki, na co reaguje uwolnieniem hormonów w celu spowolnienia utraty kilogramów, ponieważ wydaje mu się, że to jedyny sposób na przetrwanie. Przedstawię ci sposób na poradzenie sobie z tym problemem.

Dostosuj postęp

[3 punkty] ••• Śledztwo

Przez trzy dni prowadź dziennik, w którym będziesz dokładnie zapisywał wszystko, co jesz. Sprawdzisz w ten sposób, czy przypadkiem nie pozwalasz sobie na zbyt wiele. Jeśli tak jest, złap za cugle i przejmij kontrolę nad sytuacją.

[3 punkty] ••• Podbij ilość kalorii

Jeśli dokładnie zbadałeś temat i okazało się, że się nie przejadasz, a mimo to doznałeś zastoju, o którym wspomniałam wcześniej, oznacza to, że musisz zwiększyć ilość przyjmowanych przcz cicbie kaloiii. Oto co powinieneś zrobić: raz w tygodniu przyjmij 2000 kalorii w ciągu dnia. Przez kolejnych sześć dni zwiększaj ilość o 10% dziennie w stosunku do pierwotnego planu. Jeśli więc przyjmowałeś w okresie zastoju 1200 kalorii dziennie, to przez resztę tygodnia jedz ich 1320. Dzięki temu zapewnisz swój organizm, że nie głodujesz, i powrócisz do etapu zrzucania zbędnych kilogramów. Taka wizja może co prawda doprowadzić cię do szału, ale zaufaj mi – jestem w tym mistrzynią. A jeśli nawet jestem w błędzie (choć nie jestem), to w efekcie przyjmiesz tylko

MIT: Dieta lemoniadowa oczyszcza organizm.

FAKTY: Śmiać mi się chce zawsze, gdy słyszę o oczyszczaniu w kontekście diety. Jedyna rzecz, jaka może oczyścić twój organizm, to zdrowe odżywianie się i woda. Skończ ze śmieciowym jedzeniem i zacznij się porządnie odżywiać. To bardzo proste. Nauka pokazuje, że nerki i wątroba z podobną skutecznością usuwają z organizmu toksyny. Przeświadczenie, że mieszanka przeczyszczającej herbaty, cytryny, pieprzu cayenne i soli „oczyści" twoje ciało i spowoduje stały spadek wagi, jest nie tylko błędne, ale również spowoduje odwrotny skutek. W długofalowej perspektywie może nawet być niebezpieczne.

1700 dodatkowych kalorii w ciągu tygodniowej sesji. To około ćwierć kilograma. Zrelaksuj się więc, weź głęboki oddech i zrób co mówię.

[3 punkty] ••• Nie przesadzaj

Tę zasadę powinny wpoić sobie wszystkie osoby, które nie chcą zrzucić więcej niż 4–5 kilogramów. My, zwierzęta, bardzo często przesadzamy, jedząc za mało i ćwicząc przy tym zbyt intensywnie. Stary, musisz zrozumieć, że – z biologicznego punktu widzenia – zrzucenie marnych kilku kilogramów to coś zupełnie innego niż pozbycie się niezdrowej nadwagi. Twoje ciało jest chętne chudnąć tylko wtedy, gdy musi walczyć z nadwagą. Jeśli chciałbyś zejść z rozmiaru M do XS, twoje ciało najprawdopodobniej nie będzie chciało z tobą współpracować. A to dlatego, że jesteś całkowicie zdrowy, tylko gdzieniegdzie pojawiają się drobne fałdki. Z ewolucyjnego punktu widzenia jesteś w idealnym stanie do walki z głodem. Tak, zdajemy sobie sprawę z tego, że to się nie może wydarzyć w Ameryce, ale twoje ciało i geny są przygotowane na wszystko. Najważniejsze jest w tym wypadku, abyś zmniejszył ilość przyjmowanych kalorii najwyżej o 750–800. Jeśli na przykład spalasz 2500 kalorii dziennie, nie jedz mniej niż 1700. Jeśli nie masz pewności, jak wygląda twój metabolizm, wróć do rady „Żyj na minusie" z rozdziału 1. To jest sposób, aby twoje ciało nie wpadło w panikę, nie myślało, że umierasz z głodu i nie zaczęło przechodzić w stan magazynowania tłuszczu.

[3 punkty] ••• Urozmaicaj

Jeśli wariujesz już na siłowni, bo nudzą cię te same obwody wykonywane na okrągło, zmień kolejność wykonywanych ćwiczeń, aby zabić rutynę. Pamiętaj, że twoje ciało to całkiem niezła maszyna i bardzo szybko jest w stanie dostosować się i przyzwyczaić do nowych bodźców. Co mam na myśli? To, że jeśli na początku pewne ćwiczenia wymagały od ciebie niesamowitych nakładów energii, to zapewne doszedłeś już do etapu, w którym ciało stało się sprawniejsze i zdecydowanie lepiej radzi sobie z takim wysiłkiem. Nie zapominaj o zasadzie opisanej w rozdziale 2 – aby twoje ciało nie popadło w rutynę, musisz zmieniać schematy co najmniej raz na dwa tygodnie.

[3 punkty] ••• Podkręć to

To może być trochę podchwytliwe, bo zostawię cię samego z twoimi urządzeniami. Będziesz musiał obrać własny kierunek, aby umiejętnie podkręcić intensywność wykonywanych ćwiczeń. Możesz zwiększać siłę, liczbę treningów w ciągu tygodnia, albo przeciwnie – zmniejszyć obciążenie, robiąc sobie kilka dni przerwy. W jaki sposób możesz się dowiedzieć, czy potrzebna ci jest jakaś zmiana? Jeśli będziesz bardzo intensywnie trenował i zauważysz u siebie często pojawiające się zmęczenie przy jednoczesnym zmniejszeniu efektywności ćwiczeń, oznacza to, że przesadziłeś i potrzebujesz przerwy (swoją drogą takie sytuacje nie powinny mieć miejsca, jeśli stosowałeś się do moich zaleceń opisanych w rozdziale 2). Jeśli jednak nie czujesz wiatru w żaglach, ponieważ wciąż wykonujesz te same ćwiczenia, na tym samym poziomie intensywności, najwyższy czas ruszyć cielsko i wziąć się do pracy. Biegaj szybciej, podciągaj więcej, rób pompki po męsku. Rozumiesz? No, to dobrze.

PODLICZ SIĘ I ZRZUĆ TO

Przyznaj sobie 3 punkty

- [ ] Przemyśl to
- [ ] Zrób rachunek sumienia
- [ ] A może jestem spragniony?
- [ ] Wykrzycz to
- [ ] Gratisowe wartości odżywcze
- [ ] Zapamiętaj te zasady
- [ ] Czego oczy nie widzą, tego sercu nie żal
- [ ] Ustal plan awaryjny
- [ ] Zagraj w grę o sumie zerowej
- [ ] Do trzech razy sztuka
- [ ] Wyeliminuj ukrytych winowajców
- [ ] Zdrzemnij się
- [ ] Zafunduj sobie wakacje
- [ ] Naucz się odmawiać
- [ ] Pójdźcie do łóżka
- [ ] Nie bój się poprosić o pomoc!
- [ ] Wszędzie dobrze, ale w domu najlepiej
- [ ] Zabierz mnie ze sobą
- [ ] Pójdź na kompromis
- [ ] Zadzwoń do babci
- [ ] Sprytnie!
- [ ] Śledztwo
- [ ] Podbij ilość kalorii
- [ ] Nie przesadzaj
- [ ] Urozmaicaj
- [ ] Podkręć to

Przyznaj sobie 2 punkty

- [ ] Spuść z tonu
- [ ] Rusz w drogę
- [ ] Zacznij od zupy
- [ ] Test smaku
- [ ] Kto nie myje zębów, ten się objada
- [ ] Zajmij się czymś
- [ ] Jedzenie rozgromi stres
- [ ] Śmiej się ze swojego tyłka – dosłownie!
- [ ] Znajdź sobie nowego przyjaciela
- [ ] Trenowanie wspólnoty

Przyznaj sobie 1 punkt

- [ ] Rozchmurz się
- [ ] Orzechowy zawrót głowy
- [ ] Chłodno, chłodniej, szczuplej
- [ ] Przewiń to
- [ ] Podgrzej to
- [ ] Trenuj jogę
- [ ] Czas na herbatkę
- [ ] Zaatakuj kubki smakowe cynamonem
- [ ] Nos
- [ ] Ależ to wspaniale pachnie!
- [ ] Homeopatia
- [ ] Powiedz „ser"
- [ ] Afirmacja
- [ ] Znów wracamy do nosa
- [ ] Powiedz „ommmmm"
- [ ] Nie obawiaj się towarów z drugiej ręki
- [ ] Profesjonalista od czasu do czasu nie zaszkodzi
- [ ] Rusz się!
- [ ] Bawcie się
- [ ] Wielozadaniowość

_____ **Suma punktów z rozdziału 6**

_____ **Liczba rad, które wprowadziłem w życie**

225

Rozdział 7

Przyspiesz swoje odchudzanie

W tym rozdziale opowiem ci o nowatorskich metodach dotyczących tego, jak jeść, jak się poruszać, a nawet jak się ubierać, aby wyglądać szczuplej. Większość z przedstawionych tutaj pomysłów może wydać ci się absurdalna, ale uwierz mi, wszystkie są bezpieczne i naprawdę działają! Obiecuję! (Znajdziesz tu także pomysły, które ciężko było przyporządkować do któregoś rozdziału, więc zamieściłam je tutaj, tak że będziesz miał jeszcze szerszy wachlarz wskazówek dotyczących odchudzania).

Głównym zamierzeniem tego rozdziału jest dać ci do ręki metody, które będą doskonałym orężem w twojej walce o szczupłą, zgrabną sylwetkę. Całe życie szukałam sposobu na przełom w tej dziedzinie. Nie dlatego, że jestem buntownikiem i chcę wyważać otwarte drzwi – wolę myśleć o sobie jako o wizjonerce (lub zwyczajnie bardzo niecierpliwej jednostce), która szuka szybszych i bardziej efektywnych sposobów ćwiczenia i zmiany ludzkiego ciała. Wyniki kolejnych badań dotyczących tych kwestii są publikowane niemalże każdego dnia, ja zaś jestem pewna, że odnalazłam i opracowałam najlepszy, najpewniejszy i najszybszy sposób odchudzania. A ten rozdział to swoiste „grand finale".

Zaczniemy od podstaw, a następnie zejdziemy z utartej ścieżki i zagłębimy się w nowe rejony – poznamy niekonwencjonalne, czasem zaskakujące, nadzwyczaj efektywne techniki wspomagające odchudzanie. Tak więc zaczynamy. Dobrej zabawy.

BĄDŹ SZCZUPŁY

Największe sekrety odchudzania

[3 punkty] ••• Nie bądź imprezowiczem!

Naprawdę! Dorośnij i zostaw imprezy w klubach. Narkotyki, papierosy, picie na umór... to nie czyni cię fajnym gościem, wręcz przeciwnie!
A przede wszystkim takie imprezowe ekscesy z alkoholem, papierosa-
mi itd. sieją straszne spustoszenie w naszym organizmie, odbijają się na
naszym zdrowiu i rozwalają nasz metabolizm. Po prostu powiedz „nie"
i czerp z życia jak najwięcej.

[3 punkty] ••• Zaprzyjaźnij się z wagą

Wiem, że wchodzenie na wagę jest największym koszmarem, i nic
dziwnego. Często jest niewłaściwie używana lub nadużywana i potrafi
nam przedstawiać raczej nieciekawe informacje. Prawda jest taka, że
waga, jeżeli jest odpowiednio używana, może stać się nieocenionym
narzędziem przy odchudzaniu! Pomyśl o niej jak o kompasie. Jest to
najprostszy i najszybszy sposób, abyś mógł sprawdzić, czy jesteś na dobrej drodze, czy trochę z niej zboczyłeś. Jeżeli to drugie, to „kompas"
pozwoli ci wrócić na właściwą ścieżkę.

A teraz najważniejsze – nie sprawdzaj swojej wagi codziennie! Twoja waga nie tylko zmienia się z dnia na dzień, ale także w ciągu dnia,
z uwagi na wahania płynów w twoim organizmie. Jeżeli wieczorem zjadłeś marynowanego ogórka, to następnego dnia możesz ważyć nawet
o pół kilo więcej, z uwagi na sól w nim zawartą. Pamiętaj, sól zatrzymuje wodę w naszym organizmie. A może po prostu jeszcze nie byłeś
w toalecie (wiem jak to zabrzmi, ale trzeba to powiedzieć) i delikatnie
mówiąc, trochę cię to „obciąża". Problem u osób za często się ważących
polega na tym, że codzienne wahania wskazań wagi powodują, że się one
denerwują i szybko demotywują. Najlepszą metodą jest systematyczne
sprawdzanie swojej wagi raz w tygodniu, powiedzmy w piątek o 9.00.
Wtedy jest to twój dzień ważenia się i powinieneś go pilnować. Dzięki

systematyczności w ważeniu się wyniki będą bardziej miarodajne. Takie ważenie się raz w tygodniu o stałej porze pozwoli ci bowiem zaobserwować realne spadki wagi z tygodnia na tydzień. Jeżeli zaobserwujesz, że waga albo się utrzymuje, albo wzrosła, będziesz wiedział, że powinieneś coś zmienić w swojej diecie albo w ćwiczeniach. Proste, prawda?

MIT: Utrata kilograma na tydzień jest „zdrowa".

FAKTY: Tak, można stracić kilo w tydzień. Ale czy jest to korzystniejsze dla zdrowia niż obniżenie wagi o 2 czy 2,5 kg? Niekoniecznie. Kluczem do zdrowego zrzucania wagi jest sposób, w jaki to robisz. Jeżeli ćwiczysz systematycznie i odpowiednio się odżywiasz, to utrata nawet dwóch kilogramów na tydzień też jest jak najbardziej zdrowa.

[2 punkty] •• Pokój tylko dla stojących

Stój, gdziekolwiek i kiedykolwiek możesz, zamiast siadać. Kiedy stoisz, spalasz do 1,5 raza więcej kalorii niż kiedy siedzisz. Stój w poczekalni u lekarza, staraj się stać w miarę jak najwięcej podczas pracy na swoim komputerze (mój stoi w kuchni, na podwyższonym blacie), stój, gdy oglądasz telewizję. Po prostu staraj się stać jak najwięcej. Niewykluczone, że siedzenie może zwiększać tendencję do odkładania się tłuszczu w organizmie – są prowadzone na ten temat badania. Odnoszą się one szczególnie do momentów, w których relaksujemy się na kanapie albo w fotelu, rozciągając nasze komórki tłuszczowe, co powoduje zwiększone odkładanie się tłuszczu. Nie wiem, czy do końca się z tym zgodzić, czy nie, ale wiem jedno: stanie przyspiesza spalanie kalorii, więc pamiętaj, stój jak najwięcej!

[2 punkty] •• Wiercenie się

Dr James Levine z kliniki Mayo w Rochester w stanie Minnesota spędził całe lata na badaniu, jaki wpływ na nasz metabolizm ma codzienny ruch. Wyniki jego dociekań mogą cię zaskoczyć. Ci wkurzający ludzie, którzy nie potrafią ustać w miejscu, którzy cały czas się wiercą, stukają piętami, machają rękami, chodzą tam i z powrotem, spalają do 350 więcej kalorii na dzień niż osoby preferujące siedzący tryb życia. Może się to przekładać na zrzucenie do 17 kilogramów w rok! Przesłanie jest tu oczywiste: nawet jeżeli pracujesz przy biurku, znajdź sposób, aby jak najwięcej się ruszać. Kiedy miałam pracę, która wymagała ode mnie siedzenia przy biurku, bawiłam się pałeczkami perkusyjnymi i udawałam, że gram. Spróbuj, to niezła zabawa, a przy okazji możesz poczuć się „cool".

[3 punkty] ••• Ogranicz oglądanie telewizji

• Postaraj się nie przekraczać 14 godzin tygodniowo (czyli jakichś dwóch godzin dziennie). Możesz zbyć to zalecenie krótkim: „Też mi coś", ale wstrzymaj się przez chwilę i udziel mi kredytu zaufania – jest w tym coś więcej, niż mogłoby się wydawać. To prawda, że oglądanie telewizji wiąże się z całymi godzinami przesiadywania na kanapie, ale sprawia ono, że tyjesz, z jeszcze innego powodu. Naukowcy z Uniwersytetu Harvarda opublikowali raport, który potwierdza, że siedzący tryb życia aktywizuje geny odpowiedzialne za otyłość. Śledzili 32 warianty genetyczne, o których wiadomo, że wpływają na ogólną otyłość i dystrybucję tkanki tłuszczowej oraz są powiązane ze wskaźnikiem BMI (wskaźnikiem masy ciała). Testy przeprowadzono na osobach, które oglądają telewizję ponad 40 godzin tygodniowo. U tych osób warianty genowe podnoszące podatność na otyłość wykazywały trzykrotnie silniejsze oddziaływanie niż u osób genetycznie podobnych, które na oglądanie telewizji przeznaczały znacznie mniej czasu – i to niezależnie od ich aktywności fizycznej. Ponadto oglądanie telewizji męczy mózg i zaburza jego pracę. Zapewne nieraz słyszałeś od swojej mamy, że od telewizji się głupieje. Nie wiem jak twoja, ale moja mama nigdy się nie myli! Znajdź inne zajęcie, takie, które będzie wymagało aktywności od twojego ciała i od twojego umysłu.

[1 punkt] • Bądź odporny na zimno i gorąco

Przestań cały czas używać klimatyzacji, przykręć ogrzewanie albo nawet je wyłącz. Oczywiście nie chcę, abyś zamarzł w zimie albo przegrzał się latem. Zależy mi tylko na tym, abyś zmusił swoje ciało do autoregulacji! Regulowanie temperatury własnego ciała wiąże się ze spalaniem kalorii. Gdy temperatura twojego ciała się zmienia, twoje serce zaczyna pracować intensywniej, aby wyrównać temperaturę i nie dopuścić do przegrzania albo do wyziębienia organizmu – przez co spalasz trochę więcej kalorii! Badania z roku 2000 opublikowane w „Medicine and Science in Sports and Exercise" wykazały, że twoje BMR zmienia się aż o 7% w reakcji na zmianę temperatury zaledwie o pół stopnia Celsjusza. Dodatkowym bonusem jest to, że przekłada się to na wysokość twoich rachunków za ogrzewanie!

[2 punkty] •• Ogarnij się

Nie chodzi o to, abyś był bardziej schludny, punktualny czy bardziej dbał o porządek. Chociaż to oczywiście cenne cechy. Mam raczej na myśli to, byś tak zorganizował swoje życie, żeby znaleźć w nim czas i miejsce na przyjęcie tych wszystkich możliwości, które oferuje ci życie.

Gdy nie jesteś dobrze zorganizowany, w twoje życie może wkraść się chaos, a na twojej drodze mogą pojawić się przeszkody, które nie pozwolą ci w pełni korzystać ze wszystkich otwierających się przed tobą możliwości. Staraj się być zorganizowany w pracy i w domu. Poczujesz się lepiej, nie tylko fizycznie, ale i psychicznie. Gdy jesteś dobrze zorganizowany i masz wszystko pod kontrolą, twój dzień przebiega sprawnie i możesz osiągnąć więcej. Szczerze, pomyśl, ile czasu tracisz co dzień przez swoje bałaganiarstwo? A mógłbyś zamiast tego skoczyć na siłownię, uciąć sobie drzemkę albo spędzić więcej czasu ze swoimi bliskimi.

Bycie zorganizowanym pozytywnie wpływa na naszą samoocenę. To, jak organizujesz sobie pracę, jak wygląda twoje otoczenie jest odzwierciedleniem twoich relacji z samym sobą. Jeżeli na swoim biurku masz zawsze bałagan, to pokazuje, że jesteś w pracy źle zorganizowany, a może nawet nieproduktywny. To, jak wygląda twoja kuchnia, jest odpowiedzią na to, jak się odżywiasz, czy przywiązujesz do tego wagę i czy dbasz o siebie. Jeżeli twoja łazienka jest zaniedbana, może to świadczyć o twojej higienie osobistej. Reasumując, im bardziej jesteś zorganizowany, im bardziej dbasz o czystość i porządek wokół siebie i nie dopuszczasz do zaniedbań, tym więcej możesz osiągnąć na wielu płaszczyznach swojego życia. Trudno ci w to uwierzyć? Badania przeprowadzone na Indiana University dowiodły, że osoby, których domy są uporządkowane i czyste, wykazują wyższy poziom aktywności fizycznej niż te, których domy są zaniedbane i zabałaganione. Jeżeli bardziej dbasz o swoje otoczenie, o to, aby panował w nim porządek oraz by twoje życie było bardziej zorganizowane, zyskujesz więcej czasu dla siebie. Dzięki temu masz też więcej czasu na systematyczne prowadzenie swojego programu odchudzania. I pamiętaj: żyjąc w sposób zorganizowany, pokazujesz, że cenisz siebie i zasługujesz na lepszą jakość życia.

[1 punkt] • Zacznij swój tydzień już w weekend

Zacznij swój zdrowy tydzień planować i wdrażać już w sobotę albo w niedzielę. Poniedziałki zawsze są chaotyczne dla wszystkich. Dzieje się milion rzeczy naraz i nie wiesz, w co ręce włożyć, od pracy po rzeczy związane z rodziną. Badania pokazują, że angażowanie energii oraz pracy w jedną sprawę powoduje, że nie poświęcamy należytego czasu innym zajęciom. Pamiętaj – siła woli jest jak mięsień, im bardziej ją trenujesz, tym łatwiej jest ci jej używać. Dlatego w sobotę i niedzielę nastaw się na sukces. Daj sobie większy wycisk na siłowni. Zaplanuj treningi na najbliższy tydzień czy też zrób swoje zdrowe zakupy, abyś mógł przygotować sobie zdrowe i wartościowe posiłki na cały tydzień. Nie marnuj czasu wtedy, kiedy jest go najmniej (poniedziałek–piątek).

Szybkie cięcie
Zjedz 170 gramów ziemniaków zamiast frytek.
Cięcie:
ok. 400 kalorii

Wskazówki dotyczące jedzenia i ćwiczeń, które naprawdę pomagają

[1 punkt] • Bądź świeży jak mięta

Dosłownie i w przenośni. Badania przeprowadzone na Wheeling Jesuit University wykazały, że wdychanie zapachu mięty może stymulować do intensywniejszego i szybszego treningu, co pociąga za sobą zwiększenie spalania kalorii nawet o 15%. Sportowcy, którzy wdychali miętę, ćwiczyli bardziej intensywnie, biegali szybciej i spalili więcej kalorii. Ja na przykład wcieram sobie w kark i ramiona parę kropli miętowego olejku eterycznego przed treningiem czy jak wychodzę na miasto.

[1 punkt] • Zimne dłonie, świetny trening

Klucz do dłuższych i efektywniejszych treningów może być w zasięgu ręki. Ostatnie badanie przeprowadzone na Uniwersytecie Stanforda wykazało, że kobiety, które ćwiczą na bieżni z zimnymi dłońmi w porównaniu do tych z ciepłymi dłońmi ćwiczą do 8 minut dłużej. Inne badania z kolei wykazały, że kobiety, które nosiły chłodzące rękawiczki przez 12 tygodni w czasie ćwiczeń, zwiększyły prędkość swojego chodu, obniżyły ciśnienie krwi i zgubiły o 7,5 cm w talii więcej niż ich koleżanki bez rękawiczek.

Chłodzenie dłoni wpływa na przepływ chłodniejszej krwi z powrotem do serca, co powoduje lepszą regulację temperatury. To z kolei zmniejsza zmęczenie, a zwiększa wytrzymałość. Prostszym sposobem może być zabieranie ze sobą na siłownię butelki zimnej wody i trzymanie jej w dłoniach podczas treningu. Dodatkowo biorąc łyk zimnej wody co dziesięć minut, możesz łatwo obniżyć temperaturę swojego organizmu. Zastanów się także nad bieganiem albo spacerami w chłodną pogodę bez rękawiczek.

[2 punkty] •• Biegaj mądrze

Badania wykazują, że na bieżni – czasem nieświadomie – biegamy wolniej niż na zewnątrz. Obserwowani ludzie poproszeni o wskazanie swojego tempa biegu na bieżni odpowiadającego ich bieganiu na zewnątrz, wybrali prędkość o 27% niższą od tej, jaką mają w rzeczywistości. Dzieje się tak dlatego, że na bieżni biegamy w miejscu, a otaczający nas świat się nie porusza. Na zewnątrz, mijając drzewa, ludzi itp. mam inny odbiór rzeczywistej prędkości, niż biegając w miejscu. Dlatego sugeruj się biciem swojego serca, a nie oceną wzrokową. Sprawdź swój rytm serca podczas biegania na zewnątrz i spróbuj go odzwierciedlić na bieżni.

MIT: Niesteroidowe leki przeciwzapalne (np. aspiryna, leki na bazie ibuprofenu) pomagają po ciężkich treningach i przy bólach mięśni.

FAKTY: Przez wiele lat niesteroidowe leki przeciwzapalne (NLPZ) były stosowane przez sportowców wielu dyscyplin na przeróżne urazy i polecane przez medycynę sportową. Współczesne badania wykazują, że stosowanie ich w celu zmniejszenia stanów zapalnych tak naprawdę pogarsza gojenie się wszystkich rodzajów tkanek, poczynając od mięśni, przez ścięgna, chrząstki, na kościach kończąc.

[1 punkt] • Nie daj się rolować

Następnym razem zamiast mówić: „Będę długo pamiętał ten trening", pomyśl o szybkim masażu tuż po treningu. Podczas badań przeprowadzonych na 11 młodych, zdrowych i silnych mężczyznach, których zaprowadzono tuż po męczącym treningu na szwedzki masaż, wykazano, że wpływa on korzystnie na regenerację mięśni oraz stymuluje produkcję mitochondriów w mięśniach. Mitochondria są to komórki-elektrownie – w wyniku reakcji tlenu z produktami rozpadu spożytego przez nas pokarmu wytwarzają energię dla komórek mięśniowych. Jeżeli nie masz pieniędzy na masaże po każdym treningu, użyj specjalnego wałka do masażu. Efektywny masaż przyspieszy regenerację i pozytywnie wpłynie na odbudowę mięśni.

[1 punkt] • Jedz imbir

Oto kolejna wskazówka żywieniowa, która ma ci pomóc przejść męczące treningi. Powiedzmy, że chciałbyś pójść na lekcje BODYSHRED i powiedzmy, że chciałbyś mieć tę wygodę, aby następnego dnia po męczącym treningu usiąść bez bólu w toalecie czy przeciągnąć się. Zjedz trochę imbiru przed treningiem i żuj go po treningu. Badania wykazały, że dwa gramy imbiru mogą zmniejszyć ból mięśni wywołany intensywnym treningiem, jeżeli imbir był zjedzony przed treningiem i parę dni po nim. Możesz kupić świeży korzeń imbiru lub specjalną imbirową gumę do żucia.

[1 punkt] • Jedz przed lustrem

Badania wykazały, że jedząc przed lustrem, możemy zmniejszyć spożywane porcje o jedną trzecią. Wygląda na to, że gdy widzimy siebie jedzących, przypominamy sobie o naszych celach, diecie i aspiracjach, o tym, że chcemy zrzucić parę kilo, a nie znowu przybrać na wadze.

[2 punkty] •• Nakładaj sobie prosto z kuchenki, a nie z miski na stole

Badania przeprowadzone na Cornell University pokazały, że ludzie zjadają porcje mniejsze o 35%, kiedy nakładają sobie z garnka stojącego na kuchence, a nie z miski na stole.

[1 punkt] • Zakop srebro

Chodzi mi o to, abyś zastąpił sztućce pałeczkami. Jedzenie pałeczkami powoduje, że jemy wolniej, co może przełożyć się na to, że przyjmiemy nawet o 25% mniej kalorii na posiłek. Nie tylko będziesz wyglądał na człowieka lepiej wychowanego i światowego, ale również pomoże ci to trzymać swoją talię w ryzach.

[1 punkt] • Pij zimne

Nie, nie piwo. Niezła próba. Pij zimną wodę. Wygląda na to, że jednak jest szczypta prawdy w tej starej jak świat teorii, że picie zimnej wody przyspiesza spalanie kalorii. To nie jest tylko taka sobie opowiastka – to jest prawda. Pijąc zimną wodę, spalamy więcej kalorii, ponieważ zmuszamy swój organizm, aby ją podgrzał do temperatury ciała. Według badań przeprowadzonych ostatnio w Niemczech nie daje to zbyt poważnych efektów, ale wystarczające, by spalić 17 400 kalorii rocznie, co przekłada się na jakieś 2,5 kg mniej. Zapamiętaj tylko, że picie zimnej wody nie zastąpi ci właściwej diety, to po prostu łatwy sposób na pozbycie się dodatkowo paru kalorii dziennie.

[2 punkty] •• Tnij i dziel

Wiele badań wykazało, że kiedy tniemy jedzenie na mniejsze kawałki, zjadamy mniej. Polega to na tym, że gdy widzimy więcej kawałków, to wydaje nam się, że jedzenia jest więcej. W ten sposób możesz oszukać mózg, że zjadasz więcej, niż faktycznie to robisz. Badania na Arizona State University pokazały, że osoby, którym podano pokrojonego na cztery części bajgla z serkiem, zjadły mniej niż ci, którym podano całego bajgla.

[1 punkt] • Rób zdjęcia

Zamiast zapisywać każdy kęs, jaki zjadłeś, przez pierwsze parę tygodni prowadź dziennik składający się ze zdjęć posiłków. Badania dowiodły, że zrobienie posiłkowi fotki i następnie przyjrzenie się zdjęciu powoduje, że ludzie przez chwilę się zastanawiają zanim przystąpią do jedzenia. Więc złap telefon, zrób szybkie zdjęcie tego, co zamierzasz zjeść, zaczekaj chwilę i spójrz na nie. Szybkie zdjęcie posiłku pomoże nam zastanowić się dwa razy zanim dorzucimy sobie do sałatki dodatkową porcję kiepskich serowych grzanek albo zamówimy dodatkową porcję purée. Ta chwila zastanowienia może cię odwieść od zrujnowania swojej diety. Kiedy pod koniec tygodnia wejdziesz na wagę i spojrzysz na wynik i uznasz, że nie odzwierciedla on twoich wysiłków, by jeść mniej, wróć do zdjęć swoich posiłków i zastanów się, gdzie popełniłeś błąd.

[1 punkt] • Patrz na świat przez niebieskie okulary

Wspomniałam wcześniej, że udowodniono, iż kolor ma wpływ na nasz apetyt. Ciepłe barwy powodują, że robimy się głodni, a zimne hamują nas przed przejadaniem się. Kiedy wychodzisz w ciągu dnia (albo wieczorem, jeżeli ci to nie przeszkadza), zakładaj niebieskie okulary przeciwsłoneczne. Może nie poczujesz się za bardzo atrakcyjny, ale kiedy włożysz swoje stare za małe dżinsy, podziękujesz mi.

MIT: Przeczyszczanie jelit jest świetnym sposobem na odchudzanie i detoksykację.

FAKTY: Do tej pory nie przeprowadzono żadnych poważnych medycznych badań, które by to potwierdzały. Jedyny spadek wagi, jaki odczujesz w rzeczywistości, to ten po usunięciu odpadów z twoich jelit. Jak na ironię, długie stosowanie takiego przeczyszczania może się przyczynić do zaburzenia pracy twojego własnego wspomagacza w odchudzaniu, czyli bilansu probiotyków. Każdy sposób oczyszczania jelit może doprowadzić do zaburzenia mikroflory twojego organizmu, która jest bardzo ważna i potrzebna w odżywianiu. Jak już wcześniej ustaliliśmy, bakterie te odgrywają ważną rolę w twoim organizmie. Pomagają mu w zachowaniu balansu wagowego oraz trawiennego. I ostatnia uwaga na ten temat: przeczyszczenie jelit prowadzi do utraty elektrolitowej równowagi, co może się wiązać z nudnościami, wzdęciami, skurczami mięśni czy w cięższych przypadkach doprowadzić do drgawek.

Proszę unikaj tej zwariowanej metody. W ogóle kto by chciał, by wtykano mu jakieś rury w odbyt. Zastanów się.

[3 punkty] ••• Siej spustoszenie

To moja ulubiona wskazówka. Pomogła mi w zredukowaniu tysięcy niechcianych kalorii. Tuż przed końcem posiłku rozrzuć resztki jedzenia po talerzu, tak aby wyglądało to nieapetycznie. To naprawdę pomaga. Rozrzuć sałatę po talerzu, wytrzyj usta serwetką i rzuć na posiłek. Zrób wszystko, co możesz, aby stracić ochotę na dokończenie posiłku. W czasie, gdy to piszę, właśnie popsikałam suchym szamponem ciasteczka, które przyniosła Heidi po swoim lunchu i zostawiła na stole w kuchni. Pomyśl o tym, ile razy już byłeś pełny, ale i tak dopychałeś się resztkami posiłku. Siła woli działa często tylko przez chwilę. Jak tylko ją poczujesz, działaj, zanim przejdzie. Jeżeli natomiast jesteś osobą, która nie lubi marnować jedzenia, albo na przykład wyszedłeś gdzieś coś zjeść, postaraj się spojrzeć na to z szerszej perspektywy. To, co zostawiasz, nie sprawi, że na świecie ludzie przestaną głodować. To, co masz na talerzu, pójdzie albo w twoje uda, albo w tyłek, albo do restauracyjnego śmietnika. Twój wybór.

[2 punkty] •• T2

W radzie zatytułowanej „Czas na herbatkę" (str. 193) rozmawialiśmy o herbatach, które pomagają ograniczyć apetyt i głód. Teraz przedstawię herbaty, które pomagają spalać tłuszcz i przyspieszają metabolizm. Spróbuj tych herbat:

- *King Peony White Tea.* Jej głównym i aktywnym składnikiem jest EGCG. Hamuje on odkładanie się tłuszczu w organizmie i wspomaga lipolizę. Pij dwie filiżanki po ciężkich posiłkach. Zawiera także teaninę – ten aminokwas zawarty w liściach białej i zielonej herbaty może dodawać energii (podobnie jak kofeina), a także pomaga zmniejszyć lęk i stres.
- *Liściasta Pu'erh.* Znana jest także jako „antyczny napój", pochodzi z gór Yunnan w centralnych Chinach, gdzie rosły jedne z pierwszych krzewów herbacianych. Pu'erh jest inna niż większość herbat, ponieważ, podobnie jak to jest w przypadku wina, jej smak zmienia się z wiekiem. Staje się pełniejszy i bardziej dojrzały. Naukowcy

doszli do wniosku, że herbata ta zawiera enzym, który powoduje kurczenie się komórek tłuszczowych. Pij jedną lub dwie filiżanki dla optymalnego efektu.

[2 punkty] •• Owiń go wstążką

Oto mała sztuczka, której nauczyłam się od moich francuskich przyjaciół, a która naprawdę działa. Kiedy idziesz na kolację, na talii pod ubraniem zawiąż sobie wstążkę. W miarę jedzenia będziesz czuł, jak twój żołądek się napełnia, a wstążka opina ci brzuch i staje się ciasna. To pomaga trzymać swoje ciało pod kontrolą i zwracać uwagę na to, jak dużo zjadłeś. Ten prosty sposób pomoże ci zapanować nad nadmiernym i nierozważnym folgowaniem sobie.

[1 punkt] • Jedz pachnące ziołami jedzenie, to naturalnie ograniczy ilość spożywanych kalorii

Już wspominałam, że w swoich posiłkach powinieneś używać więcej ziół, ponieważ po pierwsze są zdrowe, a po drugie są alternatywą dla kalorycznych sosów, cukrów czy soli, jednakże na tym ich zalety się nie kończą. Raport zamieszczony na łamach czasopisma „Flavor" pokazuje, że dodatek aromatycznych ziół może pomóc ci zmniejszyć spożywane posiłki o 5–10%. Najwyraźniej silny zapach posiłku sprawia, że nieświadomie zjadamy mniejsze porcje, ponieważ zwiększenie ilości wchłoniętego przez nas zapachu powoduje, że szybciej osiągamy poczucie sytości. Wypróbuj poniższe propozycje i sprawdź, jak różne aromatyczne dodatki wpływają na wielkość spożywanych przez ciebie porcji:

• Dodaj ⅔ łyżeczki rozmarynu do steku, kurczaka czy filetu z łososia.
• Dodaj ¼ szklanki pokrojonych jabłek, 1 łyżeczkę od herbaty startego imbiru i ½ łyżeczki od herbaty cynamonu do owsianki lub naleśników.
• Zamarynuj pierś kurczaka w greckim jogurcie z 1 łyżeczką od herbaty świeżo posiekanej mięty.

- Wymieszaj ¼ łyżeczki chińskiej przyprawy „pięć smaków" z fasolą, indykiem albo wołowym chili.
- Zmiażdż parę ząbków czosnku i dodaj je do swojego sosu do makaronu.

[2 punkty] •• Nie chowaj dowodów

Zostaw papierki i opakowania po przekąskach na biurku, aby ci przypominały, jak dużo zjadłeś. To pomaga trzymać siebie w ryzach, ponieważ widzisz, że to niemożliwe, byś znów był głodny.

[2 punkty] •• Talerz przekąsek, proszę

Nie możesz zjadać przekąsek z talerza wielkości półmiska. Jego średnica nie powinna być większa niż 25 cm. Badania na Cornell University pokazały, że ludzie, którzy jedli z mniejszych talerzy, wierzyli, że zjedli średnio o 18% kalorii więcej, niż zjedli naprawdę. Natomiast ci, którzy jedli z dużych talerzy, nie zauważyli tego zniekształcenia proporcji. To tylko dowodzi, że jemy oczami, a nie kierujemy się tym, co nam mówi żołądek. Więc leć do Ikei i kup zestaw mniejszych talerzy... No, już!

[3 punkty] ••• Żadnych węglowodanów w nocy

Nieraz już powtarzałam, że należy zbilansować swoje dzienne porcje zdrowych protein, tłuszczów i węglowodanów, ale jest jeden warunek. Chcę, abyś skończył z węglowodanami (chyba że będą to warzywa) przynajmniej trzy godziny przed snem. Byłoby najlepiej, gdybyś całkowicie wyeliminował je ze swojego wieczornego posiłku. Chodzi o to, że najbardziej intensywne wydzielanie hormonu odpowiadającego za spalanie tłuszczu, hamowanie starzenia się oraz budowanie mięśni, czyli hormonu wzrostu (HGH, *human growth hormone*), następuje w pierwszej fazie snu. Węglowodany skrobiowe i cukrowe przyczyniają się do większego uwalniania insuliny, a insulina z kolei hamuje wydzielanie hormonu wzrostu. Tak więc węglowodany spożywane przed snem okradają cię z tak cennego HGH, ograniczając jego produkcję.

MIT: Nie jedz przed snem.

FAKTY: Większość dietetyków zaleca, abyś nie jadł po określonej godzinie wieczorem, nie ma to jednak żadnego znaczenia odnośnie do twojej diety. Kalorie nie patrzą na zegarek. Przeprowadzono wiele badań na temat zależności pomiędzy tym, kiedy ludzie spożywają swój wieczorny posiłek, a czasem, kiedy kładą się spać. Żadne badania nie wykazały, aby miały one wpływ na ich wagę.

Podczas badań przeprowadzonych na Uniwersytecie Cambridge przez Dunn Clinical Nutrition Centre ochotników, którzy zgłosili się do testu, umieszczano w kalorymetrze „całego ciała", który umożliwia pomiar kalorii spalanych i magazynowanych. W pierwszej fazie testu ochotnikom podawano duży lunch oraz małe wieczorne posiłki, natomiast w drugiej fazie na odwrót – w ciągu dnia dostawali mały lunch, a na wieczór duży posiłek. Badania wykazały, że zjadanie dużego posiłku wieczorem nie ma żadnego wpływu na ilość odkładanego przez organizm tłuszczu. Jedyny związek, jaki może mieć jedzenie późnym wieczorem z otyłością, jest taki, że często o późnej porze jemy za dużo. To jak spożywanie trzech posiłków dziennie i przekąski wieczorem, a potem sięganie po następną. To ilość jedzenia wpływa na naszą otyłość, a nie czas, kiedy je spożywamy.

[2 punkty] •• Unikaj dziwnie brzmiących nazw jedzenia

Odnosi się to głównie do jedzenia w okresie świąt. Za każdym razem, kiedy nadchodzą jakiekolwiek święta, firmy gastronomiczne, restauracyjne i producenci artykułów spożywczych wypuszczają specjalne wersje znanych dań i na przykład w amerykańskiej sieci IHOP przed Bożym Narodzeniem pojawiają się limitowane ajerkoniakowe naleśniki, 2150 kalorii na talerzu z czterema naleśnikami (prawie dwa razy więcej kalorii niż w „nieświątecznej" porcji). A co powiesz na świąteczne

batoniki firmy Reese, Peanut Butter Snow-
man, zawierające 760 kalorii (3,5 razy więcej
niż standardowa wersja). Z kolei w Święto
Dziękczynienia w sieci Dunkin' Donuts możemy zjeść pysznego cynamonowego muffina,
który ma 630 kalorii i zawiera o jedną trzecią więcej cukru niż ich przeciętny muffin. To
dotyczy wszystkich świąt, od walentynek po
Święto Niepodległości. A wszystkie te specja-
ły mają więcej cukru, tłuszczu i innych śmieci
niż normalne, regularnie sprzedawane produkty. Zrób przysługę sobie
i swojemu ciału i znajdź inny sposób świętowania.

> **Szybkie cięcie**
> Lubisz zjeść hambur-
> gera na lunch w pra-
> cy? Proszę, jedz. Ale
> zwykłego hambur-
> gera bez dodatków
> i powiększonej porcji.
> **Cięcie: 150 kalorii**

[2 punkty] •• Dostosuj sięganie

Daj swoim kubkom smakowym trochę czasu, aby mogły przyzwyczaić
się do zdrowego jedzenia. Kiedy mówię uczestnikom mojego programu
The Biggest Looser, jakie są moje ulubione posiłki, zwykle robią dziwne
miny i gapią się na mnie jak na wariatkę.

Ich kubeczki smakowe muszą się zaadaptować do nowego jedzenia, a ich organizmy oczyścić ze wszystkich świństw, które uzależniły
ich od „śmieciowego" lub niezdrowego jedzenia. Dla palaczy papierosy
są świetne, natomiast dla niepalących po prostu śmierdzą, poza tym
wywołują bóle głowy albo nawet nudności. To samo tyczy się ludzi
uzależnionych od jedzenia. Odejście od tego może być dla nich bardzo
trudne. Ale jak już to zrobią, smaki, jakie wyczuwają, stają się dla nich
za intensywne – za słodkie lub za słone – a powrót do starych zwycza-
jów może powodować uczucie choroby, nudności itp.

Jeżeli przejście z jedzenia bardzo tuczącego na zdrowe odżywianie
może być za dużym szokiem dla twojego organizmu albo psychiki, rób
to małymi kroczkami. Oto dwa przykłady pokazujące, o co mi chodzi:

1. Zamień smażonego kurczaka w panierce na kurczaka w sosie
   barbecue – BBQ. (W ten sposób zredukujesz znacząco ilość
   kalorii i spożywanego tłuszczu, ale nadal będziesz miał cukier

i sól w sosie BBQ). Następnie zamień kurczaka BBQ na kurczaka w parmezanie (ale nie więcej niż cztery łyżeczki startego parmezanu) – w ten sposób wyeliminowałeś cukier. Na koniec spróbuj kurczaka w ziołach albo pieczonego czy grillowanego. Teraz dodałeś nie tylko pyszne zioła, ale także ich dobroczynne działanie dla organizmu, dodatkowo wyeliminowałeś cukier, sól i ponadto około 300 kalorii od punktu wyjścia, czyli kurczaka w panierce.

2. Przejdź z sałatki składającej się z sałaty lodowej z niebieskim serem pleśniowym albo serowymi grzankami na sałatę rzymską z jedną łyżką stołową sosu śmietanowego, bez grzanek. Sałata rzymska jest bogata w składniki odżywcze wspomagające i przyspieszające metabolizm. W ten sposób zredukujesz do 100 kalorii z sosu tylko przez ograniczenie jego ilości. Następnie przejdź na sałatkę ze świeżych liści szpinaku z sosem balsamicznym. Teraz przyjmujesz zdrowy tłuszcz z oliwy z oliwek, a odkładasz niezdrowy sos do sałatek, dzięki czemu eliminujesz kolejne 100 kalorii.

[2 punkty] •• Razem lepiej. Mieszaj rodzaje żywności dla lepszego efektu walki z tłuszczem

Kiedy czerpiemy z naszych posiłków najwięcej korzyści? To jest najwłaściwszy moment, aby o tym powiedzieć, ponieważ wszystko zależy od tego, jak łączymy ze sobą określone produkty spożywcze, aby jak najlepiej wspomóc spalanie tłuszczu. Nie chcę, abyś sugerował się książką z 1980 roku *Fit for Life* i jej zaleceniami – opowiadała bzdury na temat spożywania razem białka i skrobi, ponieważ wymagają one różnych środowisk trawienia (kwaśnego bądź zasadowego). Ci, którzy w to wierzą, uważają, że takie łączenie obciąża układ trawienny, powodując, że węglowodany fermentują, a tłuszcze gniją. Bzdura. Ale istnieją pewne kombinacje żywieniowe, które powodują lepsze wchłanianie składników odżywczych lub pomagają w spalaniu tłuszczu. Oto pięć przykładów łączenia ze sobą produktów w celu lepszego spalania tłuszczu.

- **Szpinak i cytrusy.** Witamina C (zawarta w cytrusach) pomaga nam lepiej przyswajać żelazo (zawarte w szpinaku). Jest to dosyć ważne dla kobiet (ponieważ raz w miesiącu gość, który nas odwiedza, może z nas zrobić anemiczki) i wegetarian. Ugotuj na parze szpinak, potem go szybko podsmaż, dodaj odrobinę oliwy z oliwek i soku z cytryny. Albo dodaj parę cząstek mandarynki do twojej sałatki szpinakowej. Żelazo jest bardzo istotne w utrzymaniu twojej kondycji fizycznej. Odpowiada za transport tlenu w organizmie oraz spalanie „paliwa". Zapamiętaj, im ciężej będziesz ćwiczył, tym więcej kalorii spalisz.

- **Warzywa i zdrowy tłuszcz.** Przygotuj warzywa z odrobiną zdrowego tłuszczu, takiego jak oliwa z oliwek, aby jak najbardziej zwiększyć wchłanianie ochronnych fitochemikaliów. Wiele składników pokarmu rozpuszcza się w tłuszczach i są one przez to lepiej wchłaniane, dlatego pamiętaj o zdrowych tłuszczach. Jak już wcześniej wspomniałam, hormony są syntetyzowane z minerałów i witamin, dlatego lepsze wchłanianie tych składników pomoże w prawidłowym funkcjonowaniu tarczycy oraz w zachowaniu balansu estrogenu i testosteronu. Wszystkie te trzy rzeczy mają bardzo duże znaczenie przy spalaniu tłuszczów.

- **Witamina D i wapń.** Witamina D pomaga organizmowi we wchłanianiu wapnia, więc upewnij się, że kupujesz odpowiednie składniki, które zawierają witaminę D. Pamiętaj, że wiele firm produkujących mleczko kokosowe dodaje do niego tę witaminę. Jeżeli nie przepadasz za produktami wzbogaconymi w witaminę D, jedz rzeczy bogate w wapń i często przebywaj na słońcu. Ostatnie badania wykazały, że witamina D ma niebagatelny wpływ na zdrowie serca oraz odgrywa istotną rolę w walce z nadciśnieniem, rakiem czy innymi chorobami autoimmunologicznymi. Badania te sugerują również, że diety oparte na pokarmach bogatych w wapń wspomagają spalanie tłuszczu. Tylko nie szalej od razu i nie zacznij pić hektolitrów mleka czy pochłaniać całych kostek żółtego sera, panuj nad dodawaniem zbędnych kalorii.

- **Czerwone wino albo winogrona oraz ryby albo orzechy.** Kilka łyków wina albo garść winogron pomoże w przyswajaniu kwasów omega-3 zawartych w rybach i orzechach. Kwasy omega-3 mają także bardzo pozytywny wpływ na zdrowie naszego serca, mózgu i na spalanie tłuszczu. Olej rybny (tran) zawiera kwas dokozaheksaenowy (DHA) i kwas eikozapentaenowy (EPA) – kwasy tłuszczowe. Badania przeprowadzone w Australii wykazały, że osoby, które przyjmowały tran z kwasami tłuszczowymi omega-3, spalały więcej tłuszczu i więcej traciły na wadze niż ci, którzy ćwiczyli i nie przyjmowali kwasów omega-3. Jak się wydaje, tran wspomaga przepływ krwi do mięśni, co wpływa na nasze wyniki ćwiczeń. Badania były przeprowadzone na osobach, które przyjmowały tran i ćwiczyły trzy razy w tygodniu po 45 minut. Na dodatek EFA (niezbędne kwasy tłuszczowe) wytwarzają eikozanoidy – hormony, które wspomagają trawienie i wytwarzanie insuliny. Insulina sprzyja odkładaniu tłuszczu w organizmie. Ludzie przyjmujący kwasy omega-3 obniżyli poziom insuliny o 50%, zwiększając wykorzystanie spalanego tłuszczu do wytwarzania energii. (Jeszcze do tego wrócimy).

- **Proteiny oraz węglowodany „skrobiowe" albo „cukrowe".** Dodaj trochę protein, kiedy jesz węglowodany pod postacią cukrów lub skrobi. Kiedy spożywasz jakiekolwiek jedzenie, przechodzi ono skomplikowany proces trawienia i wchłaniania się do organizmu. Wysoki indeks glikemiczny węglowodanów (cukier i skrobia) sprawia, że szybko ulegają one rozpadowi, powodując gwałtowny wzrost poziomu cukru we krwi. Gdy tylko poziom cukru się podnosi, do naszej krwi uwalniana jest insulina, aby przetransportować cząsteczki cukru do mięśni, czyli ich celu. Problem polega na tym, że jeśli komórki mięśni nie od razu spalą dostarczony do nich cukier, zostanie on zmagazynowany w postaci tłuszczu. Tak więc ustabilizowany poziom cukru i insuliny we krwi jest kolejnym kluczowym czynnikiem w zachowaniu odpowiedniej wagi. Spożywanie węglowodanów razem z proteinami powoduje spowolnienie wyżej wspomnianego procesu. Węglowodany wchłaniają się wolniej, dzięki czemu wzrost poziomu cukru we krwi jest stopniowy, nie następuje tzw. skok cukru we krwi. Jeżeli więc jesz płatki owsiane na śniadanie, zjedz również trochę jajecznicy z białek. Natomiast jeżeli jesz chipsy czy nachosy z salsą jako przekąskę, zjedz do tego parę plasterków indyka.

SZTUCZKI W ODCHUDZANIU

Chociaż ostatnio suplementy stają się coraz mniej popularne, nie należy o nich zapominać przy diecie czy odchudzaniu się. Więc może na początek wyjaśnijmy sobie różnicę pomiędzy lekami a suplementami. Suplementy to naturalne dodatki występujące w żywności, takie jak kofeina, kwasy omega-3, pikolinian chromu czy kwercetyna. Środki farmaceutyczne natomiast mogą być pochodzenia roślinnego bądź zwierzęcego, ale najpierw zostają wyodrębnione oraz syntetyzowane, przez co stają się nową substancją chemiczną. Dzięki temu mogą być opatentowane.

Nie bardzo chciałabym, abyś faszerował się lekami. Po pierwsze nie jest to dobry sposób na trwałe czy efektywne odchudzanie się. Musisz się nauczyć zdrowo odżywiać oraz efektywnie wykorzystywać ćwiczenia i ruch, tak aby dojść do optymalnej wagi i utrzymać ją. Po drugie te środki farmakologiczne mogą wywoływać bardzo wiele skutków ubocznych takich jak bóle i zawroty głowy, bóle pleców, bóle brzucha, kłopoty z sercem, nudności, wzmożone łaknienie, zaparcia, trądzik, bezsenność, depresja, podwyższone ciśnienie czy niedomykalność zastawek. Wymieniać dalej? Zastanów się, czy warto.

Jeżeli odżywiasz się zdrowo i w uregulowany sposób, a do tego ciężko ćwiczysz i potrzebujesz jeszcze czegoś, aby wspomóc się w odchudzaniu, badania pokazują, że jest wiele naturalnych sposobów, które są bezpieczne dla naszego organizmu. I właśnie o tym zamierzam ci teraz opowiedzieć.

Znajdź swoją drogę do odchudzania

[3 punkty] ••• Nakręć się – pij kofeinę!

Pamiętaj, aby najpierw skonsultować się z lekarzem w kontekście przyjmowania kofeiny i twojego stanu zdrowia. Każdy, kto ma za wysokie ciśnienie lub problem z nim, odczuwa wysokie napięcie wewnętrzne czy ma jakikolwiek inny problem ze zdrowiem, na który negatywnie wpływa kofeina, nie powinien pić kawy ani napojów, które zawierają kofeinę. Kofeina ma jednak również szereg pozytywnych właściwości, pod warunkiem, że przyjmujemy ją w odpowiedni sposób i w odpowiednich dawkach. Kofeina pomaga na przykład w walce z rakiem trzustki i cukrzycą typu drugiego. Poza tym zmniejsza ryzyko zachorowania na alzheimera czy parkinsona. Wiele badań wykazało, że systematyczne picie najpopularniejszego napoju zawierającego kofeinę może wpłynąć na długość naszego życia – wydłużając je. Pamiętaj, że kawa jest napojem dietetycznym do momentu, aż jej nie posłodzimy czy nie dodamy mleczka albo czekolady.

Dla nas najważniejszym pozytywnym aspektem kofeiny jest to, że przyspiesza ona spalanie cukrów. Według wyników badań kliniki Mayo kofeina krótkotrwale tłumi apetyt i stymuluje nasz układ nerwowy, co przekłada się na ilość spalonych kalorii. Ale samą kawą się nie odchudzisz. Najważniejsze jest odpowiednie połączenie jej z twoją dietą i ćwiczeniami. Kawa może znacząco zwiększyć wydajność naszych treningów, ponieważ powoduje, że nie odczuwamy tak bardzo zmęczenia, a trudności w wykonywaniu ćwiczeń wydają nam się mniejsze. A to z kolei powoduje, że jesteśmy w stanie wykonywać cięższe ćwiczenia i zupełnie tego nie odczuć. Czyli spalić więcej kalorii, bo im więcej i intensywniej ćwiczymy, tym więcej kalorii spalamy. Kofeina zatrzymuje także glikogen w mięśniach (odpowiedzialny za przechowywanie węglowodanów) i stymuluje wykorzystywanie zapasów tłuszczów jako magazynów energii.

Kluczem do konstruktywnego korzystania z właściwości kofeiny jest przyjmowanie ok. 400 mg dziennie, najlepiej w dwóch porcjach po 200 mg. Odpowiada to dwóm mocnym kawom dziennie. Pierwszą kawę wypij zaraz jak wstaniesz, natomiast drugą na 45 minut przed treningiem, ale nie później niż do 15.00. (No chyba że należysz do tych osób, które mogą pić kawę niezależnie od pory dnia, a i tak nie mają problemów z zasypianiem). Pilnuj tej dawki, ponieważ za dużo kofeiny może mieć skutek odwrotny do zamierzonego. Może powodować uczucie wewnętrznego niepokoju, bezsenność czy zwiększyć wydzielanie się kortizolu – hormonu odpowiedzialnego między innymi za odkładanie się tłuszczu w naszym brzuchu. Czyli same złe rzeczy.

Kawa jest dobrym źródłem kofeiny, ale niekoniecznie najlepszym. Kawa może gwałtownie podnieść poziom cholesterolu we krwi, odwadniać, i jeżeli nie pochodzi z biouprawy, może zawierać duże ilości pestycydów. Zalecam także naturalne suplementy z kofeiną, a najlepiej z kofeiną z zielonej herbaty, która nie ma tak negatywnych skutków ubocznych jak kofeina z kawy. Dodatkowo zawiera elektrolity, które chronią przed odwodnieniem, a także antyoksydanty, i wzmacnia nasz układ odpornościowy.

[2 punkty] •• Odżywiaj się zdrowo

Niedawno przeprowadzone badania pokazują, że spożywanie trzy albo cztery razy dziennie posiłków zawierających niskotłuszczowe produkty mleczne może zwiększyć twoją zdolność do spalania tłuszczu. Wiele badań udowadnia, że dieta bogata w organiczny nabiał (oparty na proteinach z mleka) może pomóc w zrzucaniu wagi, zwiększając zdolność

MIT: Po treningu należy pić mleko czekoladowe.

FAKTY: Od mleka czekoladowego tyjemy, a poza tym ma ono bardzo mało substancji odżywczych. Jest naładowane cukrem, hormonami i antybiotykami — chyba że kupujesz organiczne, ale nie zmienia to faktu, że i tak jest bombą kaloryczną. Niektóre badania podtrzymują twierdzenie, że takie napoje mleczne dostarczają nam wystarczającą, a zarazem odpowiednią dawkę protein i węglowodanów. Ale weź pod uwagę to, że badania te zostały przeprowadzone na zlecenie amerykańskiej fundacji promującej mleko.

Tak więc jeżeli coś brzmi za pięknie, aby mogło być prawdziwe, to pewnie tak jest... Jest wiele innych zdrowych, bogatych w proteiny i węglowodany produktów zawierających mniej kalorii czy cukru. Spróbuj zbożowego shake'a proteinowego zamiast owocowego.

organizmu do spalania tłuszczu, a dodatkowo zwiększyć przyswajanie wapnia. Badania potwierdzają, że spożywanie produktów bogatych w wapń podnosi temperaturę naszego organizmu, co powoduje szybsze spalanie tłuszczu. W innym badaniu kobiety, które dostawały suplement diety zawierający 1000 mg wapnia dziennie, zrzuciły średnio więcej na wadze niż kobiety przyjmujące placebo. Mimo że różnice te nie były znaczące, jednoznacznie pokazały, że istnieje zależność pomiędzy przyjmowaniem wapnia a przyspieszeniem metabolizmu. Naukowcy mówią, że jest to spowodowane tym, iż wapń zatrzymywany w komórkach tłuszczowych odgrywa ważną rolą w magazynowaniu tłuszczów i ich rozpadzie. Jeżeli chcesz przyjmować wapń w postaci suplementów, wybieraj te bogate także w witaminę D, cynk i magnez, pomagają one bowiem w przyswajaniu wapnia przez nasz organizm. Jeżeli natomiast chcesz pozyskiwać go z produktów naturalnych, to polecam bogate w wapń produkty: organiczny niskotłuszczowy jogurt grecki, ser organiczny, mleko organiczne, warzywa zielone.

[2 punkty] •• Złap parę promieni

Na twojej liście zadań pozycję numer jeden powinno mieć spędzanie przynajmniej 15 minut na słońcu w ciągu dnia. Słońce jest najlepszym „źródłem" witaminy D. Jeżeli nie masz takiej możliwości, dopiero wtedy kupuj suplementy. Są dziesiątki badań wskazujących, że niedobór witaminy D przyczynia się do otyłości i na odwrót – że przyjmowanie odpowiednich ilości witaminy D pomaga nie dopuszczać do nadwagi. Kiedy masz wystarczającą ilość witaminy D w swoim organizmie, komórki tłuszczowe hamują wytwarzanie i odkładanie tłuszczów. Jeżeli jest jej za mało, poziomy hormonu paratarczycy (PTH) oraz kalcitriolu rosną, a wysoki poziom tych dwóch hormonów powoduje, że twój organizm przestawia się na magazynowanie tłuszczu. Norweskie badania wykazały, że zwiększony poziom PTH zwiększa prawdopodobieństwo bycia otyłym o 40%.

Witamina D pomaga nam w walce z otyłością poprzez kontrolę nad hormonami. Witamina D uwalnia w organizmie leptynę, która mówi nam: „Jesteś pełny, już nie jemy". Badania przeprowadzone w Australii na osobach, które na śniadanie spożywały posiłki bogate w witaminę D, potwierdziły, że zmniejszyła ona ich poczucie głodu na 24 godziny. Wreszcie, witamina D odpowiada za oporność na insulinę, która odpowiada między innymi za poczucie głodu i przejadanie się. Jak już wcześniej wspominałam, nietrudno jest znaleźć suplement zawierający witaminę D, magnez i wapń. Zaleca się przyjmować 1000 jednostek witaminy D z wapniem i magnezem dziennie.

Następnym sposobem przyjmowania wapnia jest jedzenie jogurtów. Mam na myśli te zdrowe jogurty. Bez syropu glukozowo-fruktozowego, cukru, barwników i innych dodatków. Osobiście uwielbiam jogurt grecki. Badania wykazały, że ludzie, którzy spożywali jogurt grecki trzy razy dziennie, schudli o 22% więcej oraz pozbyli się około 63% tłuszczu więcej w porównaniu z ludźmi, którzy tylko się odchudzali bez zażywania żadnych suplementów. Jest wiele sposobów jedzenia jogurtu nie na pojemniczki. Na przykład dodawaj go do sałatki zamiast majonezu. Dodawaj do smoothie, mieszaj z musli itp.

[2 punkty] •• Pokochaj ryby

Tran zawiera bardzo dużo ważnych składników. Jeżeli nie masz na niego uczulenia, stosuj go! Ostatnie badania wykazały, że tran pomaga spalać tłuszcz i wspomaga budowę mięśni. Testy przeprowadzone na zwierzętach wykazały, że diety wyraźnie bogatsze w kwasy tłuszczowe omega-3, kwas eikozapentaenowy (EPA) i kwas dokozaheksaenowy (DHA), które można znaleźć w tranie, prowadzą do obniżenia poziomu tłuszczu w organizmie w porównaniu z innymi kwasami tłuszczowymi. Nie ma jednoznacznego wyjaśnienia, dlaczego tak się dzieje, ale badania wykazały, że EPA i DHA hamują ekspresję genów lipogenicznych i zwiększają zdolność utleniania lipidów. (Przepraszam, wiem, obiecałam nie robić wykładów). W skrócie oznacza to, że tendencje magazynowania tłuszczu w twoim ciele są tłumione i dodatkowo wzmacniana i zwiększana jest zdolność spalania tłuszczu. Nie ma jednoznacznych wyników badań, które by pokazały, iż spożywanie tranu wpływa na zmniejszenie poziomu kortyzolu. Jeżeli okazałoby się, że tak jest, to zmniejszając poziom kortyzolu, można by zmniejszyć ilość tłuszczu w organizmie.

Jeżeli nie jesz ryb systematycznie (szczególnie ryb głębokowodnych) albo jesz w większości przetworzone jedzenie i tłuszcze (pomimo że mówiłam ci, abyś tak nie robił), rozważ dodanie do swojej diety tranu. Jednak wybieraj tran mądrze, ponieważ nie wszystkie marki produkujące tran dokładnie go oczyszczają czy mają ścisłe restrykcje dotyczące procesu jego produkcji. Aby rzeczywiście tran miał wpływ na twoje odchudzanie i budowę mięśni, potrzeba około 2–3 gramów dziennie. Nie zapomnij połączyć go z paroma łykami wina czy paroma winogronami, które zwiększą przyswajalność omega-3.

Uwaga! Jeżeli przyjmujesz leki przeciwzakrzepowe, skonsultuj się z lekarzem zanim zaczniesz stosować tran.

[2 punkty] •• Wybierz swoje dwie tabletki dziennie

Wiemy już, że bardzo duży wpływ na twoją wagę mają hormony oraz zdrowa biochemia. Na przykład hormon tarczycy, który ma duży wpływ na nasz metabolizm, potrzebuje do prawidłowego funkcjonowania selenu, cynku i jodu. Pomimo że żyjemy w szybko rozwijającym się świecie, nasze diety nie zaspokajają zapotrzebowania naszego organizmu na składniki odżywcze. Spowodowane jest to często tym, że nasze menu nie jest odpowiednio zróżnicowane czy organiczne. Dlatego dobrej jakości multiwitaminy to nie tylko dobry pomysł dla naszego zdrowia, ale także i ciała. Kluczem do tego jest jakość. Musisz sprawdzić dostępne na rynku multiwitaminy pod kątem składu, ilości barwników, przyswajalności itp. – a więc zanim wydasz pieniądze, sprawdź to.

[2 punkty] •• Dbaj o jelita

Pamiętaj o dbaniu o florę bakteryjną jelit. Jest ona istotna dla twojego zdrowia. Oczywiście także pomaga w dbaniu o wagę. Priobiotyki przyspieszają zdolność przyswajania witamin i minerałów przez nasz organizm. Dbają również o równowagę zdrowotną flory bakteryjnej jelit, a także pomagają w utracie wagi. Jest to bardzo ważne dla naszego organizmu, ponieważ, jak już wspomniałam wcześniej, witaminy i minerały są niezmiernie ważne dla naszych hormonów. Na przykład aby poprawnie funkcjonował nasz hormon tarczycy (regulator metabolizmu), potrzebne mu są jod, cynk i selen. Jeżeli nasz organizm nie potrafi prawidłowo wchłaniać tych minerałów, cierpi na tym nasza gospodarka hormonalna.

Naukowcy nie potrafią wyjaśnić, na czym dokładnie polega rola flory bakteryjnej jelit w pomocy w odchudzaniu się, ale wyniki badań jednoznacznie wskazują, że taka zależność istnieje: w 2006 roku na Uniwersytecie Stanforda naukowcy odkryli, że ludzie otyli mają zupełnie inną florę bakteryjną niż ludzie o właściwej wadze ciała. To jeden z przykładów pokazujących, iż bakterie te odgrywają ważną rolę w utrzymaniu prawidłowej wagi. Inne badania przeprowadzone przez naukowców z Uniwersytetu Lound w Szwecji pokazały, że dodanie do diety bakterii probiotycznych powoduje zmniejszenie przyrostu masy ciała. I jeszcze jedno: w Centrum Polityki Zdrowotnej na wydziale medycznym Uniwersytetu Stanforda odkryto, że używanie probiotyków może pomóc szybciej schudnąć pacjentom z bajpasem żołądka.

Widzisz teraz, że dbanie o swoją florę bakteryjną jelit jest bardzo ważne dla twojego organizmu.

[2 punkty] •• Jedz błonnik

Jeżeli chcesz pohamować swój głód, jedz błonnik, jeżeli jednak dopiero powoli starasz się dodawać produkty z błonnikiem do swojej diety, na razie uzupełniaj braki suplementami. Ostatnie badania wykazały, że ludzie otyli czy ludzie z nadwagą, którzy przyjmowali suplementy z błonnikiem, odczuwali dużo mniejszy głód po posiłkach niż osoby przyjmujące placebo. Dzieje się tak dlatego, że błonnik spowalnia opróżnianie żołądka, czyli powoduje, że jedzenie dłużej w nim zostaje, a ty czujesz się najedzony przez dłuższy czas.

Idealnie by było, gdybyś jadł więcej warzyw z błonnikiem, ale gdy już zaczniesz, odstaw suplementy. Chodzi o to, aby spożycie błonnika było równomierne i abyś powoli dokładał warzywa z błonnikiem do swojej diety (nie przesadź z za dużym spożyciem błonnika naraz). Pij też dużo wody, aby uniknąć zaparć. Narodowa Akademia Nauk Instytutu Medycznego zaleca, aby mężczyźni poniżej 50. roku życia spożywali około 38 gramów błonnika dziennie, a ci powyżej 50. roku życia – przynajmniej 30 gramów. Natomiast kobiety poniżej 50. roku życia powinny spożywać przynajmniej 25 gramów błonnika dziennie, a powyżej 50. roku życia – 21 gramów. Większość ludzi spożywa około połowy rekomendowanych ilości. Możesz dowolnie wybierać w suplementach, ale najlepszym źródłem błonnika jest babka płesznik, którą możesz kupić w sklepach ze zdrową żywnością.

MIT: Mam problemy z utrzymaniem wagi, ponieważ jem pokarmy na bazie pszenicy i nabiału, a mój organizm źle je trawi.

FAKTY: Uwielbiam, kiedy o zdrowym odżywianiu wypowiadają się ludzie, którzy nie mają o nim bladego pojęcia. Gdzie tu logika? Takie „złe trawienie" oznacza problemy z metabolizmem pokarmu i przyswajaniem kalorii. A co za tym idzie, prowadziłoby do utraty wagi, a nie przybierania. Tak przy okazji, nawet jeżeli masz alergię na jakieś jedzenie, nie ma naukowych dowodów na to, że alergia na jedzenie powoduje przybieranie na wadze. Dyskomfort – tak. Wzdęcia – być może. Ale przybieranie na wadze – nie!

[1 punkt] • Pokonaj wzdęcia

Wzdęcia powodują, że możesz czuć dyskomfort. Nawet jeżeli jesteś osobą szczupłą, pora miesiąca, potrawy z dużą ilością sodu czy za niski poziom potasu mogą sprawić, że będziesz czuł się gruby. Rozwiązaniem jest tu picie wody. Im więcej wody pijesz, tym mniej wody zatrzymujesz w organizmie. Postaraj się ograniczyć ilość sodu do 1500 miligramów na dzień i jedz potrawy bogate w potas. Dzięki temu pomożesz organizmowi się oczyszczać, co zredukuje wzdęcia spowodowane nadmierną ilością sodu. Możesz szybko wyglądać szczuplej i poczuć się szczuplej poprzez zmianę nawyków żywieniowych.

Oto parę przykładów bogatych w potas produktów, które zredukują wzdęcia: woda kokosowa, banany, papaja, jogurty, fasola limeńska, kantalupa, buraki. Jeżeli nie możesz już poświęcić kalorii na dodatkowe jedzenie, kup sobie suplement z czystym potasem, ale bez kalorii.

[1 punkt] • Paliwo do ćwiczeń

Wiele rozdziałów w swoich książkach i na swoich stronach internetowych poświęciłam temu, jak ważną rolę w prawidłowym funkcjonowaniu organizmu odgrywają różne składniki odżywcze, jak pozytywnie wpływają na metabolizm, odporność oraz na odnowę biologiczną. Teraz powiem wam dokładnie, jakie składniki (i wartości odżywcze w nich) wspomagają, wspierają i zwiększają wydajność ćwiczeń. Zapamiętaj: im ciężej ćwiczysz, tym więcej kalorii spalasz.

- **Żelazo.** Poprawia morfologię krwi poprzez pomoc w tworzeniu czerwonych krwinek, które transportują tlen po całym naszym ciele, zwiększając zdolność dotleniania, a przez to zwiększa wydajność naszych ćwiczeń.
  Znajdziesz je w mięsie krów karmionych trawą, żółtkach jaj czy warzywach takich jak szpinak itp.
- **Kwercetyna.** Najnowsze badania na temat kwercetyny i jej oddziaływania na sportowców sugerują, że ma ona duży wpływ na poprawę wydajności podczas ćwiczeń, a jeszcze większy u ludzi uprawiających sport hobbystycznie. Dzieje się tak dlatego, że kwercetyna zwiększa biogenezę mitochondriów, a ta z kolei zwiększa nasz współczynnik VO_2max (współczynnik maksymalnej ilości tlenu, jaką dana osoba może wykorzystać), a co za tym idzie — podnosi na wyższy poziom naszą wytrzymałość fizyczną. Naukowcy twierdzą, że zawodowi sportowcy nie widzą tych wzrostów z uwagi na to, że mają już maksymalnie przystosowane mitochondria komórek. Najważniejsze jest to, aby nie pomagać im suplementami, tylko jedzeniem, ponieważ to na pewno im nie zaszkodzi.
  Znajdziesz ją w skórkach od jabłek, jagodach.

- **Tlenek azotu.** Tlenek azotu sprawia, że podczas ćwiczeń zużywasz mniej tlenu, co zwiększa wytrzymałość i siłę organizmu. Naukowcy uważają, że przy spożywaniu soku z buraków organizm przetwarza azotan w tlenek azotu, co pozytywnie wpływa na naszą odporność. Papryczki i inne ostre potrawy zawierają kapsaicynę, która aktywuje receptory w ścianach komórek krwionośnych, co prowadzi do zwiększenia wytwarzania tlenku azotu.
  Znajdziesz je w burakach, papryczkach jalapeno, pieprzu cayenne.
- **Koenzym Q10(CoQ10) i CoQH.** Te koenzymy są bardziej stabilne od zwykłego koenzymu Q10 i występują w jedzeniu tylko w śladowych ilościach. Można je znaleźć głównie w mięsie i rybach. Występują jednak we wszystkich komórkach w organizmie i mają wpływ na przekształcanie kwasów tłuszczowych i glukozy na energię. W szczególności są one niezbędne do wytwarzania adenozynotrójfosforanu (ATP), czyli źródeł energii dla naszego organizmu (dają siłę i wytrzymałość podczas treningów, dzięki nim możesz trenować ciężej). I po raz któryś z kolei się powtórzę: im ciężej trenujesz, tym więcej kalorii spalasz.
  Znajdziesz je w mięsie krów karmionych trawą, wieprzowinie, drobiu, łososiu, sardynkach i makreli.

ZASADY UBIERANIA SIĘ

Ubieraj się odpowiednio do swojej sylwetki

Powiedzmy sobie szczerze: nie ma żadnej uniwersalnej zasady, dzięki której poprzez ubiór faktycznie będziesz szczuplejszy (dlatego nie znajdziesz tu wskazówek na ten temat). Jednakże to, jak i w co się ubierasz, może spowodować, że będziesz wyglądać szczuplej. Mimo że daleko mi do kreatora mody, podam ci wskazówki, jakich udzielili mi styliści z Los Angeles, Miami i Nowego Jorku, które naprawdę działają! Jak tylko się tego nauczyłam i zobaczyłam, że to działa, powodując natychmiastową zmianę w moim wyglądzie, pomyślałam sobie: *Dlaczego nie są to informacje powszechnie znane?*

Jest rzeczą oczywistą, że ćwiczenia fizyczne budują twoją sylwetkę – a dlaczego by nie spróbować jej jeszcze wizualnie udoskonalić? Jestem osobą szczupłą, a mimo to cały czas stosuję się do tych zaleceń. Więc uważaj, co mówię, i zacznij bawić się ubiorem.

Noś koszulki i sweterki z dekoltem w serek

To wydłuży twoją szyję i uwydatni obojczyki.

Bądź monochromatyczny

Ubieranie się w ten sam kolor od stóp do głów stworzy ciągłość i spowoduje, że twoja sylwetka będzie odbierana jako całość. Kolory nie będą skupiały wzroku na poszczególnych partiach twojego ciała. Dzięki temu będziesz też wyglądał na wyższego. Ta rada jest też dobra dla ludzi niskich.

Kupuj tylko to, w co się mieścisz

Nie wciskaj się w rzeczy, w które się nie mieścisz. Takie ubrania tylko spowodują pojawienie się fałdek nawet na najszczuplejszej osobie. Jeżeli nie czujesz się w czymś dobrze w swojej garderobie, odpuść sobie tę rzecz i odwieś na wieszak.

Praktyka czyni mistrza, czyli sztuka kamuflażu

Zapamiętaj: ciemniejsze kolory będą wyszczuplały, natomiast kolory jaskrawe na odwrót. Więc jeżeli jesteś grubszy/a w biodrach, noś czarne albo brązowe paski. Jeśli chcesz ukryć pokaźny biust rozmiaru podwójnego D, unikaj srebrnych i złotych bluzek.

Wybieraj luźne rzeczy

Jeżeli starasz się ukryć problematyczne strefy, noś luźne rzeczy, nie obcisłe, które pokazują wszystko, co starasz się ukryć. Natomiast jeżeli chcesz uwypuklić którąś część ciała, noś rzeczy obcisłe. Jeżeli masz ładne nogi i talię, noś obcisłe dżinsy i wpuszczone koszulki. W tym wypadku luźne swetry, koszulki czy dżinsy zakryją to, czym możesz się pochwalić.

Nie przesadzaj

Większe rozmiary powodują, że wyglądasz grubiej. Uwierz mi, to prawda. Nauczyłam się tego na pierwszej sesji zdjęciowej w bikini do magazynu „Shape". Chciałam założyć słodkie chłopięce spodenki do kąpieli, a oni chcieli mnie w bikini. Postawiłam na swoim, ale po obejrzeniu zdjęć zdałam sobie sprawę, że byłam w błędzie. Im większe ubranie, tym większa zdaję się być. A oto rada od projektantki Edith Head: „Zakładaj ubrania na tyle luźne, aby pokazać, że jesteś damą, ale zarazem na tyle obcisłe, aby pokazać, że jesteś kobietą".

Dopasuj swoje ubrania

Nie oczekuj, że każda „8" będzie odpowiadała każdej kobiecie z „8". Pójdź do krawca i dopasuj swoje ulubione ubrania. Może to wydać się zbędnym wydatkiem, ale jak raz tak zrobisz, będziesz tak robiła za każdym razem. A dobrze dopasowane ubrania przygotują cię na każdą okazję.

Wybieraj mniejsze wzory

Tego nauczyłam się, kiedy miałam sesję zdjęciową na okładkę „Redbook" i stylista wsadził mnie w dżinsy z tureckim wzorem. Strasznie się opierałam, mówiąc, że one mnie pogrubiają. Ale się myliłam, moje nogi wyglądały na szczupłe. A to dlatego, że im drobniejszy wzór, tym szczuplej wyglądasz. Jeśli już chcesz założyć coś wzorzystego, wybieraj cienkie paseczki, małe kropki albo drobne tureckie wzory.

Obwiąż się

Każdy stylista mówił mi, aby zwracać uwagę na talię. A to dlatego, że w ten sposób zwracamy uwagę na najszczuplejszą część naszej sylwetki. Paski podkreślają naszą sylwetkę i smukły profil. Tylko nie mogą być za ciasne, bo podkreślą nasze fałdki.

Wybierz odpowiednie kieszenie

Kieszenie w spodniach powinny być dopasowane do naszej dłoni. Nie za małe, nie za duże. Pomiń tę zasadę, a zaczniesz igrać z ogniem (wrażenie o wiele za dużego tyłka nikomu jeszcze nie pomogło). Upewnij się, że kieszenie nie są niżej niż koniec twoich pośladków.

Dopasuj

Dopasuj kolor butów do spodni, aby wyglądać na wyższą. To działa również z odkrytymi butami i sukienką.

Zainwestuj w dopasowany biustonosz

Nawet nie wiesz, jak to zmieniło moje życie. Jak tylko zaczęłam stosować dopasowane biustonosze, po internecie zaczęły krążyć plotki, że zrobiłam sobie operację powiększenia piersi. Więc powiększ i podnieś swoje piersi minimalnym kosztem. Ponadto im wyżej masz piersi, tym szczuplej wygląda twoja talia. Tylko nie przesadź. Pójdź do profesjonalisty. Jest wiele sklepów, w których możesz dostać odpowiednią poradę. Z początku możesz czuć się lekko zażenowana, ale wynik wart jest tego.

PODLICZ SIĘ I ZRZUĆ TO

Przyznaj sobie 3 punkty

- [ ] Nie bądź imprezowiczem
- [ ] Zaprzyjaźnij się z wagą
- [ ] Ogranicz oglądanie telewizji
- [ ] Siej spustoszenie
- [ ] Żadnych węglowodanów w nocy
- [ ] Nakręć się – pij kofeinę!

Przyznaj sobie 2 punkty

- [ ] Pokój tylko dla stojących
- [ ] Wiercenie się
- [ ] Ogarnij się
- [ ] Biegaj mądrze
- [ ] Nakładaj sobie z prosto z kuchenki, a nie z miski na stole
- [ ] Tnij i dziel
- [ ] T2
- [ ] Owiń go wstążką
- [ ] Nie chowaj dowodów
- [ ] Talerz przekąsek, proszę
- [ ] Unikaj dziwnie brzmiących nazw jedzenia
- [ ] Dostosuj sięganie
- [ ] Razem lepiej. Mieszaj rodzaje żywności dla lepszego efektu walki z tłuszczem
- [ ] Odżywiaj się zdrowo
- [ ] Złap parę promieni
- [ ] Pokochaj ryby
- [ ] Wybierz swoje dwie tabletki dziennie
- [ ] Dbaj o jelita
- [ ] Jedz błonnik

Przyznaj sobie 1 punkt

☐ Bądź odporny na zimno i gorąco

☐ Zacznij swój tydzień już w weekend

☐ Bądź świeży jak mięta

☐ Zimne dłonie, świetny trening

☐ Nie daj się rolować

☐ Jedz imbir

☐ Jedz przed lustrem

☐ Zakop srebro

☐ Pij zimne

☐ Rób zdjęcia

☐ Patrz na świat prze niebieskie okulary

☐ Jedz pachnące ziołami jedzenie, to naturalnie ograniczy ilość spożywanych kalorii

☐ Pokonaj wzdęcia

☐ Paliwo do ćwiczeń

_____ **Suma punktów z rozdziału 7**

_____ **Liczba rad, które wprowadziłem w życie**

ROZDZIAŁ 8

WIELKIE ODLICZANIE

No i proszę. Udało ci się dotrzeć do mety. Gratulacje! Teraz, zanim połamiemy sobie ręce, poklepując cię po plecach, sprawdźmy, jak wypadłeś w wielkim wyścigu do szczupłej sylwetki. Sprawdzimy, ile już osiągnąłeś i jaka jest twoja determinacja, by osiągać dalsze sukcesy, i postaramy się skierować cię we właściwą stronę na twojej drodze do nowego życia.

Będziemy oceniać na dwa sposoby. Najpierw obliczymy twoją całkowitą punktację, podliczając punkty przyznane w poszczególnych rozdziałach za wskazówki, które postanowiłeś zastosować. Później sprawdzimy, jaki procent z moich rad zawartych w tej książce postanowiłeś wykorzystać. Co to ma na celu?

Przypisywanie punktów twoim nowym nawykom daje kilka wymiernych korzyści. Pozwala ustalić, które z metod są bardziej istotne. Daje nam obraz efektów wyborów, których dokonałeś – lub których nie dokonałeś – oraz umożliwia mi doradzenie ci, jak dostosować twój plan działania, byś mógł osiągnąć pełen sukces.

Jednym z podstawowych sposobów na ukierunkowanie cię na drogę dalszych sukcesów, jest przeanalizowanie procentowej wartości rad (które wybrałeś, czytając *Idealną sylwetkę*, i do których postanowiłeś się zastosować). Biorąc pod uwagę oba czynniki: twoją całkowitą punktację oraz wspomnianą wartość procentową, możemy dokładnie poznać nie tylko ilość, ale i skuteczność metod, które wybrałeś.

Na przykład jeśli twoja punktacja wynosi 200–300 punktów, ale ogólny procent wybranych porad jest niski, wiem już, że wybierałeś istotne metody, te o wartości 3 punktów, a nie duże ilości mniej istotnych rad za 1 punkt. I odwrotnie, jeśli twoja ogólna punktacja jest niska, a procent większy, daje mi to sygnał, że nie przykładałeś wielkiej wagi do skuteczności wybranych metod. Ta wiedza to najważniejszy krok do idealnej sylwetki. Ale zanim więcej sobie o tym powiemy, zajmijmy się tym, jak często powinieneś stosować wybrane przez siebie wskazówki.

Na samym początku książki powiedziałam ci, że nie musisz stosować wszystkich zawartych w niej wskazówek, a tych wybranych nie musisz stosować zawsze. Zanim przejdziemy do sedna i przyjrzymy się twoim wynikom, pozwól, że wyjaśnię, jak często powinieneś przestrzegać wybranych zasad. Pamiętasz zasadę 80/20? Byłabym zachwycona, gdyby udało ci się stosować do wybranych wskazówek przez 80% twojego czasu. To taka magiczna granica, która pozostawia miejsce na przyjemności, jednocześnie nie rujnując twoich wyników.

Gotowy sprawdzić, jak ci poszło? Ja też! No to weźmy się za liczenie.

Całkowita punktacja

Weź kartkę i długopis albo laptopa i wróć na ostatnią stronę każdego rozdziału. Będziemy podliczać twoją całkowitą punktację ze wszystkich rozdziałów. Pamiętaj, że każda wskazówka była punktowana w skali od 1 do 3. Liczba dostępnych punktów to suma możliwych do zdobycia punktów w poszczególnych rozdziałach. Zapisz swoje wyniki.

Rozdział 1
Liczba dostępnych punktów = 57   Twój wynik = _____

Rozdział 2
Liczba dostępnych punktów = 52   Twój wynik = _____

Rozdział 3
Liczba dostępnych punktów = 96   Twój wynik = _____

Rozdział 4
Liczba dostępnych punktów = 116   Twój wynik = _____

Rozdział 5
Liczba dostępnych punktów = 77   Twój wynik = _____

Rozdział 6
Liczba dostępnych punktów = 118   Twój wynik = _____

Rozdział 7
Liczba dostępnych punktów = 70   Twój wynik = _____

Wstrzymaj się jeszcze z podliczeniem swojej całkowitej punktacji. Dlaczego? Mam dla ciebie parę dodatkowych punktów. Zawsze jako dziecko lubiłam dostawać jakieś fory. Nie przypisywałam punktów do wskazówek podawanych w tej książce „na marginesie", takich jak „Ubieraj się odpowiednio do swojej sylwetki", „Szybkie cięcie", „Bądź zaradny", ale jeśli je stosujesz, to też coś ci się należy. Dołączenie do kooperatywy spożywczej lub ubieranie się w sposób, który podkreśla walory twojej figury, to działania, które może bezpośrednio nie spalają tłuszczu, ale pokazują, że chcesz działać i poświęcić się sobie i swojej odnowie – a to naprawdę wiele znaczy.

Jeśli naprawdę planujesz wykorzystywać chociaż połowę z tego, co radziłam w rubrykach „Bądź zaradny" i „Szybkie cięcie", wraz z kilkoma radami z części o oszczędzaniu pieniędzy i wybieraniu ubrań odpowiednich dla twojej figury, dopisz sobie 10 dodatkowych punktów. Jeśli połowę tego, dopisz 5 punktów. Jeśli mniej, niestety nic z tego. Nie dostaniesz bonusowych punktów. Nie zrozum mnie źle. Nadal chcę, byś stosował te rady tak często, jak to możliwe. Nawet kilka może dużo znaczyć, ale by dały wymierne efekty, musiałbyś zastosować ich więcej. To nie są wskazówki, które bezpośrednio mogą poprawić twoją sylwetkę; są skuteczne, jeśli stosujesz ich dużo.

No dobrze, teraz podsumujmy wszystkie punkty!

Wszystkie rozdziały
Liczba dostępnych punktów = 586
Punkty bonusowe = 10
(Dodaj do siebie wszystkie siedem wyników zapisanych powyżej i zapisz je tutaj)

Twoja całkowita liczba punktów = _____

Wybrane wskazówki

Zanim wyjaśnię ci, co oznacza twój wynik, musimy jeszcze obliczyć, jaki procent z podanych punktowanych wskazówek postanowiłeś stosować. W całej książce podałam w sumie 282 rady, za których wybranie otrzymywałeś punkty. Poniżej znajdziesz listę, w której możesz wpisać liczbę wybranych przez ciebie z poszczególnych rozdziałów wskazówek. Wróć jeszcze raz do swoich wyników w poszczególnych rozdziałach, sprawdź, ile porad wybrałeś, i podaj tę liczbę poniżej. Zastanawiasz się, co ja kombinuję?

Mimo że ta liczba nie wpływa na twój wynik punktowy, to w połączeniu z informacją o twojej punktacji daje obraz tego, jakie decyzje podejmowałeś w zakresie planów, pomysłów i ich wykorzystania. Dzięki temu będę mogła dać ci pełniejszą informację zwrotną i pomóc poprawić twoje wyniki, jeśli będą tego wymagały.

Rozdział 1
Liczba wskazówek = 28   Wybrane wskazówki = _____

Rozdział 2
Liczba wskazówek = 25   Wybrane wskazówki = _____

Rozdział 3
Liczba wskazówek = 43   Wybrane wskazówki = _____

Rozdział 4
Liczba wskazówek = 54   Wybrane wskazówki = _____

Rozdział 5
Liczba wskazówek = 37   Wybrane wskazówki = _____

Rozdział 6
Liczba wskazówek = 56   Wybrane wskazówki = _____

Rozdział 7
Liczba wskazówek = 39   Wybrane wskazówki = _____

Suma wszystkich wskazówek = 282

Suma wybranych wskazówek = _____

Zobaczmy, jak te liczby przekładają się na procent wybranych wskazówek, a zaraz wyjaśnię ci, jakie znaczenie ma to dla twoich całkowitych wyników.

Jeśli wybrałeś 1–28 wskazówek, jest to 1–10% wszystkich zawartych w tej książce porad.

Jeśli wybrałeś 29–56 wskazówek, jest to 10–20% wszystkich zawartych w tej książce porad.

Jeśli wybrałeś 57–84 wskazówek, jest to 21–30% wszystkich zawartych w tej książce porad.

Jeśli wybrałeś 85–113 wskazówek, jest to 31–40% wszystkich zawartych w tej książce porad.

Jeśli wybrałeś 114–141 wskazówek, jest to 41–50% wszystkich zawartych w tej książce porad.

Jeśli wybrałeś 142–169 wskazówek, jest to 51–60% wszystkich zawartych w tej książce porad.

Jeśli wybrałeś 170–197 wskazówek, jest to 61–70% wszystkich zawartych w tej książce porad.

Jeśli wybrałeś 198–226 wskazówek, jest to 71–80% wszystkich zawartych w tej książce porad.

Jeśli wybrałeś 227–254 wskazówek, jest to 81–90% wszystkich zawartych w tej książce porad.

Jeśli wybrałeś 255–282 wskazówek, jest to 91–100% wszystkich zawartych w tej książce porad.

Twoje wyniki końcowe

Werble proszę... Panie i panowie, oto nadszedł moment, na który wszyscy czekali. Już czas na to, by przeanalizować twoje wyniki i zobaczyć, jak ci poszło. Następnie, wykorzystując informację o procencie wybranych przez ciebie wskazówek, zastanowimy się, jak je poprawić – jeśli będzie taka potrzeba. Chociaż możliwe, że nie będzie to wcale konieczne.

Co oznacza twój wynik

1–199 punktów

Hmmm... To niski wynik. Nie będę cię oszukiwać, nie jestem zachwycona. Jeśli znalazłeś się w tym przedziale punktowym, jest to dla mnie istotny sygnał, że nie jesteś konsekwentny w swoim poziomie zaangażowania w pracę nad sobą, swoje zdrowie i samopoczucie. Nawet jeśli odznaczyłeś wszystkie porady w rozdziale pierwszym i drugim – a stosowanie się do nich jest niezbędne, jeśli myślisz o odchudzaniu – oznacza to, że pominąłeś wszystkie wskazówki w kolejnych rozdziałach. W ten sposób możesz wszystko zaprzepaścić, ponieważ te niżej punktowane rady służą temu, by łatwiej było ci wprowadzić w życie zalecenia z dwóch pierwszych rozdziałów. Możliwe, że jest odwrotnie, wybrałeś wiele z nisko punktowanych wskazówek z rozdziałów od 3 do 7, ale nie przyłożyłeś się do podstawowych spraw związanych z odchudzaniem się opisanych w pierwszych rozdziałach. Albo, co gorsza, osiągnąłeś taki wynik, bo się zupełnie nie przyłożyłeś i wybrałeś za mało tych istotnych sugestii lub za małą liczbę sugestii w ogóle. W każdym z tych przypadków oznacza to jedno i to samo, niekonsekwencję i brak zaangażowania.

Możesz wierzyć lub nie, ale to również dobra wiadomość: lepszy rydz niż nic. Jeśli zdobyłeś tyle punktów, nie będziesz już przybierać na wadze. To już coś – naprawdę nieźle. Sugestie, które postanowiłeś wykorzystać, pomogą ci dopilnować, byś nie spożywał więcej kalorii niż ilość, jaką jesteś w stanie spalić. Jednak wątpliwe jest, by udało ci się schudnąć i cieszyć się pięknym, seksownym ciałem, o jakim marzyłeś, kiedy kupowałeś tę książkę. Jeśli twoja waga będzie spadać, będzie to powolny proces. Przy odrobinie szczęścia może zrzucisz pół kilograma w tydzień czy dwa. Ale przy tak niewielkim zaangażowaniu z twojej strony jest mało prawdopodobne, że uda ci się utrzymać tę wagę.

Nie chcę cię zniechęcać. Nadal zasługujesz na pochwałę – za to, że próbujesz zmienić się i bardziej o siebie zadbać. Niech to będzie dla ciebie sygnał alarmowy. Zastanów się, po co kupiłeś tę książkę. Czy jesteś gotów podjąć wyzwanie i zrobić dla siebie coś więcej? Bo stać cię na więcej.

Aby ruszyć do przodu, albo raczej w dół, jeśli bierzemy pod uwagę twoją wagę, musisz oszacować procent wybranych przez ciebie wskazówek i dokonać pewnych korekt, w zależności od wyniku.

- Jeśli jest to ponad 50% porad, musisz wrócić do rozdziałów 1–3 i wybrać więcej podstawowych zaleceń, tych za 3 punkty.
- Jeśli twój wynik jest niższy niż 50%, ale punktacja jest w górnej granicy tego przedziału, oznacza to, że musiałeś wybrać wiele istotnych sugestii. Musisz się teraz poważnie zastanowić, w jaki sposób będziesz je stosował, by już zawsze prowadzić zdrowy styl życia. Powinieneś wrócić do rozdziałów 4 i 6 i zrozumieć, co może ci w tym przeszkodzić. Musisz się dobrze przygotować i myśleć przyszłościowo, jeśli naprawdę chcesz trzymać się porad z wcześniejszych rozdziałów.
- Jeśli twój wynik jest poniżej 50%, a twoja całkowita punktacja znajduje się w dolnych granicach tego przedziału, potrzebujesz powtórki! Wróć do rozdziałów 1, 2, 3, 4 i 6 i z każdego z nich dodaj co najmniej po pięć wskazówek, które możesz wprowadzić w życie.

200–350 punktów

W porządku, mam nadzieję, że znalazłeś się w górnych rejonach tego przedziału, ale ogólnie to już całkiem niezła kategoria punktowa. Twój wynik pokazuje mi, że zrozumiałeś, na czym to wszystko polega, i wiesz, jak sobie radzić, by być szczupłym. Główne zasady zdrowego stylu życia uważasz za możliwe do przyjęcia i jesteś gotów je stosować. Ta punktacja nie da ci najszybszych efektów, ale efekty z czasem przyjdą, a to najważniejsze. Jedyne co mnie martwi, to że jeśli zakwalifikowałeś się do tej kategorii, możesz się zniechęcić, nie widząc pozytywnych efektów od razu.

Jeśli chciałbyś przyśpieszyć ten proces, oto co zalecam:

- Jeśli twój wynik procentowy wynosi 30–50%, oznacza to, że wybrałeś głównie wskazówki 2- i 3-punktowe, i bardzo dobrze, ale szczerze radziłabym zwiększyć liczbę stosowanych porad. Na twoim miejscu wróciłabym do rozdziału 5 i zastanowiła się, co może cię bardziej nakręcić i zmotywować do większych starań. Postaraj się dodać sobie tutaj co najmniej 20 punktów. Zajrzyj też do rozdziałów 3 i 4, aby sprawdzić, co może ci pomóc w odchudzaniu. W częściach „Gotuj szczupło", „Zamawianie w restauracji na diecie" czy „Jedzenie w pracy" znajdziesz kilka prostych, ale bardzo efektywnych rad za 1 punkt.

- Jeśli twój wynik to 50–70%, to biorąc pod uwagę również twoją punktację, oznacza to, że wybrałeś całkiem porządny zestaw rad ze wszystkich rozdziałów i wszystkich kategorii punktowych. Aby podnieść ci trochę poprzeczkę, chciałabym, żebyś spróbował dodać sobie po 10 punktów z każdego z rozdziałów 1, 2, 3, 4 oraz 7. To wprowadzi twój plan na wyższe obroty i może znacznie przyśpieszyć osiągnięcie upragnionych efektów.

- Jeśli osiągnąłeś wynik powyżej 70%, to na pewno masz powody do zadowolenia – to jeden z lepszych rezultatów. A twoje wyniki mówią mi, że musiałeś wybrać dużo porad o niższej punktacji. Tak więc musisz dodać trochę skuteczniejszych wskazówek, tych za 3 punkty. Wróć do rozdziału 2 i wybierz sobie (i zastosuj) jak najwięcej pomysłów z sekcji „Powiększ swoje mięśnie" i „Więcej cardio". Pamiętaj, jeśli zakwalifikowałeś się do tej kategorii, jest z tobą całkiem nieźle, ale jeśli chcesz wzmocnić i utrwalić swoje dotychczasowe wyniki i przyśpieszyć nowe osiągnięcia, zastosuj się do powyższej rady.

351–450 punktów

No, to mi się podoba. Naprawdę. To jest właściwy wynik. Pewnie myślałeś, że najlepiej byłoby osiągnąć najwyższą punktację, ale prawda jest taka, że taki plan mógłby okazać się niewykonalny w codziennym życiu, a zaangażowanie w stosowanie wszystkich zasad mogłoby nie być trwałe. Twoja punktacja mówi mi, że dobrze zrozumiałeś wymogi zdrowego życia, że jesteś gotowy włożyć dużo pracy w realizację swoich założeń, ale jednocześnie twardo stąpasz po ziemi i myślisz realistycznie o tym, które z moich wskazówek będziesz mógł na stałe wprowadzić do swojego stylu życia. Jeśli znalazłeś się w tym miejscu, wiem, że nie tylko wybrałeś wystarczającą liczbę wskazówek, ale że spora część z nich to te najskuteczniejsze, które zapewnią ci osiągnięcie znakomitych, trwałych rezultatów.

Jeśli twoja punktacja mieści się w przedziale 401–450 punktów, nic już nie zmieniaj! Jesteś na właściwej drodze do sukcesu! Jeśli twoja punktacja jest w niższych rejonach tego przedziału (351–400), podniesiemy trochę poprzeczkę i dodamy do tego obrazka kilka ostatnich muśnięć. Oto co powinieneś zrobić:

- Jeśli twój wynik to 40% lub mniej, wróć do rozdziałów 3 oraz 4 i dodaj sobie po 5–10 punktów w każdym. To pomoże ci upewnić się, że wybrałeś wystarczająco dużo pomysłów, które ułatwią ci przestrzeganie podstawowych zasad z rozdziałów 1 i 2.

- Jeśli jesteś w dolnym zakresie liczby punktów, zajrzyj też na chwilę do rozdziału 5 i upewnij się, czy jesteś wystarczająco silnie zmotywowany. Jeśli chcesz, żeby twój plan działania był naprawdę mocny, na twoim miejscu odznaczyłabym co najmniej 1/3 porad w tym rozdziale.

- Jeśli twój wynik to 40–80%, wybrałeś porządny zestaw pomysłów ze wszystkich kategorii punktowych. Zajrzyj jeszcze raz do rozdziału 6, żeby się upewnić, że przyswoiłeś sobie całą tę wiedzę. Pamiętaj, że możesz ćwiczyć i właściwie się odżywiać, ale jeśli ciągle poddajesz się głodowi i ulegasz pokusom, to twoje odchudzanie się spowalnia. Zawsze możesz natrafić na jakąś niemożliwą do przewidzenia przeszkodę, ale ważne jest, byś zawsze umiał szybko wrócić na właściwy tor. Wróć też do rozdziału 7 i zwróć uwagę na dodatkowo punktowane porady. Pomogą ci osiągnąć znakomite rezultaty w krótszym czasie.

450–596 punktów

Kłamczuch. No, ale poważnie, naprawdę chcesz tak sobie dać w kość? Nawet ja się nie kwalifikuję do tej kategorii. Postawiłeś przed sobą nie lada wyzwanie. Taki wynik oznacza, ze musiałeś wybrać prawie wszystkie najważniejsze i najwyżej punktowane wskazówki, twój procent na pewno pokazuje, że wybrałeś ich też sporą ilość. Jestem pod ogromnym wrażeniem, wręcz zachwycona, i nie mam dla ciebie żadnych rad, jak jeszcze bardziej poprawić twoje wyniki. Mam za to małą przestrogę. Podoba mi się twoje nastawienie, szczególnie jeśli twoja punktacja wynosi powyżej 500, ale uważaj, by nie popaść w myślenie typu „wszystko albo nic". To zasada, której bardzo trudno się trzymać.

Martwię się, że możesz zacząć zbyt obsesyjnie o siebie dbać. Przez to, gdy zdarzy ci się potknąć (a zdarzy ci się, każdemu się zdarza, nikt nie jest idealny), możesz się zdenerwować, stracić motywację i poddać się. Znałam wiele takich osób, które zaczęły, dając z siebie 100%, ale z czasem się zmęczyły, poczuły się przeciążone i w efekcie zupełnie zrezygnowały ze starań. Nie uniosły tak przytłaczającego zobowiązania. Poza tym, jeśli narzucasz sobie taki reżim, tracisz całą radość życia.

Pamiętasz, co obiecałam ci już na pierwszej stronie? Przysięgłam pomóc ci osiągnąć wspaniałe rezultaty, nie unieszczęśliwiając cię jednocześnie. Oto moja rada: cieszy mnie, że większość moich wskazówek uważasz za wykonalne, ale może spróbuj być dla siebie odrobinę bardziej pobłażliwy. Pamiętaj, by żyć zgodnie z zasadą 80/20. Będziesz naprawdę potrzebował tych 20% czasu na wytchnienie, by trzymać się swojego planu i jednocześnie nie postradać zmysłów.

Ja na przykład prawie nigdy nie piję alkoholu, ale od czasu do czasu zdarza mi się wyskoczyć ze znajomymi na margeritę. Przestrzegam wszystkich wskazówek pomagających utrzymać właściwą muskulaturę, ale zdarzają się tygodnie, gdy jestem tak zabiegana, że udaje mi się pójść na siłownię tylko raz. To się może zdarzyć. Weź głęboki oddech i pamiętaj, że nie ma nic złego w tym, żeby dać sobie trochę luzu. Nie szkodzi, jeśli czasem zboczysz z wyznaczonego kursu. Jeśli będziesz stosować wszystkie te wskazówki tylko przez 80% swojego czasu, nadal możesz liczyć na wspaniałe efekty i to bez przemęczania się.

Nie zapomnij żadnej wskazówki

Na początku książki prosiłam, byś wybierał tylko te rady, które do ciebie przemawiają oraz wydają się możliwe do wykorzystania przy twoim stylu życia. Co zatem powinieneś zrobić z tymi sugestiami, których nie wybrałeś? Przechowaj je w skarbnicy pomysłów – zawsze będziesz mógł je stamtąd wyciągnąć. Przez najbliższe kilka miesięcy trzymaj się tych, które wybrałeś, żyj według nich, zobacz, jakie przyniosą efekty. Po tym czasie możesz znów zajrzeć do książki i coś zmienić, na przykład wymienić sugestie, które okazały się zbędne, albo dodać kilka nowych, żeby utrzymać swój wynik punktowy.

Nie chciałabym, żebyś przeczytał tę książkę raz i odłożył ją na półkę. Chcę, byś do niej wracał i czytał ją raz za razem, tak często, jak tylko będziesz potrzebował odświeżyć sobie informacje lub chciał się bardziej zmotywować. Dzięki niej możesz zachować tę wyjątkową strategię, która jest twoja i tylko twoja, i dzięki której odkryłeś klucz do swojej idealnej sylwetki.

Trzymaj się szczupło

Oto jesteśmy... na końcu książki i zarazem na początku twojej drogi do szczupłego życia. Zdobyłeś wiedzę, dzięki której możesz spokojnie kroczyć tą drogą. Jestem przekonana, że wiesz już wszystko co niezbędne do osiągnięcia twoich celów i że zrobisz to tak szybko, że nie zdążysz się zniechęcić. Wiedza to siła. A ty ją posiadłeś. Teraz możesz i dasz radę podjąć skuteczne działania, które pozwolą ci dokonać zmian, których pragniesz i na które zasługujesz.

Jak już pewnie zauważyłeś, *Idealna sylwetka* nie jest zwykłą książką o diecie. Książki o dietach przedstawiają przeważnie kilkutygodniowy lub kilkumiesięczny plan zadań, do których po tym czasie na pewno nie chciałbyś wracać. Ta książka natomiast przedstawia ci nowy sposób na zdrowe i szczupłe życie. Sposób, dzięki któremu wiesz już, jak osiągnąć szczupłą i seksowną sylwetkę i jednocześnie być okazem zdrowia. Dni, kiedy dawałeś się nabierać modnym dietom, naciągać na bezużyteczne, drogie fitnessowe gadżety, przekonywać firmom farmaceutycznym do niebezpiecznych specyfików i byłeś skłonny narażać życie dla operacji plastycznych, to już przeszłość. Teraz wiesz już, na czym to wszystko polega, i NIKOMU, k&*%$, nie dasz sobą manipulować. (Udało mi się przebrnąć przez książkę bez jednego słowa na „k", ale tu już nie mogłam się powstrzymać. Że też redakcja musiała je usunąć).

Mówię serio. Nikt cię już nie oszuka, Panie Szczupły.

Jeśli kiedykolwiek zwątpisz, przypomnij sobie, że ja NIGDY nie spotkałam osoby, której nie byłabym w stanie pomóc zrzucić zbędnych kilogramów. Zapisałam w tej książce wszystko, co ja stosuję dla swojego ciała i zdrowia, jak również wszystko to, co kiedykolwiek zastosowałam, żeby osiągnąć zadziwiające wyniki z setkami osób, którym pomogłam schudnąć.

A teraz ruszaj skopać parę tyłków (najlepiej zacznij od swojego) i zaskocz samego siebie. Dasz radę!